T
S
C
E

assim

falava

zaratustra

assim falava zaratustra

Livro
para
toda a
gente
e para
ninguém

Friedrich
Nietzsche

apêndices
Elisabeth
Föster-Nietzsche

tradução
José Mendes
de Souza

prefácio
Geir Campos

EDITORA
NOVA
FRONTEIRA

Editora Nova Fronteira Participações S.A.
Rua Candelária, 60 — 7º andar — 20091-020
Rio de Janeiro — RJ — Brasil
Tel.: (21) 3882-8200 – Fax: (21)3882-8212/8313

CIP-Brasil. Catalogação na publicação
Sindicato Nacional dos Editores de Livros, RJ

N581a Nietzsche, Friedrich, 1844-1900
Assim falava Zaratustra; livro para toda a gente e para ninguém / Friedrich Nietzsche; tradução José Mendes de Souza; Elisabeth Föster-Nietzsche (apêndices), Geir Campos (prefácio). – Edição Especial. – Rio de Janeiro: Nova Fronteira, 2016.
352 p. (Boxe grandes obras de Nietzsche)

Tradução de: Also sprach Zarathustra
Apêndice
ISBN 9788520929728

1. Filosofia alemã. II. Título. III. Série.

CDD: 193
CDU: 1(43)

SUMÁRIO

QUARTA E ÚLTIMA PARTE

Prefácio

O poeta Nietzsche

A *Enciclopédia judaica castelhana*, publicada no México em 1950, diz isto de Nietzsche: "Filósofo e poeta lírico alemão, 1844-1900. Seus escritos têm exercido profunda influência, e foi ele quem cunhou expressões tais como super-homem, transmutação de valores, espírito senhoril etc. Os nazistas a princípio adotaram conceitos nietzschianos, mas tiveram de abandonar as obras de Nietzsche ao se darem conta de que as obras dele estavam muito longe de oferecer fundamentação ideológica ao nazifascismo."

A transcrição desse verbete enciclopédico visa, de início, a afastar qualquer hipótese, eventualmente difundida, de que Nietzsche com sua filosofia dê pena para as mangas da cruz suástica — e uma enciclopédia judaica é referência mais do que fidedigna para isso; serve ainda a citação a um outro propósito, qual seja o de situar Nietzsche como poeta — pelo menos tão poeta quanto filósofo.

Evoco, para assim o situar, três conceitos de poesia emitidos por autoridades indiscutíveis no assunto. Novalis, pensador e poeta romântico alemão, 1772-1801, dizia que "poesia é a arte de excitar a alma";

T.S. Eliot, poeta e crítico norte-americano que se naturalizou inglês, laureado em 1948 com o Prêmio Nobel, diz que "toda grande poesia é uma visão de mundo"; e Coleridge, poeta e esteta britânico, 1772-1834, propunha que poesia fosse "as melhores palavras em sua melhor ordem". Fundindo esses três conceitos, pode-se dizer que "poesia é a arte de excitar a alma com uma visão de mundo através das melhores palavras em sua melhor ordem".

Essa tríplice conceituação vem plenamente justificar a apresentação de Nietzsche como poeta, e de seu livro *Assim falava Zaratustra* como um esplêndido poema: excita a alma, ostenta uma visão do mundo, e joga com as melhores palavras em sua melhor ordem.

A propósito escreveu Nietzsche, em carta, a um amigo: "Eu quis, com o meu *Zaratustra*, levar a língua alemã à máxima perfeição. Depois de Lutero e Goethe, seria um terceiro passo adiante. Veja bem, velho camarada do meu coração, se a força e a flexibilidade e a eufonia do nosso idioma jamais estiveram tão bem combinadas!"

Em outro livro, *Ecce Homo*, volta ele a realçar: "Foi Heine quem me deu a mais perfeita ideia do que pode ser um poeta lírico. Ele tinha aquela divina malícia, sem a qual a própria perfeição é para mim inconcebível. E com que mestria manejava a língua pátria! Algum dia dir-se-á, de Heine e de mim, que fomos incomparavelmente os maiores artistas da língua alemã e deixamos para trás todos os esforços já feitos por outros autores a bem do nosso idioma."

É obviamente impossível repetir, em tradução, as melhores palavras na ordem que a Nietzsche se impôs como sendo a melhor: essa excelência vernacular só poderá ser aferida na leitura do original. Já as ideias, imagens e alegorias, fatores igualmente ponderáveis no arcabouço do poema, podem muito bem ser transportadas de um idioma a outro — e hão de ser apreciadas nesta edição brasileira de *Assim falava Zaratustra*.

O ensaísta Alfred Bacumler, num posfácio ao volume de *Also Sprach Zarathustra* publicado em 1956 pela Editora Kröner, de Stuttgart, chama a atenção do leitor para os trechos mais ostensivamente filosofais deste livro, intitulados: Os Trasmundistas, Os Detratores do Corpo, Do Ler e Escrever, Da Guerra e dos Guerreiros, Do Amigo, Do Casamento e dos Filhos, Das Tarântulas, Do Triunfo sobre Si Mesmo, Da Redenção, Da Virtude Amesquinhadora, O Convalescente, bem como Antes de Nascer o Sol e Nas Ilhas Felizes, que seriam também dos trechos mais líricos do livro.

Como principalmente líricos, Baeumler indica os trechos que se intitulam: Da Chusma, A Canção da Noite, A Canção da Tumba, Da Ventura não Buscada, O Retorno, Do Grande Anelo, A Outra Canção de Baile, As Sete Velas (ou Canção do Sim e do Amém).

Como especialmente satíricos, cita Baeumler: Das Cátedras da Virtude, Do Novo Ídolo, Dos Grandes Acontecimentos, Do Passar de Longe.

Alegorias seriam, a seu ver: Da Visão e do Enigma, a Fala Preliminar de Zaratustra (Do Super-Homem e do Último Homem), e a quarta parte ao livro, que seria toda uma vasta alegoria.

O trecho intitulado De Velhas e Novas Tábuas é, na opinião de Baeumler, uma síntese geral de *Assim falava Zaratustra*, que o próprio Nietzsche dizia ser uma espécie de sala de visitas do seu universo filosófico.

Mas, embora certamente se possa entender melhor o *Zaratustra* quando se conhece Nietzsche, não se há de entender bem Nietzsche quando se conhece apenas o seu *Zaratustra*. Sugiro, aos interessados, que leiam também o ensaio *Nietzsche, filósofo da cultura*, do jesuíta inglês Frederick Copleston, traduzido e publicado em Portugal pela Livraria Tavares Martins: o autor, reconhecendo expressamente que "apesar de sua hostilidade contra o cristianismo, Nietzsche respeitou sempre os verdadeiros cristãos", retribui ao filósofo na mesma moeda, com seriedade e respeito, sem deixar de fazer naturalmente as ressalvas que lhe impõe o seu credo religioso.

Nietzsche era filho, neto e bisneto de pastores protestantes; e ele próprio, em sua mocidade, pretendia seguir o exemplo paterno. Já no colégio, quando tinha cinco anos, era um menino tão sério e introspectivo que seus colegas puseram-lhe o apelido de "pastorzinho".

Não custa repetir a velha história, que contam, de que o garoto Friedrich Nietzsche vinha um dia voltando da escola, em Naumburgo, debaixo de uma chuva impiedosa, sem correr dela, como se não a estivesse sentindo; ao chegar a casa, sem casaco nem sobretudo, ouviu um carão da mãe, que da janela o vira chegar assim vagaroso. E quando ela lhe perguntou por que não dera uma corrida para escapar ao aguaceiro, o menino respondeu simplesmente que o regulamento da escola proibia que os alunos andassem correndo pelas ruas.

Aos dez anos de idade, Nietzsche entrou para o Ginásio de Naumburgo; em 1858 foi, com uma bolsa de estudos, para a escola de Pforta — de onde haviam saído os Schlegels, Novalis e Fichte. Era fraco em matemática, mas bom em grego e brilhante em alemão, em estudos bíblicos e latim. Leu Schiller e Byron, mas preferia Hölderlin. Saiu de Pforta com vinte anos. Em 1867 foi convocado para o exército prussiano; quase morreu de uma queda do cavalo, e voltou para continuar seus estudos em Leipzig, onde conheceu a música de Wagner — de quem se tornou amigo extremado e depois extremado inimigo. Em 1869 entrou como professor de filologia na Universidade de Basileia, aos 24 anos de idade. Com a deflagração da guerra franco-prussiana, pediu licença na universidade e foi de novo para o exército. Tendo de acompanhar uns soldados doentes num comboio, contraiu disenteria e difteria, e voltou para Basileia sem se ter curado completamente; ficou sujeito a insônias, nevralgias, dispepsia e perturbações visuais, indo então para Lucânia a fim de restabelecer-se.

O nascimento da tragédia foi o primeiro livro publicado de Nietzsche, em 1871; a segunda edição apareceu em 1875, com um adendo sobre "Helenismo e Pessimismo".

Há quem divida a evolução de Nietzsche em três fases. Na primeira fase, há o endeusamento de homens como Wagner e Schopenhauer; é quando ele escreve *O nascimento da tragédia* e *Considerações intempestivas.*

A segunda é a fase da "sabedoria ideal", que se costuma exemplificar com seu livro *Humano, demasiado humano*. A terceira fase é aquela em que Nietzsche toma consciência de ter um pensamento próprio: mostra-se então um filósofo independente, e é quando escreve *Assim falava Zaratustra*, *Além do bem e do mal*, *Genealogia da moral*, e daí por diante.

"Os filósofos em geral têm apenas interpretado o mundo, de várias maneiras, mas o que interessa é mudar o mundo" — escreveria Marx, a propósito de Feuerbach. E Nietzsche era um desses filósofos interessados em "mudar o mundo". A sua filosofia era, como diria Hegel, "em meio à degradação, uma revolta contra a degradação"; ou, como diria Marx, "uma revolta forçada pela contradição entre a sua humanidade e a situação em que se encontra, a qual é uma negação absoluta, clara e nítida, da sua humanidade".

Em *Assim falava Zaratustra* estão as ideias-chaves do pensamento de Nietzsche; a ideia do Super-Homem, a ideia da Transmutação de Valores, a ideia de Espírito Senhoril, e a ideia do Eterno Retorno.

Esta última ocorreu-lhe certa vez, em Sils Maria, estando ele sentado no sopé de um rochedo perto de Surlei: veio-lhe então o pensamento de que todo acontecimento há de repetir-se necessariamente, sendo infinito o tempo, com ciclos periódicos e necessários em que tudo volta a se repetir eternamente (a ideia em si não era nova, mas Nietzsche não deu logo por isso).

A ideia do Espírito Senhoril (vontade de poder) visava a se contrapor à do Espírito Servil que Nietzsche atribuía a todos os homens medíocres. Em 1845, um ano depois do nascimento de Nietzsche, já em seu livro *A sagrada família* escrevia outro pensador crítico alemão: "A escravidão da sociedade civil é em aparência a máxima liberdade, pois dá a impressão de ser a realização da independência do indivíduo, para quem o movimento frenético, desembaraçado dos grilhões em geral e das limitações impostas pelo homem, de cujos elementos vitais ele foi despojado (propriedade e religião, por exemplo), parece constituir manifestação da sua própria liberdade, quando nada mais é do que a expressão da sua escravização absoluta e perda de sua natureza humana. Então o privilégio é substituído pelo direito." E Théodore Dezamby, em 1840, no seu *Código da Comunidade*, esclarecia que "a liberdade não é outra coisa senão a própria felicidade, e consiste no exercício do poder do homem". Exercendo a sua vontade de potência, o homem deixaria de ter um comportamento servil em face da moral, da religião e de outras contingências.

A ideia da Transmutação de Valores, de Nietzsche, era uma forma do seu protesto contra a rotina e o dogmatismo. O que Nietzsche tinha em vista era uma nova moral que se resumisse num "sim à vida". E é difícil não dar razão a Nietzsche, sobretudo quando se observa que 86% das pessoas adultas vivem, segundo o relatório Kimsey, em permanente contradição com o código moral que dizem adotar; e igual índice chegou a ser verificado por padres confessores, em condições e por meios em tudo diferentes. A maioria das criaturas continua a dar lições de moral e a agir amoralmente; era decerto contra isso que se insurgia Nietzsche — contra a hipocrisia institucionalizada.

A ideia do Super-Homem é a mais discutida, e a mais caluniada, de Nietzsche. Embora não fosse exclusiva dele — já no Renascimento houve um Pico della Mirandola que escreveu, em seu *Tratado da grandeza do homem* — "Não te demos, Adão, uma forma ou um lugar determinado no mundo, e sim olhos para vê-lo e mãos para aperfeiçoá-lo, a fim de que só de ti dependa rebaixar-te ao nível inferior das alimárias ou elevar-te ao nível superior dos seres divinos". E no mesmo ano em que Nietzsche nasceu, escrevia Marx, em seus *Manuscritos filosóficos e econômicos*, que em dadas circunstâncias será possível ao homem "apropriar-se do seu ser universal de maneira universal, ou seja, como homem total".

Nietzsche, no seu individualismo — que haveria de levá-lo à solidão e infelizmente à loucura —, não foi capaz de perceber que o homem só se poderá ultrapassar em sociedade, como ser social; daí tantas e tamanhas contradições em sua obra, que não cabe aqui discutir. Mas isso não impede que o seu *Zaratustra* seja um belo livro, belo e profundo, profundo e triste — embora seu autor tivesse em mira a alegria.

Geir Campos[1]

[1] Geir Campos foi poeta, dramaturgo, tradutor, editor, jornalista, ensaísta e contista. Nascido em 1924, na cidade capixaba de São José do Calçado, publicou seus primeiros trabalhos já na década de 1940. Faleceu no ano de 1999, em Niterói, Rio de Janeiro.

PRIMEIRA PARTE

Preâmbulo de Zaratustra

I

Aos trinta anos apartou-se Zaratustra da sua pátria e do lago da sua pátria, e foi-se até a montanha. Durante dez anos gozou por lá do seu espírito e da sua soledade sem se cansar. Variaram, porém, os seus sentimentos, e uma manhã, erguendo-se com a aurora, pôs-se em frente do sol e falou-lhe deste modo:

"Grande astro! Que seria da tua felicidade se te faltassem aqueles a quem iluminas? Faz dez anos que te abeiras da minha caverna, e, sem mim, sem a minha águia e a minha serpente, haver-te-ias cansado da tua luz e deste caminho.

Nós, porém, esperávamos-te todas as manhãs, tomávamos-te o supérfluo e bendizíamos-te.

Pois bem: já estou tão enfastiado da minha sabedoria, como a abelha que acumulasse demasiado mel. Necessito mãos que se estendam para mim.

Quisera dar e repartir até que os sábios tornassem a gozar da sua loucura e os pobres da sua riqueza.

Por isso devo descer às profundidades, como tu pela noite, astro exuberante de riqueza quando transpões o mar para levar a tua luz ao mundo inferior.

Eu devo descer, como tu, segundo dizem os homens a quem me quero dirigir.

Abençoa-me, pois, olho afável, que podes ver sem inveja até uma felicidade demasiado grande!

Abençoa a taça que quer transbordar, para que dela manem as douradas águas, levando a todos os lábios o reflexo da tua alegria!

Olha! Esta taça quer de novo esvaziar-se, e Zaratustra quer tornar a ser homem."

Assim principiou o ocaso de Zaratustra.

II

Zaratustra desceu sozinho das montanhas sem encontrar ninguém. Ao chegar aos bosques deparou-se-lhe de repente um velho de cabelos brancos que saíra da sua santa cabana para procurar raízes na selva. E o velho falou a Zaratustra desta maneira:

"Este viandante não me é desconhecido; passou por aqui há anos. Chamava-se Zaratustra, mas mudou.

Nesse tempo levava as suas cinzas para a montanha. Quererá levar hoje o seu fogo para os vales? Não terá medo do castigo que se reserva aos incendiários?

Sim; reconheço Zaratustra. O seu olhar, porém, e a sua boca não revelam nenhum enfado. Parece que se dirige para aqui como um bailarino!

Zaratustra mudou, Zaratustra tornou-se menino, Zaratustra está acordado. Que vais fazer agora entre os que dormem?

Como no mar vivias no isolamento, e o mar te levava, Desgraçado! Queres saltar em terra? Desgraçado! Queres tornar a arrastar tu mesmo o teu corpo?"

Zaratustra respondeu: "Amo os homens."

"Pois por quê — disse o santo — vim eu para a solidão? Não foi por amar demasiadamente os homens?

Agora amo a Deus; não amo os homens.

O homem é, para mim, coisa sobremaneira incompleta. O amor pelo homem matar-me-ia."

Zaratustra respondeu: "Falei de amor! Trago uma dádiva aos homens."

"Nada lhes dês — disse o santo. — Pelo contrário, tira-lhes qualquer coisa e eles logo te ajudarão a levá-la. Nada lhes convirá melhor, de que quanto a ti te convenha.

E se queres dar não lhes dês mais do que uma esmola, e ainda assim espera que ta peçam."

"Não — respondeu Zaratustra —, eu não dou esmolas. Não sou bastante pobre para isso."

O santo pôs-se a rir de Zaratustra e falou assim: "Então vê lá como te arranjas para te aceitarem os tesouros. Eles desconfiam dos solitários e não acreditam que tenhamos força para dar.

As nossas passadas soam solitariamente demais nas ruas. E, ao ouvi-las perguntam assim como de noite, quando, deitados nas suas camas, ouvem passar um homem muito antes do alvorecer: "Aonde irá o ladrão?"

Não vás para os homens! Fica no bosque!

Prefere à deles a companhia dos animais! Por que não queres ser como eu, urso entre os ursos, ave entre as aves?"

"E que faz o santo no bosque?" — perguntou Zaratustra.

O santo respondeu: "Faço cânticos e canto-os, e quando faço cânticos rio, choro e murmuro.

Assim louvo a Deus.

Com cânticos, lágrimas, risos e murmúrios louvo ao Deus que é meu Deus. Mas, deixa ver, que presente nos trazes?"

Ao ouvir estas palavras, Zaratustra cumprimentou o santo e disse-lhe: "Que teria eu para vos dar? O que tens a fazer é deixar-me caminhar, correndo, para vos não tirar coisa nenhuma."

E assim se separaram um do outro, o velho e o homem, rindo como riem duas criaturas.

Quando, porém, Zaratustra se viu só falou assim, ao seu coração: "Será possível que este santo ancião ainda não ouvisse no seu bosque que **Deus já morreu**?"

III

Chegando à cidade mais próxima, enterrada nos bosques, Zaratustra encontrou uma grande multidão na praça pública, porque estava anunciado o espetáculo de um bailarino de corda.

E Zaratustra falou assim, ao povo:

"**Eu vos anuncio o Super-homem!**"[2]

"O homem é superável. Que fizestes para o superar?

Até agora todos os seres têm apresentado alguma coisa superior a si mesmos; e vós quereis o refluxo desse grande fluxo, preferis tornar ao animal, em vez de superar o homem?

Que é o macaco para o homem? Uma irrisão ou uma dolorosa vergonha. Pois é o mesmo que deve ser o homem para o Super-homem: uma irrisão ou uma dolorosa vergonha.

Percorrestes o caminho que medeia do verme ao homem, e ainda em vós resta muito do verme. Noutro tempo fostes macaco, e hoje o homem é ainda mais macaco do que todos os macacos.

Mesmo o mais sábio de todos vós não passa de uma mistura híbrida de planta e de fantasma. Acaso vos disse eu que vos torneis planta ou fantasma?

Eu anuncio-vos o Super-homem!

O Super-homem é o sentido da terra. Diga a vossa vontade: seja o Super-homem, o sentido da terra.

Exorto-vos, meus irmãos, a permanecer fiéis à terra e a não acreditar naqueles que vos falam de esperanças supraterrestres.

---

[2] *Ubermensch:* "sobre-homem".

São envenenadores, quer o saibam ou não.

São menosprezadores da vida, moribundos que estão por sua vez envenenados, seres de que a terra se encontra fatigada; vão-se por uma vez!

Noutros tempos, blasfemar contra Deus era a maior das blasfêmias; mas Deus morreu, e com ele morreram tais blasfêmias. Agora, o mais espantoso é blasfemar da terra, e ter em maior conta as entranhas do impenetrável do que o sentido da terra.

Noutros tempos a alma olhava o corpo com desdém, e então nada havia superior a esse desdém; queria a alma um corpo fraco, horrível, consumido de fome! Julgava deste modo libertar-se dele e da terra.

Ó! Essa mesma alma era uma alma fraca, horrível e consumida, e para ela era um deleite a crueldade!

Irmãos meus, dizei-me: que diz o vosso corpo da vossa alma? Não é a vossa alma, pobreza, imundície e conformidade lastimosa?

O homem é um rio turvo. É preciso ser um mar para, sem se toldar, receber um rio turvo.

Pois bem; eu vos anuncio o Super-homem; é ele esse mar; nele se pode abismar o vosso grande menosprezo.

Qual é a maior coisa que vos pode acontecer? Que chegue a hora do grande menosprezo, a hora em que vos enfastie a vossa própria felicidade, de igual forma que a vossa razão e a vossa virtude.

A hora em que digais: "Que importa a minha felicidade! É pobreza, imundície e conformidade lastimosa.

A minha felicidade, porém, deveria justificar a própria existência!"

A hora em que digais: "Que importa minha razão! Anda atrás do saber como o leão atrás do alimento. A minha razão é pobreza, imundície e conformidade lastimosa!"

A hora em que digais: "Que importa a minha virtude? Ainda me não enervou. Como estou farto do meu bem e do meu mal. Tudo isso é pobreza, imundície e conformidade lastimosa!"

A hora em que digais: "Que importa a minha justiça?! Não vejo que eu seja fogo e carvão! O justo, porém, é fogo e carvão!"

A hora em que digais: "Que importa a minha piedade? Não é a piedade a cruz onde se crava aquele que ama os homens? Pois a minha piedade é uma crucificação."

Já falastes assim? Já gritastes assim? Ah! não vos ter eu ouvido a falar assim!

Não são os vossos pecados, é a vossa parcimônia que clama ao céu! A vossa mesquinhez até no pecado, isso é que clama ao céu!

Onde está, pois, o raio que vos lamba com a sua língua? Onde está o delírio que é mister inocular-vos?

Vede; eu anuncio-vos o Super-homem! É ele esse raio! É ele esse delírio!

Assim que Zaratustra disse isto, um da multidão exclamou: "Já ouvimos falar demasiado do que dança na corda; mostra-no-lo agora." E toda a gente se riu de Zaratustra. Mas o dançarino da corda, julgando que tais palavras eram com ele, pôs-se a trabalhar.

IV

Entretanto, Zaratustra olhava a multidão, e assombravam-se. Depois falava assim:

"O homem é corda estendida entre o animal e o Super-homem: uma corda sobre um abismo; perigosa travessia, perigoso caminhar, perigoso olhar para trás, perigoso tremer e parar.

O grande do homem é ele ser uma ponte, e não uma meta; o que se pode amar no homem é ele ser uma passagem ou um **acabamento**.[3]

Eu só amo aqueles que sabem viver como que se extinguindo, porque são esses os que atravessam de um para outro lado.

Amo os grandes desdenhosos, porque são os grandes adoradores, a setas do desejo ansiosas pela outra margem.

---

[3] *Ein Übergang und ein Untergang.*

Amo os que não procuram por detrás das estrelas uma razão para morrer e oferecer-se em sacrifício, mas se sacrificam pela terra, para que a terra pertença um dia ao Super-homem.

Amo o que vive para conhecer, e que quer conhecer, para que um dia viva o Super-homem, porque assim quer o seu acabamento.

Amo o que trabalha e inventa, a fim de exigir uma morada ao Super-homem e preparar para ele a terra, os animais e as plantas, porque assim quer o seu acabamento.

Amo o que ama a sua virtude, porque a virtude é vontade de extinção e uma seta do desejo.

Amo o que não reserva para si uma gota do seu espírito, mas que quer ser inteiramente o espírito da sua virtude, porque assim atravessa a ponte como espírito.

Amo o que faz da sua virtude a sua tendência e o seu destino, pois assim, por sua virtude, quererá viver ainda e deixar de viver.

Amo o que não quer ter demasiadas virtudes. Uma virtude é mais virtude do que duas, porque é mais um nó a que se aferra o destino.

Amo o que prodigaliza a sua alma, o que não quer receber agradecimentos nem restitui, porque dá sempre e não quer preservar.

Amo o que se envergonha de ver cair o dado a seu favor e que pergunta ao ver tal: "Serei um jogador fraudulento?", porque quer submergir-se.

Amo o que solta palavras de ouro perante as suas obras e cumpre sempre com usura o que promete, porque quer perecer.

Amo o que justifica os vindouros e redime os passados, porque quer que o combatam os presentes.

Amo aquele cuja alma é profunda, mesmo se ferida, pois a cólera do seu Deus o confundirá.

Amo aquele cuja alma é profunda, mesmo se ferida, e ao que pode aniquilar um leve acidente, porque assim de bom grado passará a ponte.

Amo aquele cuja alma transborda, a ponto de se esquecer de si mesmo e quanto esteja nele, porque assim todas as coisas se farão para sua ruína.

Amo o que tem o espírito e o coração livres, porque assim a sua cabeça apenas serve de entranhas ao seu coração, mas o seu coração o leva a sucumbir.

Amo todos os que são como gotas pesadas que caem uma a uma da sombria nuvem suspensa sobre os homens, anunciam o relâmpago próximo e desaparecem como anunciadores.

Vede; eu sou um anúncio do raio e uma pesada gota procedente da nuvem; mas este raio chama-se o Super-homem."

V

Pronunciadas estas palavras, Zaratustra tornou a olhar o povo, e calou-se. "Riem-se — disse o seu coração. — Não me compreendem; a minha boca não é a boca que estes ouvidos necessitam.

Terei que principiar por lhes destruir os ouvidos para que aprendam a ouvir com os olhos? Terei que atroar à maneira de timbales ou de pregadores de Quaresma? Ou só acreditarão nos gagos?

De qualquer coisa se sentem orgulhosos. Como se chama então, isso de que estão orgulhosos? Chama-se civilização: o que os distingue dos cabreiros.

Isto, porém, não gostam eles de ouvir, porque os ofende a palavra "desdém".

Falar-lhes-ei, portanto, ao orgulho.

Falar-lhes-ei do mais desprezível que existe, do **último homem**."

E Zaratustra falava assim ao povo:

"É tempo que o homem tenha um objetivo.

É tempo que o homem cultive o germe da sua mais elevada esperança.

O seu solo é ainda bastante rico, mas será pobre, e nele já não poderá medrar nenhuma árvore alta.

Ai! aproxima-se o tempo em que o homem já não lançará por sobre o homem a seta do seu ardente desejo e em que as cordas do seu arco já não poderão vibrar.

Eu vo-lo digo: é preciso ter um caos dentro de si para dar à luz uma estrela cintilante.

Eu vo-lo digo; tendes ainda um caos dentro de vós outros.

Ai! Aproxima-se o tempo em que o homem já não dará à luz as estrelas; aproxima-se o tempo do mais desprezível dos homens, do que já se não pode desprezar a si mesmo.

Olhai! Eu vos mostro o último homem.

"Que vem a ser isso de amor, de criação, de ardente desejo, de estrela?" — pergunta o último homem, revirando os olhos.

A terra tornar-se-á então mais pequena, e sobre ela andará aos pulos o último homem, que tudo apouca. A sua raça é indestrutível como a da pulga; o último homem é o que vive mais tempo.

"Descobrimos a felicidade" — dizem os últimos homens, e piscam os olhos.

Abandonaram as comarcas onde a vida era rigorosa, porque uma pessoa necessita de calor. Ainda se quer ao vizinho e se roçam pelo outro, porque uma pessoa necessita de calor.

Enfraquecer e desconfiar parece-lhes pecaminoso; anda-se com cautela. Insensato aquele que ainda tropeça com as pedras e com os homens!

Algum veneno uma vez por outra, é coisa que proporciona agradáveis sonhos. E muitos venenos no fim para morrer agradavelmente.

Trabalha-se ainda porque o trabalho é uma distração; mas fala-se de modo que a distração não debilite.

Já uma pessoa se não torna nem pobre nem rica; são duas coisas demasiado difíceis. Quem quererá ainda governar? Quem quererá ainda obedecer? São duas coisas demasiado custosas.

Nenhum pastor, e só um rebanho! Todos querem o mesmo, todos são iguais; o que pensa de outro modo vai por seu pé para o manicômio.

"Noutro tempo toda a gente era doida" — dizem os perspicazes, e reviram os olhos.

É-se prudente, e está-se a par do que acontece: desta maneira pode-se zombar sem cessar. Questiona-se ainda, mas logo se fazem as pazes; o contrário altera a digestão.

Não falta um pouco de prazer para o dia e um pouco de prazer para a noite; mas respeita-se a saúde.

"Descobrimos a felicidade" — dizem os últimos homens — e reviram os olhos."

Aqui acabou o primeiro discurso de Zaratustra — que também se chama preâmbulo — porque neste ponto foi interrompido pelos gritos e pelo alvoroço da multidão. "Dá-nos esse último homem, Zaratustra — exclamaram — torna-nos semelhantes a esses últimos homens! Perdoar-te-emos o Super-homem."

E todo o povo era alegria. Zaratustra entristeceu e disse consigo:

"Não me compreendem; não. Não é da minha boca que estes ouvidos necessitam.

Vivi demais nas montanhas, escutei demais os arroios e as árvores, e agora falo-lhes como um pastor.

A minha alma é sossegada e luminosa como o monte pela manhã; mas eles julgam que sou um frio e astuto chacareiro.

Ei-los olhando-me e rindo-se, e enquanto se riem, continuam a odiar-me. Há gelo nos seus risos."

VI

Sucedeu, porém, qualquer coisa que fez emudecer todas as bocas e atraiu todos os olhares.

Entrementes pusera-se a trabalhar o volteador; saíra de uma pequena porta e andava pela corda presa a duas torres sobre a praça pública e a multidão.

Quando estava justamente na metade do caminho abriu-se outra vez a portinhola, donde saltou o segundo acrobata que parecia um palhaço com as suas mil cores, o qual seguiu rapidamente o primeiro. "Depressa, bailarino!" — gritou a sua horrível voz. — "Depressa, mandrião, manhoso, cara deslavada! Olha que te piso os calcanhares!

Que fazes aqui entre estas torres? Na torre devias tu estar metido; obstruis o caminho a outro mais ágil do que tu!" E a cada palavra se aproximava mais, mas, quando se encontrou a um passo, sucedeu essa coisa terrível que fez calar todas as bocas e atraiu todos os olhares; lançou um grito diabólico e saltou por cima do que lhe interceptava o caminho.

Este, ao ver o rival vitorioso, perdeu a cabeça e a corda, largou o balancim e precipitou-se no abismo como um remoinho de braços e pernas. A praça pública e a multidão pareciam o mar quando se desencadeia a tormenta. Todos fugiram atropeladamente, em especial do sítio onde deveria cair o corpo.

Zaratustra permaneceu imóvel, e junto dele caiu justamente o corpo, destrocado, mas vivo ainda. Passado um momento o ferido recuperou os sentidos e viu Zaratustra ajoelhado junto de si. "Que fazes aqui? — lhe disse. Já há tempos que eu sabia que o diabo me havia de derrubar. Agora arrasta-me para o inferno. Queres impedi-lo?"

"Amigo — respondeu Zaratustra — palavra de honra que tudo isso de que falas não existe, não há diabo nem inferno. A tua alma ainda há-de morrer mais depressa do que o teu corpo; nada temas."

O homem olhou receoso. "Se dizes a verdade — respondeu — nada perco ao perder a vida. Não passo de uma besta que foi ensinada a dançar a poder de pancadas e de fome."

"Não — disse Zaratustra — fizeste do perigo o teu ofício, coisa que não é para desprezar.

Agora por causa do teu ofício sucumbes e atendendo a isso vou enterrar-te por minha própria mão."

O moribundo já não respondeu, mas moveu a mão como se procurasse a de Zaratustra para lhe agradecer.

VII

Abeirava-se a noite, e a praça sumia-se nas trevas. Então a multidão dispersou-se, porque até a curiosidade e o pavor se cansam. Sentado ao pé do cadáver, Zaratustra encontrava-se tão abismado nas suas reflexões que se esqueceu do tempo. Fez-se noite e sobre o solitário soprou um vento frio. Zaratustra ergueu-se então, e disse consigo:

"Na verdade, Zaratustra fez hoje uma boa pesca! Não alcançou um homem, mas um cadáver!

Coisa para nos preocupar é a vida humana, e sempre vazia de sentido: um trovão lhe pode ser fatal!

Quero ensinar aos homens o sentido da sua existência, que é o Super-homem, o relâmpago que brota da sombria nuvem homem.

Estou, porém, longe deles, e o meu sentido nada diz aos seus sentidos. Para os homens sou uma coisa intermediária entre o doido e o cadáver.

Escura é a noite, escuros são os caminhos de Zaratustra. Vem, companheiro frio e rígido! Levar-te-ei ao sítio onde por minha mão te enterrarei."

VIII

Dito isto ao seu coração, Zaratustra deitou o cadáver às costas e pôs-se a caminho. Ainda não andara cem passos quando se lhe acercou furtivamente um homem e lhe falou baixinho ao ouvido. O que falava era o palhaço da torre. Eis o que lhe dizia: — "Sai desta cidade, Zaratustra — há aqui demasiada gente que te odeia. Os bons e os justos odeiam-te e chamam-te seu inimigo e desprezador; os fiéis da verdadeira crença odeiam-te e dizem que és o perigo da multidão. Ainda tiveste sorte em zombarem de ti, e na verdade falavas como um truão. Tiveste sorte em te associar a esse vilão desse morto; rebaixando-te, por essa forma salvaste-te por hoje; mas sai desta cidade, ou amanhã salto eu por cima de ti, um vivo por cima de um morto." E o homem desapareceu, e Zaratustra seguiu o seu caminho pelas escuras ruas.

À porta da cidade encontrou os coveiros.

Estes aproximaram-lhe da cara as enxadas, e conheceram Zaratustra e troçaram muito dele. "Zaratustra leva o indigno morto! Bravo! Zaratustra tornou-se coveiro! As nossas mãos são puras demais para tocar nessa peça! Com que então Zaratustra quer roubar o pitéu ao demônio! Apre! Bom proveito! Isto se o diabo não for melhor ladrão que Zaratustra e os não roubar aos dois!" E riam entre si, cochichando.

Zaratustra não respondeu palavra e seguiu seu caminho. Passadas duas horas a andar à beira de bosques e de lagoas; já ouvira latir os lobos esfomeados, e também a ele o atormentava a fome. Por esse motivo parou diante de uma casa isolada onde brilhava uma luz.

"Apodera-se de mim a fome como um salteador — disse Zaratustra: — no meio dos bosques e das lagoas e na escura noite me surpreende.

A minha fome tem estranhos caprichos. Em geral só me aparece depois de comer, e hoje em todo o dia não me apareceu. Onde se entreteria então?"

Assim dizendo, Zaratustra bateu à porta da casa. Logo apareceu um velho com uma luz e perguntou: "Quem se abeira de mim e do meu fraco sono?"

"Um vivo e um morto — respondeu Zaratustra. — Dá-me de comer e de beber; esqueci-me de o fazer durante o dia. Quem dá de comer ao faminto reconforta a sua própria alma: assim falava a sabedoria."

O velho retirou-se; mas tornou no mesmo instante e ofereceu a Zaratustra pão e vinho. "Ruim terra é esta para os que têm fome — disse ele — por isso eu habito nela. Homens e animais de mim se aproximam, de mim, o solitário. Mas chama também o teu companheiro para comer e beber; está mais cansado do que tu." Zaratustra respondeu: "O meu companheiro está morto; não é fácil decidi-lo a comer." "Nada tenho com isto — resmungou o velho. — O que bate à minha porta deve receber o que lhe ofereço. Come, e passa bem."

Zaratustra tornou a andar outras duas horas, confiando-se ao caminho e à luz das estrelas, porque estava acostumado às caminhadas noturnas e gostava de contemplar tudo quanto dorme. Quando principiou a raiar a aurora encontrava-se num espesso bosque e já não via nenhum caminho. Então colocou o cadáver no côncavo de uma árvore à altura da sua cabeça — pois queria livrá-lo dos lobos — e deitou-se no solo sobre a relva. No mesmo instante adormeceu cansado de corpo, mas com a alma tranquila.

IX

Zaratustra dormiu muito tempo e por ele passou não só a aurora mas toda a manhã. Por fim abriu os olhos, e olhou admirado no meio do bosque e do silêncio; admirado olhou para dentro de si mesmo. Ergueu-se precipitado, como navegante que de súbito avista terra, e soltou um grito de alegria porque vira uma verdade nova. E falou deste modo ao seu coração:

"Um raio de luz me atravessa a alma: preciso de companheiros, mas vivos, e não de companheiros mortos, de cadáveres, que levo para onde quero.

Preciso de companheiros, mas vivos, que me sigam — porque desejem seguir-se a si mesmos — para onde quer que eu vá.

Um raio de luz me atravessa a alma: não é à multidão que Zaratustra deve falar, mas a companheiros! Zaratustra não deve ser pastor e cão de um rebanho!

Para apartar muitos do rebanho, foi para isso que vim. O povo e o rebanho irritam-se comigo. Zaratustra quer ser acoimado de ladrão pelos pastores.

Eu digo pastores, mas eles a si mesmos se chamam os fiéis da verdadeira crença!

Vede os bons e os justos! a quem odeiam mais? A quem lhes despedaça as tábuas de valores, ao infrator, ao destruidor. E este, porém, o criador.

O criador procura companheiros, não procura cadáveres, rebanhos, nem crentes; procura colaboradores que inscrevam valores novos ou tábuas novas.

O criador procura companheiros para seguir com ele; porque tudo está maduro para a ceifa. Faltam-lhe, porém, as cem foices, e por isso arranca espigas, contrariado.

Companheiros que saibam afiar as suas foices, eis o que procura o criador. Chamar-lhes-ão destruidores e desprezadores do bem e do mal, mas eles hão-de ceifar e descansar.

Colaboradores que ceifem e descansem com ele, eis o que busca Zaratustra. Que se importa ele com rebanhos, pastores e cadáveres?

E tu, primeiro companheiro meu, descansa em paz! Enterrei-te bem, na tua árvore oca, deixo-te bem-defendido dos lobos.

Separo-me, porém, de ti; já passou o tempo. Entre duas auroras me iluminou uma nova verdade.

Não devo ser pastor nem coveiro. Nunca mais tornarei a falar ao povo; pela última vez falei com um morto.

Quero unir-me aos criadores, aos que colhem e se divertem; mostrar-lhes-ei o arco-íris e todas as escadas que levam ao Super-homem.

Entoarei o meu cântico aos solitários e aos que se encontram juntos na solidão; e a quem quer que tenha ouvidos para as coisas inauditas confranger-lhe-ei o coração com a minha ventura.

Caminho para o meu fim; sigo o meu caminho; saltarei por cima dos negligentes e dos retardados. Desta maneira será a minha marcha o meu fim!"

X

Assim falava Zaratustra ao seu coração quando o sol ia em meio do seu curso; depois dirigiu para as alturas um olhar interrogador porque ouvia por cima de si o grito penetrante de uma ave. E viu uma águia que pairava nos ares traçando largos rodeios e sustentando uma serpente que não parecia uma presa, mas um aliado, porque se lhe enroscava ao pescoço.

"São os meus animais!" — disse Zaratustra, e regozijou-se intimamente.

O animal mais arrogante que o sol cobre e o animal mais astuto que o sol cobre saíram em exploração.

Queriam descobrir se Zaratustra ainda vivia. Ainda viverei, deveras?

Encontrei mais perigos entre os homens do que entre os animais; perigosas sendas segue Zaratustra. Guiem-me os meus animais."

Depois de dizer isto, Zaratustra recordou-se das palavras do santo do bosque, suspirou e falou assim ao seu coração:

"Devo ser mais judicioso! Devo ser tão profundamente astuto como a minha serpente.

Peço, porém, o impossível; rogo, portanto, a minha altivez que me acompanhe sempre a prudência!

E, se um dia a prudência me abandonar — ai! agrada-lhe tanto fugir! —, possa sequer a minha altivez voar com a minha loucura!"

Assim começou o ocaso de Zaratustra.

Os discursos de Zaratustra

Das três transformações

Três transformações do espírito vos menciono: como o espírito se muda em camelo, e o camelo em leão, e o leão, finalmente, em criança.

Há muitas coisas pesadas para o espírito, para o espírito forte e sólido, respeitável. A força deste espírito está bradando por coisas pesadas, e das mais pesadas.

Há o que quer que seja pesado? — pergunta o espírito sólido. E ajoelha-se como camelo e quer que o carreguem bem. Que há mais pesado, heróis — pergunta o espírito sólido —, a fim de eu o ditar sobre mim, para que a minha força se recreie?

Não será rebaixarmo-nos para o nosso orgulho padecer? Deixar brilhar a nossa loucura para zombarmos da nossa sensatez?

Ou será separarmo-nos da nossa causa quando ela celebra a sua vitória? Escalar altos montes para tentar o que nos tenta?

Ou será sustentarmo-nos com bolotas e erva do conhecimento e padecer fome na alma por causa da verdade?

Ou será estar enfermo e despedir a consoladores e travar amizade com surdos que nunca ouvem o que queremos?

Ou será submergirmo-nos em água suja quando é a água da verdade, e não afastarmos de nós as frias rãs e os quentes sapos?

Ou será amar os que nos desprezam e estender a mão ao fantasma quando nos quer assustar?

O espírito sólido sobrecarrega-se de todas estas coisas pesadíssimas; e à semelhança do camelo que corre carregado pelo deserto, assim ele corre pelo seu deserto.

No deserto mais solitário, porém, se efetua a segunda transformação: o espírito torna-se leão; quer conquistar a liberdade e ser senhor no seu próprio deserto.

Procura então o seu último senhor, quer ser seu inimigo e de seus dias; quer lutar pela vitória com o grande dragão.

Qual é o grande dragão a que o espírito já não quer chamar Deus, nem senhor?

"Tu deves", assim se chama o grande dragão; mas o espírito do leão diz: "Eu quero."

O "tu deves" está postado no seu caminho, como animal escamoso de áureo fulgor; e em cada uma das suas escamas brilha em douradas letras: "Tu deves!"

Valores milenários brilham nessas escamas, e o mais poderoso de todos os dragões fala assim:

"Em mim brilha o valor de todas as coisas."

"Todos os valores foram já criados, e eu sou todos os valores criados. Para o futuro não deve existir o "eu quero!". Assim falou o dragão.

Meus irmãos, que falta faz o leão no espírito? Não bastará a besta de carga que abdica e venera?

Criar valores novos é coisa que o leão ainda não pode; mas criar uma liberdade para a nova criação, isso pode-o o poder do leão.

Para criar a liberdade e um santo NÃO, mesmo perante o dever; para isso, meus irmãos, é preciso o leão.

Conquistar o direito de criar novos valores é a mais terrível apropriação aos olhos de um espírito sólido e respeitoso. Para ele isto é uma verdadeira rapina e coisa própria de um animal rapace.

Como o mais santo, amou em seu tempo o "tu deves" e agora tem que ver a ilusão e arbitrariedade até no mais santo, a fim de conquistar a liberdade à custa do seu amor. É preciso um leão para esse feito.

Dizei-me, porém, irmãos: que poderá a criança fazer que não haja podido fazer o leão? Para que será preciso que o altivo leão se mude em criança?

A criança é a inocência, e o esquecimento, um novo começar, um brinquedo, uma roda que gira sobre si, um movimento, uma santa afirmação.

Sim; para o jogo da criação, meus irmãos, é preciso uma santa afirmação: o espírito quer agora a sua vontade, o que perdeu o mundo quer alcançar o seu mundo.

Três transformações do espírito vos mencionei: como o espírito se transformava em camelo, e o camelo em leão, e o leão, finalmente, em criança.

Assim falava Zaratustra. E nesse tempo residia na cidade que se chama "Vaca Malhada".

Das cátedras da virtude

Elogiara a Zaratustra um sábio que falava doutamente do sono e da virtude; por isso se via cumulado de honrarias e recompensas, e todos os mancebos acorriam à sua cátedra. Zaratustra foi ter com ele, e, como todos os mancebos, sentou-se diante da sua cátedra. E o sábio falou assim:

Honrai o sono e respeitai-o! É isso o principal. E fugi de todos os que dormem mal e estão acordados de noite.

O próprio ladrão se envergonha em presença do sono. Sempre vagueia silencioso durante a noite: mas o relento é insolente.

Não é pouco saber dormir; para isso é preciso aprontar-se durante o dia.

Dez vezes ao dia deves saber vencer-te a ti mesmo; isto cria uma fadiga considerável, e esta é a dormideira da alma.

Dez vezes deves reconciliar-te contigo mesmo, porque é amargo, vencermo-nos, e o que não está reconciliado dorme mal.

Dez verdades hás-de encontrar durante o dia; se assim não for, ainda procurarás verdades durante a noite e a tua alma estará faminta.

Dez vezes ao dia precisas rir e estar alegre, senão incomodar-te-á de noite o estômago, esse pai da aflição.

Ainda que poucas pessoas o saibam, é preciso ter todas as virtudes para dormir bem.

Levanto falsos testemunhos? Cometi adultério?

Cobiço a serva do próximo? Tudo isto se combina mal com um bom sono.

E se se tivessem as virtudes, seria preciso saber fazer uma coisa: adormecer a tempo todas as virtudes.

É mister que estas lindas mulheres se não desavenham! E por tua causa, infeliz!

Paz com Deus e com o próximo: assim o quer o bom sono. E também paz com o diabo do próximo, se não, atormentar-te-á de noite.

Honra e obediência à autoridade, mesmo à autoridade que claudique! Assim o exige o bom sono! Acaso tem uma pessoa culpa do poder gostar de andar com pernas coxas?

Aquele que conduz as suas ovelhas ao prado mais viçoso, para mim, será melhor pastor: isto é conveniente ao bom sono.

Não quero muitas honras nem grandes tesouros; isto exacerba a bílis. Dorme-se mal, porém, sem uma boa reputação que é um pequeno tesouro.

Prefiro pouca ou má companhia; mas é mister que venha e se vá embora no momento oportuno. É isto o que convém ao bom sono.

Também me agradam muito os pobres de espírito: apressam o sono. São bem-aventurados, mormente quando se lhes dá sempre razão.

Assim passam o dia os virtuosos. Quando chega a noite livro-me bem de chamar o sono. O sono, que é o rei das virtudes, não quer ser chamado.

Somente penso no que fiz e pensei durante o dia. Ruminando, interrogo-me pacientemente como uma vaca: "Então, quais foram as tuas dez vitórias sobre ti mesmo?

E quais foram as dez reconciliações, e as dez verdades, e os dez risos, com que se alegrou o teu coração?"

Maquinando nestas coisas e acalentado por quarenta pensamentos, o sono, que eu não chamei, logo me surpreende.

O sono dá-me nos olhos, e sinto-os pesados. O sono aflora à minha boca; e a boca fica aberta.

Sutilmente se introduz em mim o ladrão predileto e rouba-me os pensamentos. Estou de pé, feito um tronco; mas ainda há pouco de pé, logo me estendo."

Ouvindo falar o sábio, Zaratustra riu-se consigo mesmo.

"Parece-me doido este sábio com os seus quarenta pensamentos, mas creio que compreende bem o sono.

Bem-aventurado o que habite ao pé deste sábio! Um sono assim é contagioso, mesmo através de uma parede espessa.

Na sua cátedra mesmo há um feitiço. E não era debalde que os mancebos estavam sentados ao pé do pregador da virtude.

Diz a sua sabedoria: "Velar para dormir bem." E, na verdade, se à vida faltasse senso e eu tivesse que eleger um contrassenso, esse contrassenso parecer-me-ia o mais digno de eleição.

Agora compreendo o que se procurava primeiro que tudo em nossos dias, quando se procurava mestres de virtude. O que se procurava era um bom sono, e para isso virtudes coroadas de dormideiras.

Para todos estes sábios catedráticos, tão ponderados, a sabedoria era dormir sem sonhar: não conheciam melhor sentido da vida.

Hoje ainda há alguns como este pregador da virtude, e nem sempre tão honestos como ele; mas o seu tempo já passou.

E ainda bem não estão em pé, já se estendem.

Bem-aventurados tais dormentes porque não tardarão a dormir de todo.

Assim falava Zaratustra.

Dos crentes em além-mundos[4]

Um dia, Zaratustra elevou a sua ilusão mais além da vida aos homens, à maneira de todos os que creem em além-mundos.

Obra de um deus dolente e atormentado lhe pareceu então o mundo.

"Sonho me parecia, e ficção de um deus: vapor colorido ante os olhos de um divino descontente.

Bem e mal, alegria e desgosto, eu e tu, vapor colorido me parecia tudo ante os olhos criadores. O criador queria desviar de si mesmo o olhar... e criou o mundo.

Para quem sofre é uma alegria esquecer o seu sofrimento. Alegria inebriante e esquecimento de si mesmo me pareceu um dia o mundo.

Este mundo, o eternamente imperfeito, me pareceu um dia imagem de uma eterna contradição, e uma alegria inebriante para o seu imperfeito criador.

Da mesma maneira projetei eu também a minha ilusão mais para além da vida dos homens à semelhança de todos os crentes em além-mundos. Além dos homens, realmente?

Ai, meus irmãos! Este deus que eu criei era obra humana e humano delírio, como todos os deuses.

[4] A tradução literal seria: "Dos além-mundistas" (*von den Hinterweltlern*).

Era homem, tão somente um fragmento de homem e de mim. Esse fantasma saía das minhas próprias cinzas e da minha própria chama, e nunca veio realmente do outro mundo.

Que sucedeu, meus irmãos? Eu, que sofria, dominei-me; levei a minha própria cinza para a montanha; inventei para mim uma chama mais clara. E vede! O fantasma ausentou-se!

Agora que estou curado, seria para mim um sofrimento e um tormento crer em semelhantes fantasmas. Assim falo eu aos que creem em além-mundos.

Sofrimentos e incompetências; eis o que criou todos os além-mundos, e este breve desvario da felicidade que só conhece quem mais sofre.

A fadiga, que de um salto quer atingir o extremo, uma fadiga pobre e ignorante, que não quer ao menos um maior querer; foi ela que criou todos os deuses e todos os além-mundos.

Acreditai-me, meus irmãos! Foi o corpo que desesperou do corpo: tateou com os dedos do espírito extraviado as últimas paredes.

Acreditai-me, meus irmãos! Foi o corpo que desesperou da terra: ouviu falar as entranhas do ser.

Quis então que a sua cabeça transpassasse as últimas paredes, e não só a cabeça: até ele quis passar para o "outro mundo".

O "outro mundo", porém, esse mundo desumanizado e inumano, que é um nada celeste, está oculto aos homens, e as entranhas do ser não falam ao homem, a não ser como homem.

É deveras difícil demonstrar o Ser, e difícil é fazê-lo falar. Dizei-me, porém, irmãos: a mais estranha de todas as coisas não será a melhor demonstrada?

E, este Eu que cria, que quer, e que dá a medida e o valor das coisas, este Eu, e a contradição e confusão do Eu falam com a maior lealdade do seu ser.

E este ser lealíssimo, o Eu, fala do corpo, e quer o corpo, embora sonhe e divague e esvoace com as asas partidas.

O Eu aprende a falar mais realmente de cada vez e quanto mais aprende, mais palavras acha para honrar o corpo e a terra.

O meu Eu ensinou-me um novo orgulho que eu ensino aos homens: não ocultar a cabeça nas nuvens celestes, mas levá-la descoberta; sustentar erguida uma cabeça terrestre que creia no sentido da terra.

Eu ensino aos homens uma nova vontade: querer o caminho que os homens têm seguido cegamente, e considerá-lo bom, e fugir dele como os enfermos e os decrépitos.

Enfermos e decrépitos foram os que menosprezaram o corpo e a terra, os que inventaram as coisas celestes e as gotas de sangue redentor; mas até esses doces e lúgubres venenos foram buscar no corpo e na terra!

Queriam fugir da sua miséria, e as estrelas estavam demasiado longe para eles, então suspiraram: "Oh! se houvessem caminhos celestes para alcançar outra vida e outra felicidade!" E inventaram os seus artifícios e as suas beberagens sangrentas.

E julgaram-se arrebatados para longe do seu corpo e desta terra, os ingratos! A quem deviam, porém, o seu espasmo e o deleite do seu arroubamento? Ao seu corpo e a esta terra.

Zaratustra é indulgente com os enfermos, não o enfadam as suas formas de se consolarem, nem a sua ingratidão. Curem-se, dominem-se, criem um corpo superior!

Zaratustra também se não enfada com o que sara quando este olha com carinho as suas ilusões, e vai à meia-noite rodear a tumba do seu Deus; mas as suas lágrimas continuam sendo para mim enfermidade e corpo enfermo.

Houve sempre muitos enfermos entre os que sonham e suspiram por Deus; odeiam furiosamente o que procura o conhecimento e a mais nova das virtudes, que se chama lealdade.

Olham sempre para trás, para tempos obscuros; nesse tempo, de certo, a ilusão e a fé eram outra coisa. O delírio da razão era coisa divina, e a dúvida, pecado.

Conheço demasiado esses semelhantes a Deus; querem que se acredite neles e que a dúvida seja pecado. Também sei de sobra no que é que eles creem mais.

Não é, certamente, em além-mundos e em gotas de sangue redentor; eles também creem sobretudo no corpo, e no seu próprio que olham como a coisa em si.

O seu corpo, porém, é coisa enfermiça e de boa vontade se livrarão dele. Por isso escutam os pregadores da morte e eles mesmos pregam os além-mundos.

Preferi, meus irmãos, a voz do corpo curado; é uma voz mais leal e mais pura.

O corpo são, o corpo cheio de ângulos, retos, fala com mais lealdade, e mais pureza; fala do sentido da terra.

Assim falava Zaratustra.

Dos que desprezam o corpo

Aos que desprezam o corpo quero dizer a minha opinião. O que devem fazer não é mudar de preceito, mas simplesmente despedirem-se do seu próprio corpo, e por conseguinte, ficarem mudos.

"Eu sou corpo e alma" — assim fala a criança. — E por que se não há de falar como as crianças?

Mas o que está desperto e atento diz: — "Tudo é corpo e nada mais; a alma é apenas nome de qualquer coisa do corpo."

O corpo é uma razão em ponto grande, uma multiplicidade com um só sentido, uma guerra e uma paz, um rebanho e um pastor.

Instrumento do teu corpo é também a tua razão pequena, a que chamas espírito: um instrumentozinho e um pequeno brinquedo da tua razão grande.

Tu dizes "Eu" e orgulhas-te dessa palavra. Porém, maior — coisa que tu não queres crer — é o teu corpo e a tua razão grande. Ele não diz Eu, mas: procede como Eu.

O que os sentidos apreciam, o que o espírito conhece, nunca em si tem seu fim; mas os sentidos e o espírito quereriam convencer-te de que são fim de tudo; tão soberbos são.

Os sentidos e o espírito são instrumentos e joguetes; por detrás deles se encontra o nosso próprio ser.[5] Ele esquadrinha com os olhos dos sentidos e escuta com os olhos do espírito.

Sempre escuta e esquadrinha o próprio ser: combina, submete, conquista e destrói.

Reina, e é também soberano do Eu.

Por detrás dos teus pensamentos e sentimentos, meu irmão, há um senhor mais poderoso, um guia desconhecido. Chama-se "eu sou". Havia no teu corpo; é o teu corpo.

Há mais razão no teu corpo do que na tua melhor sabedoria. E quem sabe para que necessitará o teu corpo precisamente da tua melhor sabedoria?

O próprio ser se ri do teu Eu e dos seus saltos arrogantes. Que significam para mim esses saltos e voos do pensamento? — diz. — Um rodeio para o meu fim. Eu sou o guia do Eu e o inspirador de suas ideias.

O nosso próprio ser diz ao Eu: "Experimenta dores!" E sofre e medita em não sofrer mais; e para isso deve pensar.

O nosso próprio ser diz ao Eu: "Experimenta alegrias!" Regozija-se então e pensa em continuar a regozijar-se frequentemente; e para isso deve pensar.

Quero dizer uma coisa aos que desprezam o corpo: desprezam aquilo a que devem a sua estima. Quem criou a estima e o menosprezo e o valor e a vontade?

O próprio ser criador criou a sua estima e o seu menosprezo, criou a sua alegria e a sua dor. O corpo criador criou a si mesmo o espírito como emanação da sua vontade.

---

[5] *DAS SELBS*, palavra equivalente à inglesa *SELF.*

Desprezadores do corpo: até na vossa loucura e no vosso desdém sereis o vosso próprio ser. Eu vos digo: o vosso próprio ser quer morrer e se afasta da vida.

Não pode fazer o que mais desejaria: criar superando-se a si mesmo. É isto o que ele mais deseja; é esta a sua paixão toda.

É, porém, tarde demais para isso: de maneira que até o vosso próprio ser quer desaparecer, desprezadores do corpo.

O vosso próprio ser quer desaparecer: por isso desprezais o corpo! Porque não podeis criar já, superando-vos a vós mesmos.

Por isso vos revoltais contra a vida e a terra. No olhar oblíquo do vosso menosprezo transparece uma inveja inconsciente.

Eu não sigo o vosso caminho, desprezadores do corpo! Vós, para mim não sois pontes que se encaminhem para o Super-homem!

Assim falava Zaratustra.

Das alegrias e paixões

Irmão, quando possuis uma virtude e essa virtude é tua, não a tens em comum com pessoa nenhuma.

A falar verdade, tu queres chamá-la pelo seu nome e acariciá-la; queres puxar-lhe a orelha e divertir-te com ela.

E já vês! Tens agora o seu nome em comum com o povo, e tornaste-te povo e rebanho com a tua virtude!

Farias melhor dizendo: "Coisa inexprimível e sem nome é o que constitui o tormento e a doçura da minha alma, e o que é também a fome das minhas entranhas."

Seja a tua virtude demasiado alta para a familiaridade de denominações; e se necessitas falar dela não te envergonhes de balbuciar.

Fala e balbucia assim: "Este é o meu bem, o que amo; só assim me agrada inteiramente; só assim é que quero bem.

Não o quero como mandamento de um Deus, nem como uma lei e uma necessidade humana; não há de ser para mim um guia de terras superiores e paraísos.

O que eu amo é uma virtude terrena, que se não relaciona com a sabedoria e o sentir comum.

Este pássaro, porém, construiu o seu ninho em mim; por isso lhe quero e o estreito ao coração. Agora incuba em mim os seus dourados ovos."

É assim que deves balbuciar e elogiar a tua virtude.

Dantes tinhas paixões e chamava-lhes males. Agora, porém, só tens as tuas virtudes: nasceram das tuas paixões.

Puseste nessas paixões o teu objetivo mais elevado; então passaram a ser tuas virtudes e alegrias.

Fostes da raça dos coléricos, ou dos voluptuosos ou dos fanáticos, ou dos vingativos, todas as tuas paixões acabaram por se mudar em virtude, todos os teus demônios em anjos.

Dantes tinhas no teu antro, cães selvagens, mas acabaram por se converter em pássaros e aves canoras.

Com os teus venenos preparaste o teu bálsamo; ordenhaste a tua vaca de tribulação e agora bebes o saboroso leite dos seus úberes.

E nenhum mal nasce em ti, a não ser aquele que brota da luta das tuas virtudes.

Irmão, quando gozas de boa sorte tens uma virtude, e nada mais; assim passas mais ligeiro a ponte. É uma distinção ter muitas virtudes, mas é sorte bem dura; e não são poucos os que se têm ido matar ao deserto por estarem fartos de ser combatente e campo de batalha de virtudes.

Irmão, a guerra e as batalhas são males? Pois são males necessários; a inveja, a desconfiança e a calúnia são necessárias entre as tuas virtudes.

Repara como cada uma das virtudes deseja o mais alto que há: quer todo o teu espírito para ser arauto, quer a tua força toda na cólera, no ódio e no amor.

Cada virtude é ciosa das outras virtudes, e os ciúmes são uma coisa terrível. Também há virtudes que podem morrer por ciúmes.

O que anda em redor da chama dos ciúmes acaba qual escorpião, por voltar contra si mesmo o aguilhão envenenado.

Ai, meu irmão! Nunca viste uma virtude caluniar-se e aniquilar-se a si mesma?

O homem precisa ser superado. Por isso necessitas amar as tuas virtudes, porque por elas morrerás.

Assim falava Zaratustra.

Do pálido delinquente

Vós, juízes e sacrificadores, não quereis matar enquanto a besta não haja inclinado a cabeça? Vede: o pálido delinquente inclinou a cabeça; em seus olhos fala o supremo desprezo.

"O meu Eu deve ser superado: o meu Eu é para mim o grande desprezo do homem." Assim falam os olhos dele. O seu momento maior foi aquele em que a si mesmo se julgou, não deixeis o sublime tornar a cair na sua baixeza!

Para aquele que tanto sofre por si, só há salvação na morte rápida.

O vosso homicídio, oh juízes! deve ser compaixão, e não vingança. E ao matar, tratai de justificar a própria vida.

Não vos basta reconciliar-vos com aquele que matais. Seja a vossa tristeza amor ao Super-homem; assim justificais a vossa supervivência!

Dizei "inimigo", "malvado" não; dizei "enfermo" e não "infame"; dizei "insensato" e não "pecador".

E tu, vermelho juiz, se dissesses em voz alta o que fizeste já em pensamento, toda gente gritaria: abaixo essa imundície e esse verme venenoso!...

Uma coisa, porém, é o pensamento, outra a ação, outra a imagem da ação. A roda da causalidade não gira entre elas.

Uma imagem fez empalidecer esse homem pálido. Ele estava à altura do seu ato quando o realizou, mas não suportou a sua imagem depois de o ter consumado.

Sempre se viu só, como o autor de um ato. Eu chamo isso loucura; a exceção converteu-se para ele em regra.

O golpe que deu fascina-lhe a pobre razão: a isso chamo eu a loucura depois do ato.

Ouvi, Juízes! Ainda há outra loucura: a loucura antes do ato. Ah! não penetrastes profundamente nessa alma.

O juiz vermelho fala assim: "Por que foi que este criminoso matou? Queria roubar."

Mas eu vos digo: a sua alma queria sangue e não o roubo; tinha sede do gozo da faca!

A sua pobre razão, porém, não compreendia essa loucura e decidiu-o. "Que importa o sangue? — disse ela. — Nem ao menos desejas roubar ao mesmo tempo? Não te desejas vingar?"

E atendeu a sua pobre razão, cuja linguagem pesava sobre ele como chumbo; então roubou ao assassinar, não se queria envergonhar da sua loucura.

E agora pesa sobre ele o chumbo do seu crime; mas a sua pobre razão está tão paralisada, tão torpe!...

Se ao menos pudesse sacudir a cabeça, a sua carga cairia, mas quem sacudirá esta cabeça?

Quem é este homem? Um conjunto de enfermidades que pelo espírito abrem caminho para fora do mundo, onde querem apanhar a sua presa.

Que é este homem? Um magote de serpentes ferozes que se não podem entender; por isso cada qual vai por seu lado procurar a presa pelo mundo.

Vede este pobre corpo! O que ele sofreu e o que desejou, a alma o interpretou a seu favor; interpretou-o como gozo e desejo sanguinário do prazer da faca.

O que enferma agora, vê-se dominado pelo mal, que é mal agora; quer fazer sofrer com o que o faz sofrer; mas houve outros tempos e outros males e bens.

Dantes era um mal a dúvida e a vontade próprias, então o enfermo torna-se herege e bruxa; como herege e bruxa padecia e fazia padecer.

Mas isto não quer entrar nos vossos ouvidos; prejudica, dizeis, os vossos bons; mas que me importam a mim os vossos bons?

Nos vossos bons há muitas coisas que me repugnam, e decerto não é o seu mal.

Quereria que tivessem uma loucura que os levasse a sucumbir, como esse pálido criminoso.

Quereria que a sua loucura se chamasse verdade, ou fidelidade, ou justiça; mas têm virtude para viver em mísera conformidade.

Eu sou um anteparo na margem do rio; aquele que puder prender-me, que o faça. Saiba-se, porém, que não sou vossa muleta.

Assim falava Zaratustra.

Ler e escrever

De todo o escrito só me agrada aquilo que uma pessoa escreveu com o seu sangue. Escreve com sangue e aprenderás que o sangue é espírito.

Não é fácil compreender sangue alheio: eu detesto todos os ociosos que leem.

O que conhece o leitor já nada faz pelo leitor. Um século de leitores, e o próprio espírito terá mau cheiro.

Ter toda a gente o direito de aprender a ler é coisa que estropia, não só a letra mas o pensamento.

Noutro tempo o espírito era Deus; depois fez-se homem; agora fez-se populaça.

O que escreve em máximas e com sangue não quer ser lido, mas decorado. Nas montanhas, o caminho mais curto é o que medeia de cimo a cimo; mas para isso é preciso ter pernas altas. Os aforismos devem ser cumeeiras, e aqueles a quem se fala devem ser homens altos e robustos.

O ar leve e puro, o próximo perigo e o espírito cheio de uma alegre malícia, tudo isto se harmoniza bem.

Eu quero ver duendes em torno de mim porque sou valoroso. O valor que afugenta os fantasmas cria os seus próprios duendes: o valor quer rir.

Eu já não sinto em uníssono convosco; essa nuvem que eu vejo abaixo de mim, esse negrume e carregamento de que me rio é precisamente a vossa nuvem tempestuosa.

Vós olhais para cima quando aspirais a vos elevar. Eu, como estou alto, olho para baixo.

Qual de vós pode estar alto e rir ao mesmo tempo?

O que escala elevados montes ri-se de todas as tragédias da cena e da vida.

Valorosos, despreocupados, zombeteiros, violentos, eis como nos quer a sabedoria. É mulher e só lutadores podem amar.

Vós dizeis-me: "A vida é uma carga pesada." Mas para que é esse vosso orgulho pela manhã e essa vossa submissão, à tarde?

A vida é uma carga pesada; mas não vos mostreis tão contristados. Todos somos jumentos carregados.

Que parecença temos com o cálice de rosa que treme porque a oprime uma gota de orvalho?

É verdade: amamos a vida não porque estejamos habituados à vida, mas ao amor.

Há sempre o seu quê de loucura no amor; mas também há sempre o seu quê de razão na loucura.

E eu, que estou bem com a vida, creio que para saber de felicidade não há como as borboletas e as bolhas de sabão, e o que se lhes assemelhe entre os homens.

Ver revolutear essas almas aladas e loucas, encantadoras e buliçosas, é o que arranca a Zaratustra lágrimas e canções. Eu só poderia crer num Deus que soubesse dançar.

E quando vi o meu demônio, pareceu-me sério, grave, profundo e solene: era o espírito do pesadelo. Por ele caem todas as coisas.

Não é com cólera, mas com riso que se mata. Adiante! matemos o espírito do pesadelo!

Eu aprendi a andar; por conseguinte corro. Eu aprendi a voar; por conseguinte não quero que me empurrem para mudar de sítio.

Agora sou leve, agora voo; agora vejo por baixo de mim mesmo, agora salta em mim um Deus.

Assim falava Zaratustra.

Da árvore da montanha

Os olhos de Zaratustra tinham visto um mancebo que evitava a sua presença. E, uma tarde, ao atravessar sozinho as montanhas que rodeiam a cidade denominada Vaca Malhada, encontrou esse mancebo sentado ao pé de uma árvore, dirigindo ao vale um olhar fatigado. Zaratustra agarrou a árvore a que o mancebo se encostava e disse:

"Se eu quisesse sacudir esta árvore com as minhas mãos não poderia; mas o vento, que não vemos, açoita-a e dobra-a como lhe apraz. Também a nós outros, mãos invisíveis nos açoitam e dobram rudemente."

A tais palavras, o mancebo ergueu-se assustado, dizendo: "Ouço Zaratustra, e positivamente estava a pensar nele."

"Por que te assustas? O que sucede à árvore, sucede ao homem.

Quanto mais se quer erguer para as alturas e para a luz, mais vigorosamente enterra as suas raízes para baixo, para o tenebroso e profundo: para o mal."

"Sim; para o mal! — exclamou o mancebo. — Como é possível teres descoberto a minha alma?"

Zaratustra sorriu e disse: "Há almas que nunca se descobrirão, a não ser que se principie por inventá-las."

"Sim; para o mal!"— exclamou outra vez o mancebo.

Dizias a verdade, Zaratustra. Já não tenho confiança em mim desde que quero subir às alturas, e já nada tem confiança em mim. A que se deve isto?

Eu transformo-me depressa demais: o meu hoje contradiz o meu ontem. Com frequência salto degraus quando subo, coisa que os degraus me não perdoam.

Quando chego em cima, sempre me encontro só. Ninguém me fala; o frio da soledade faz-me tiritar. Que é que quero, então, nas alturas?

O meu desprezo e o meu desejo crescem a par; quanto mais me elevo mais desprezo o que se eleva?

Como me envergonho da minha ascensão e das minhas quedas! Como me rio de tanto anelar! Como odeio o que voa! Como me sinto cansado nas alturas!

O mancebo calou-se. Zaratustra olhou atento a árvore a cujo pé se encontravam e falou assim:

"Esta árvore está solitária na montanha. Cresce muito sobranceira aos homens e aos animais.

E se quisesse falar ninguém haveria que a pudesse compreender: tanto cresceu.

Agora espera, e continua esperando. Que esperará, então? Habita perto demais das nuvens: acaso esperará o primeiro raio?"

Quando Zaratustra acabava de dizer isto, o mancebo exclamou com gestos veementes:

"É verdade, Zaratustra: dizes bem. Eu desejei a minha queda ao querer chegar às alturas, e tu eras o raio que esperava. Olha: que sou eu, desde que tu nos apareceste? A inveja aniquilou-me!" Assim falou o mancebo, e chorou amargamente. Zaratustra cingiu-lhe a cintura com o braço e levou-o consigo.

Depois de andarem juntos durante algum tempo, Zaratustra começou a falar assim:

"Tenho o coração desfibrado. Melhor do que as tuas palavras, dizem-me os teus olhos todo o perigo que corres.

Ainda não és livre, ainda procuras a liberdade. As tuas buscas desvelaram-te e envaideceram-te demasiadamente.

Queres escalar a altura livre; a tua alma está sedenta de estrelas; mas também os teus maus instintos têm sede de liberdade.

Os teus cães selvagens querem ser livres; ladram de alegria no seu covil quando o teu espírito tende a abrir todas as prisões.

Para mim, és ainda um preso que sonha com a liberdade. Ai! a alma de presos assim torna-se prudente, mas também astuta e má.

O que libertou o seu espírito necessita ainda purificar-se. Ainda lhe restam muitos vestígios de prisão e de lodo: é preciso, todavia, que a sua vista se purifique.

Sim; conheço o teu perigo; mas, por amor de mim te exorto a não afastares para longe de ti o teu amor e a tua esperança!

Ainda te reconheces nobre, assim como nobre te reconhecem os outros, os que estão mal contigo e te olham com maus olhos. Fica sabendo que todos tropeçam com algum nobre no seu caminho.

Também os bons tropeçam com algum nobre no seu caminho, e se lhe chamam bom é tão somente para o pôr de parte.

O nobre quer criar alguma coisa nobre e uma nova virtude. O bom deseja o velho e que o velho se conserve.

O perigo do nobre, porém, não é tornar-se bom, mas insolente, zombeteiro e destruidor.

Ah! eu conheci nobres que perderam a sua mais elevada esperança. E depois caluniaram todas as elevadas esperanças.

Agora têm vivido abertamente com minguadas aspirações, e apenas planearam um fim de um dia para outro.

"O espírito é também voluptuosidade" — diziam. E então o seu espírito partiu as asas; arrastar-se-á agora de trás para diante, maculando tudo quanto consome.

Noutro tempo pensavam fazer-se heróis; agora são folgazões. O herói é para ele aflição e espanto.

Mas, por amor de mim e da minha esperança te digo: não expulses para longe de ti o herói que há na tua alma! Santifica a tua mais elevada esperança!

Assim falava Zaratustra.

Dos pregadores da morte

Há pregadores da morte, e a terra está cheia de indivíduos a quem é preciso pregar que desapareçam da vida.

A terra está cheia de supérfluos, e os que estão de mais prejudicam a vida. Tirem-nos desta com o engodo da "eterna"!

"Amarelos" se costuma chamar aos pregadores da morte, ou então "pretos". Eu, porém, quero apresentá-los também sob outras cores.

Terríveis são os que têm dentro de si a terra, e que só podem escolher entre as concupiscências e as mortificações.

Nem sequer chegaram a ser homens esses seres terríveis.

Preguem, pois, o abandono da vida, e vão-se eles também!

Eis os tísicos da alma. Mal nasceram e já começaram a morrer, e sonham com as doutrinas do cansaço e da renúncia.

Quereriam estar mortos, e nós devemos santificar-lhes a vontade. Livremo-nos de ressuscitar esses mortos e de lhes violar as sepulturas.

Encontram um doente, um velho ou um cadáver, e depois dizem: "Reprove-se a vida!"

Os reprovados, contudo, são eles unicamente, assim como os seus olhos que só veem um aspecto da sua existência.

Sumidos na densa melancolia e ávidos dos leves acidentes que matam, esperam cerrando os dentes.

Ou então estendem a mão para doces e zombam das suas próprias criancices: estão encostados à vida como uma palha, e escarnecem de se apoiarem a uma palha.

A sua sabedoria diz: "Louco é aquele que pertence à vida, mas assim somos nós loucos! E esta é a maior loucura da vida!"

"A vida não é mais do que sofrimento", dizem outros, e não mentem.

Tratai pois de abreviar a vossa. Fazei cessar a vida que é só sofrimento!

Eis o ensinamento da vossa virtude: "Deves matar-te a ti mesmo! Deves desaparecer diante de ti mesmo!"

"A luxúria é pecado — dizem alguns dos que pregam a morte. — Separemo-nos e não engendremos filhos!"

"É doloroso dar à luz — dizem os outros. — Para que se há de continuar a dar à luz?" E também eles são pregadores da morte.

"É preciso ser compassivo — dizem os terceiros. — Recebei o que tenho. Recebei o que sou! Assim me prendo menos à vida."

Se fossem verdadeiramente compassivos procurariam desgostar da vida o próximo. Serem maus seria a verdadeira bondade.

Eles, porém, querem libertar-se da vida. Que lhes importa prender outros a ela mais estreitamente com as suas cadeias e as suas dádivas?

E vós outros também, vós que levais uma vida de inquietação e de trabalho furioso, não estais cansadíssimos da vida? não estais bastante sazonados para a pregação da morte?

Vós todos que amais o trabalho furioso e tudo o que é rápido, novo, singular, suportai-vos mal a vós mesmos: a vossa atividade é fuga e desejo de vos esquecerdes de vós mesmos.

Se tivésseis mais fé na vida, não vos entregaríeis tanto ao momento corrente; mas não tendes fundo suficiente para esperar nem tão pouco para a preguiça.

Por toda parte ressoa a voz dos que pregam a morte, e a terra está cheia de seres a que é mister pregar a morte.

Ou "a vida eterna" — que para mim é o mesmo — contanto que se vão depressa.

Assim falava Zaratustra.

Da guerra e dos guerreiros

Não queremos que os nossos inimigos nos tratem com indulgência, nem tampouco aqueles a quem amamos de coração. Deixai-me, portanto, dizer-vos a verdade!

Irmãos na guerra! Amo-vos de todo o coração; eu sou e era vosso semelhante. Também sou vosso inimigo. Deixai-me, portanto, dizer-vos a verdade!

Conheço o ódio e a inveja do vosso coração, não sois bastante grandes para não conhecer o ódio e a inveja. Sede, pois, bastante grandes para não vos envergonhardes disso!

E se não podeis ser os santos do conhecimento, sede ao menos os seus guerreiros. Eles são os companheiros e os precursores dessa entidade.

Vejo muitos soldados; oxalá possa ver muitos guerreiros. Chama-se "uniforme" o seu traje; não seja, porém, uniforme o que esse traje oculta!

Vós deveis ser daqueles cujos olhos procuram sempre um inimigo, o vosso inimigo. Em alguns de vós se descobre o ódio à primeira vista.

Vós deveis procurar o vosso inimigo e fazer a vossa guerra, uma guerra por vossos pensamentos. E se o vosso pensamento sucumbe, a vossa lealdade, contudo, deve cantar vitória.

Deveis amar a paz como um meio de novas guerras, e mais a curta paz do que a prolongada.

Não vos aconselho o trabalho, mas a luta. Não vos aconselho a paz, mas a vitória. Seja o vosso trabalho uma luta! Seja vossa paz uma vitória!

Não é possível estar calado e permanecer tranquilo senão quando se tem a flecha no arco; a não ser assim questiona-se. Seja a vossa paz uma vitória!

Dizeis que a boa causa é a que santifica também a guerra? Eu vos digo: a boa guerra é a que santifica todas as coisas.

A guerra e o valor têm feito mais coisas grandes do que o amor do próximo, não foi a vossa piedade mas a vossa bravura que até hoje salvou os náufragos.

Que é bom? — perguntais. — Ser valente. Deixai as raparigas dizerem: "Bom é o bonito e o meigo."

Chamam-vos gente sem coração; mas o vosso coração é sincero, e a mim agrada-me o pudor da vossa cordialidade. Envergonhai-vos do vosso fluxo, e os outros se envergonham do seu refluxo.

Sois feios? Pois bem, meus irmãos; envolvei-vos no sublime, o manto da fealdade.

Quando a vossa alma cresce, torna-se arrogante, e há maldade na vossa elevação. Conheço-vos.

Na maldade, o arrogante encontra-se com o fraco, mas não se compreendem. Conheço-vos.

Só deveis ter inimigos para os odiar, e não para os desprezar. Deveis sentir-vos orgulhosos do vosso inimigo; então os triunfos dele serão também triunfos vossos.

A revolta é a nobreza do escravo. Seja a obediência a vossa nobreza. Seja a obediência o vosso próprio mandato!

Para o verdadeiro homem de guerra soa mais agradavelmente "tu deves" do que "eu quero". E vós deveis procurar ordenar tudo o que quiserdes.

Seja o vosso amor à vida amor às mais elevadas esperanças, e que a vossa mais elevada esperança seja o mais alto pensamento da vida.

E o vosso mais alto pensamento deveis ouvi-lo de mim, e é este: o homem deve ser superado.

Vivei assim a vossa vida de obediência e de guerra. Que importa o andamento da vida! Que guerreiro quererá poupar-se?

Eu não uso de branduras convosco, amo-vos de todo o coração, irmãos na guerra!

Assim falava Zaratustra.

Do novo ídolo

Ainda em algumas partes há povos e rebanhos; mas entre nós, irmãos, entre nós há Estados.

Estados? Que é isso? Vamos! Abri os ouvidos, porque vos vou falar da morte dos povos.

Estado chama-se o mais frio dos monstros. Mente também friamente, e eis que mentira rasteira sai da sua boca: “Eu, o Estado, sou o Povo.”

É uma mentira! Os que criaram os povos e suspenderam sobre eles uma fé e um amor, esses eram criadores: serviam a vida.

Os que armam laços ao maior número e chamam a isso um Estado são destruidores; suspendem sobre si uma espada e mil apetites.

Onde há ainda povo não se compreende o Estado que é detestado como uma transgressão aos costumes e às leis.

Eu vos dou este sinal: cada povo fala uma língua do bem e do mal, que o vizinho não compreende. Inventou a sua língua para os seus costumes e as suas leis.

Mas o Estado mente em todas as línguas do bem e do mal, e em tudo quanto diz mente, tudo quanto tem roubou-o.

Tudo nele é falso; morde com dentes roubados. Até as suas entranhas são falsas.

Uma confusão das línguas do bem e do mal: é este o sinal do Estado. Na Verdade, o que este sinal indica é a vontade da morte; está chamando os pregadores da morte.

Vêm ao mundo homens demais, para os supérfluos inventou-se o Estado!

Vede como ele atrai os supérfluos! Como os engole, como os mastiga e remastiga!

“Na terra nada há maior do que eu; eu sou o dedo ordenador de Deus” — assim grita o monstro. E não são só os que têm orelhas compridas e vista curta que caem de joelhos!

Ai! também em vossas almas grandes murmuram as suas sombrias mentiras! Ai! eles advinham os corações ricos que gostam de se prodigalizar!

Sim; adivinha-vos a vós, também, vencedores do antigo Deus. Saístes rendidos do combate, e agora a vossa fadiga ainda serve ao novo ídolo!

Ele queria rodear-se de heróis e homens respeitáveis. A este frio monstro agrada acalentar-se ao sol da pura consciência.

A vos outros quer ele dar tudo, se adorardes. Assim compra o brilho da vossa virtude e o altivo olhar dos vossos olhos.

Convosco quer atrair os supérfluos! Sim; inventou com isso uma artimanha infernal, um corcel de morte, ajaezado com o adorno brilhante das honras divinas.

Inventou para o grande número uma morte que se presa de ser vida, uma servidão à medida do desejo de todos os pregadores da morte.

O Estado é onde todos bebem veneno, os bons e os maus; onde todos se perdem a si mesmos, os bons e os maus; onde o lento suicídio de todos se chama "a vida".

Vede, pois, esses supérfluos! Roubam as obras dos inventores e os tesouros dos sábios; chamam a civilização ao seu latrocínio, e tudo para eles são doenças e contratempo.

Vede, pois, esses supérfluos. Estão sempre doentes; expelem a bílis, e a isso chamam periódicos. Devoram-se e nem sequer se podem dirigir.

Vede, pois, esses adquirem riquezas, e fazem-se mais pobres. Querem o poder, esses ineptos, e primeiro de tudo o palanquim do poder: muito dinheiro!

Vede trepar esses ágeis macacos! Trepam uns sobre os outros e arrastam-se para o lodo e para o abismo.

Todos querem abeirar-se do trono; é a sua loucura — como se a felicidade estivesse no trono! — Frequentemente também o trono está no lodo.

Para mim todos eles são doidos e macacos trepadores e buliçosos. O seu ídolo, esse frio monstro, cheira mal; todos eles, esses idólatras, cheiram mal.

Meus irmãos, quereis por agora afogar-vos na exalação de suas bocas e de seus apetites? Antes disso arrancai as janelas e saltai para o ar livre!

Evitai o mau cheiro! Afastai-vos da idolatria dos supérfluos.

Evitai o mau cheiro! Afastai-vos do fumo desses sacrifícios humanos.

Ainda agora o mundo é livre para as almas grandes. Para os que vivem solitários ou aos pares ainda há muitos sítios vagos onde se aspira a fragrância dos mares silenciosos.

Ainda têm franca uma vida livre as almas grandes. Na verdade, quem pouco possui tanto menos é possuído. Bendita seja a nobreza!

Além onde acaba o Estado começa o homem que não é supérfluo; começa o canto dos que são necessários, a melodia única e insubstituível.

Além, onde acaba o Estado... olhai, meus irmãos! não vedes o arco-íris e a ponte do Super-homem?

Assim falava Zaratustra.

Das moscas da praça pública

Foge, meu amigo, para a tua soledade! Vejo-te aturdido pelo ruído dos grandes homens e crivado pelos ferrões dos pequenos.

Dignamente sabem calar-se contigo os bosques e os penedos. Assemelha-te de novo à tua árvore querida, a árvore de forte ramagem que escuta silenciosa, pendida para o mar.

Onde cessa a soledade principia a praça pública, onde principia a praça pública começa também o ruído dos grandes cômicos e o zumbido das moscas venenosas.

No mundo as melhores coisas nada valem sem alguém que as represente; o povo chama a esses representantes grandes homens.

O mundo compreende mal o que é grande, quer dizer, o que cria; mas tem um sentido para todos os representantes e cômicos das grandes coisas.

O mundo gira em torno dos inventores de valores novos; gira invisivelmente; mas em torno do mundo giram o povo e a glória: assim "anda o mundo".

O cômico tem espírito, mas pouca consciência do espírito. Crê sempre naquilo pelo qual faz crer mais energicamente — crer em si mesmo.

Amanhã tem uma fé nova, e depois de amanhã outra mais nova. Possui sentidos rápidos como o povo, e temperaturas variáveis.

Derribar: chama a isto demonstrar. Enlouquecer: chama a isto convencer. E o sangue é para ele o melhor de todos os argumentos.

Chama mentira e nada a uma verdade que só penetra em ouvidos apurados. Verdadeiramente só crê em deuses que façam muito ruído no mundo.

A praça pública está cheia de truões ensurdecedores, e o povo vangloria-se dos seus grandes homens. São para eles os senhores do momento.

O momento oprime-o e eles oprimem-te a ti, exigem-te um sim ou um não. Desgraçado! Queres colocar-te entre um pró e um contra?

Não invejes, esses espíritos opressores e absolutos, ó! amante da verdade! Nunca a verdade pendeu do braço de um espírito absoluto.

Torna ao teu asilo, longe dessa gente tumultuosa; só na praça pública assediam uma pessoa com o "sim ou não"?

As fontes profundas têm que esperar muito para saber o que caiu na sua profundidade.

Tudo quanto é grande passa longe da praça pública e da glória. Longe da praça pública e da glória viveram sempre os inventores de valores novos.

Foge, meu amigo, para a soledade; vejo-te aqui aguilhoado por moscas venenosas.

Foge para onde sopre um vento rijo.

Foge para a tua soledade. Viverás próximo demais dos pequenos mesquinhos. Foge da sua vingança invisível! Para ti não mais que vingança.

Não levantes mais o braço contra eles!

São inumeráveis, e o teu destino não é ser enxota-moscas!

São inumeráveis esses pequeninos e mesquinhos; e altivos edifícios se têm visto destruídos por gotas de chuva e ervas ruins.

Não és uma pedra, mas já te fenderam infinitas gotas. Infinitas gotas continuarão a fender-te e a quebrar-te.

Vejo-te cansado das moscas venenosas, vejo-te arranhado e ensanguentado, e o teu orgulho nem uma só vez se quer encolerizar.

Elas desejariam o teu sangue com a maior inocência; as suas almas anêmicas reclamam sangue e picam com a maior inocência.

Mas tu, que és profundo, sentias profundamente até as pequenas feridas, e antes da cura já passeava outra vez pela tua mão o mesmo inseto venenoso.

Pareces-me altivo demais para matar esses glutões; mas repara, não venha a ser destino teu suportar toda a sua venenosa injustiça!

Também zumbem à tua roda com os seus louvores. Importunidades: eis os seus louvores. Querem estar perto da tua pele e do teu sangue.

Adulam-te como um deus ou um diabo! choramingam diante de ti como de um deus ou de um diabo. Que importa?

São aduladores e choramingam, nada mais.

Também sucede fazerem-se amáveis contigo; mas foi sempre essa a astúcia dos covardes. É verdade; os covardes são astutos!

Pensam muito em ti com a alma mesquinha. Suspeitam sempre de ti. Tudo o que dá muito que pensar se torna suspeito.

Castigam-te pelas tuas virtudes todas.

Só te perdoam verdadeiramente os teus erros.

Como és benévolo e justo, dizes: "Não têm culpa da pequenez da sua existência." Mas a sua alma acanhada pensa: "Toda a grande existência é culpada."

Mesmo que sejas benévolo com eles, ainda se consideram desprezados por ti e pagam o teu benefício com ações dissimuladas.

O teu mudo orgulho contraria-os sempre, e alvorotam quando acertas em ser bastante modesto para ser vaidoso.

O que reconhecemos num homem infamamos-lhe também nele. Livra-te, portanto, dos pequenos.

Na tua presença sentem-se pequenos, e sua baixeza arde em invisível vingança contra ti.

Não notaste como costumavam emudecer quando te aproximava deles, *e* como as forças os abandonavam tal como a fumaça que se extingue?

Sim, meu amigo; és a consciência roedora dos teus próximos, porque não são dignos de ti. Por isso te odeiam e quereriam sugar-te o sangue.

Os teus próximos hão de ser sempre moscas venenosas. E o que é grande em ti deve precisamente torná-los mais venenosos e mais semelhantes às moscas.

Foge, meu amigo, para a tua soledade, para além onde sopre vento rijo e forte, não é destino teu ser enxota-moscas.

Assim falava Zaratustra.

Da castidade

Amo o bosque. É difícil viver nas cidades; nelas abundam fogosos demais.

Não vale mais cair nas mãos de um assassino do que nos sonhos de uma mulher ardente?

Se não, olhai para esses homens; os seus olhos o dizem; nada melhor conhecem na terra do que deitar-se com uma mulher.

Têm lodo no fundo da alma; e coitados deles se o seu lodo possui inteligência!

Se ao menos fôsseis animais completos!

Mas para ser animal é preciso inocência.

Será isto aconselhar-vos a que mateis os vossos sentidos? Aconselho-vos a inocência dos sentidos.

Será isto aconselhar-vos a castidade? Em alguns a castidade é uma virtude; mas em muitos é quase um vício.

Estes serão continentes; mas a vil sensualidade babuja zelosa tudo o que fazem.

Até as alturas da sua virtude e até ao seu espírito os segue esse animal com a sua discórdia.

E com gentileza a vil sensualidade sabe mendigar um pedaço de espírito quando se lhe nega um pedaço de carne.

A vós outros agradam as tragédias e tudo o que lacera o coração? Pois eu olho desconfiado a vossa sensualidade.

Tendes olhos demasiado cruéis, e olhais, cheios de desejos, para os que sofrem.

Não será simplesmente porque a vossa sensualidade as disfarçou e tomou o nome de compaixão?

Também vos apresento esta parábola:

Não poucos, que queriam expulsar os demônios, se meteram com os porcos.

Se a castidade pesa a algum, é preciso afastá-lo dela, para que a castidade não chegue a ser o caminho do inferno, isto é, da lama e da fogueira da alma.

Falei de coisas imundas? Para mim não é isso o pior.

Não quando a verdade é imunda, mas quando o superficial, que o investigador mergulha de má vontade nas suas águas.

Verdadeiramente há os castos por essência; são de coração mais meigo, agrada-lhes mais rir, e riem mais que vós outros.

Riem-se também da castidade e perguntam:

"Que é a castidade?"

Não é uma loucura? Mas essa loucura não veio ter conosco, não fomos nós que a buscamos.

Oferecemos a esse hóspede pousada e simpatia: agora habita em nós. Demore-se quanto queira!

Assim falava Zaratustra.

Do amigo

Um só me assedia sempre excessivamente (assim pensa o solitário). Um sempre acaba por fazer dois.

Eu e Mim estão sempre em conversações incessantes. Como se poderia suportar isto se não houvesse um amigo?

Para o solitário o amigo é sempre o terceiro; o terceiro é a válvula que impede a conversação dos outros dois de se abismarem nas profundidades.

Ai! Existem demasiadas profundidades para todos os solitários. Por isso aspiram a uma amiga e à sua altura.

A nossa fé nos outros revela aquilo que desejaríamos crer em nós mesmos. O nosso desejo de um amigo é o nosso delator.

E frequentemente, como a amizade, apenas se quer saltar por cima da inveja. E frequentemente atacamos e criamos inimigos para ocultar que nós mesmos somos atacáveis.

"Sê ao menos meu inimigo!" — Assim fala o verdadeiro respeito, o que se não atreve a solicitar a amizade.

Se se quiser ter um amigo, é preciso também guerrear por ele; e para guerrear é mister poder ser inimigo.

É preciso honrar no amigo o inimigo. Podes aproximar-te do teu amigo sem passar para o seu bando?

No amigo deve ver-se o melhor inimigo. Deves ser a glória do teu amigo, entregares-te a ele tal qual és? Pois é por isso que te manda para o demônio!

O que se não recata, escandaliza. "Deveis temer a nudez! Sim; se fôsseis deuses, então poderíeis envergonhar-vos dos vossos vestidos."

Nunca te adornarás de mais para o teu amigo, porque deves ser para ele uma seta e também um anelo para o Super-homem.

Já viste dormir o teu amigo para saberes como és? Qual é, então, a cara do teu amigo? É a tua própria cara num espelho tosco e imperfeito.

Já viste dormir o teu amigo? Não te assombrou o seu aspecto? Ó! meu amigo, o homem deve ser superado!

O amigo deve ser mestre na adivinhação e no silêncio: não deves querer ver tudo. O teu sono deve revelar-te o que faz o teu amigo durante a vigília.

Seja a tua compaixão uma adivinhação: é mister que, primeiro que tudo, saibas se o teu amigo quer compaixão.

Talvez em ti lhe agradem os olhos altivos e a contemplação da eternidade.

Oculte-se a compaixão com o amigo sob uma rude certeza.

Serás tu para o teu amigo ar puro e soledade, pão e medicina? Há quem não possa desatar as suas próprias cadeias, e todavia seja salvador do amigo.

És escravo? Então não podes ser amigo.

És tirano? Então não podes ter amigos.

Há demasiado tempo que se ocultavam na mulher um escravo e um tirano. Por isso a mulher ainda não é capaz de amizade; apenas conhece o amor.

No amor da mulher há injustiça e cegueira para tudo quanto não ama. E mesmo o amor, reflexo da mulher, oculta sempre, a par da luz, a surpresa, o raio da noite.

A mulher ainda não é capaz de amizade: as mulheres continuam sendo gatas e pássaros. Ou, melhor, vacas.

A mulher ainda não é capaz de amizade. Mas dizei-me vós homens: qual de vós outros é, porventura, capaz de amizade?

Ai, homens! que pobreza e avareza a da vossa alma! Quando vós outros dais a vossos amigos eu quero dar também aos meus inimigos sem me tornar mais pobre por isso.

Haja camaradagem. Haja amizade.

Assim falava Zaratustra.

Os mil objetos e o único objeto

"Muitos países e muitos povos viu Zaratustra; assim descobriu o bem e o mal de muitos povos. Zaratustra não encontrou maior poder na terra do que o bem e o mal.

Nenhum poderia viver sem avaliar; mas, para se conservar, não deve avaliar como o seu vizinho.

Muitas coisas que um povo chama boas eram para outros vergonhosas e desprezíveis; foi o que vi. Muitas coisas, aqui qualificadas de más, além as enfeitavam com o manto de púrpura das honrarias.

Nunca um vizinho compreendeu o outro; sempre a sua alma se assombrou da loucura e da maldade do vizinho.

Sobre cada povo está suspensa uma tábua de bens. E vede: é a tábua dos triunfos dos seus esforços; é a voz da sua vontade de poder.

É honroso o que lhe parece difícil; o que é indispensável e difícil chama-se bem, e o que livra de maiores misérias, o mais raro e difícil, santifica-se.

O que lhe permite reinar, vencer e brilhar com temor e inveja do seu vizinho, é para ele o mais elevado, o principal, a medida e o sentido de todas as coisas.

Verdadeiramente, se tu conheces a necessidade, o país, o céu e o vizinho de um povo, adivinhas também a lei dos seus triunfos e por que razão sobe às suas esperanças por esses graus.

"Deves ser sempre o primeiro a avantajar-se aos outros; a tua alma zelosa não deve amar ninguém senão o amigo." — Isto fez tremer a alma de um grego, e levou-o a seguir o caminho da grandeza.

"Dizer a verdade e saber manejar bem o arco e as flechas." — Isto parecia caro ao mesmo tempo que difícil ao povo donde vem o meu nome, o nome, que é para mim caro ao mesmo tempo que difícil.

"Honrar pai e mãe, e ter para eles submissão." Essa tábua das vitórias sobre si elegeu outro povo, e com ela foi eterno e poderoso.

"Render culto à fidelidade, e pela fidelidade dar sangue e honra, ainda tratando-se de coisas más e perigosas." Por esse ensinamento venceu-se a si mesmo outro povo, e ao vencer-se assim chegou a encher-se de grandes esperanças.

A verdade é que os homens se deram todo o seu bem e todo o seu mal. A verdade é que o não tomaram, que o não encontraram, que lhes não caiu com uma voz do céu.

O homem é que pôs valores nas coisas a fim de se conservar; foi ele que deu um sentido às coisas, um sentido humano. Por isso se chama "homem", isto é, o que aprecia.

Avaliar é criar. Ouvi, criadores! Avaliar é o tesouro e a joia de todas as coisas avaliadas.

Pela avaliação se dá o valor; sem a avaliação, a noz da existência seria oca. Ouvi-o, criadores!

A mudança dos valores é mudança de quem cria.

Sempre o que há de criar destrói.

Os criadores, num princípio foram povos, e só mais tarde indivíduos. Na verdade, o indivíduo é a mais recente das criações.

Povos suspenderam noutro tempo sobre si uma tábua do bem. O amor que quer dominar e o amor que quer obedecer criaram juntos essa tábua.

O prazer do rebanho é mais antigo que o prazer do Eu. E enquanto a boa consciência se chama rebanho, só a má diz: Eu.

Na verdade, o Eu astuto, o Eu egoísta, que procura o seu bem no bem de muitos, este não é a origem do rebanho, mas a sua destruição.

Sempre foram ardentes os que criaram o bem e o mal. O fogo do amor e o fogo da cólera ardem sob o nome de todas as virtudes.

Muitos países e muitos povos viu Zaratustra. Não encontrou poder maior na terra que a obra dos ardentes; "bem e mal" é o seu nome.

Na verdade, o poder desses elogios e destas censuras é semelhante a um monstro. Dizei-me, meus irmãos: quem o derrubará? Dizei: quem lançará uma cadeia sobre as mil cervizes dessa besta?

Até o presente tem havido mil objetos, porque tem havido mil povos. Só falta a cadeia das mil cervizes: falta o único objeto. A humanidade não tem objeto.

Mas dizei-me, irmãos; se falta objeto à humanidade, não é porque ela mesma ainda não existe?

Assim falava Zaratustra.

Do amor ao próximo

Vós outros andais muito solícitos em redor do próximo, e o manifestais com belas palavras. Mas eu vos digo: o vosso amor ao próximo é vosso amor a vós mesmos.

Fugis de vós em busca do próximo, e quereis converter isso numa virtude; mas eu compreendo o vosso "desinteresse".

O Tu é mais velho do que o Eu; o Tu acha-se santificado, mas o Eu ainda não. Por isso o homem anda diligente atrás do próximo.

Acaso vos aconselho o amor ao próximo? Antes vos aconselho a fuga do "próximo" e o amor ao remoto!

Mais elevado que o amor ao próximo é o amor ao longínquo, ao que está por vir, mais alto ainda que o amor ao homem coloco o amor às coisas e aos fantasmas.

Esse fantasma que corre diante de vós, meus irmãos, é mais belo que vós. Por que lhe não dás a vossa carne e os vossos ossos? Mas tende-lhes medo e fugis à procura do vosso próximo.

Não vos suportais a vós mesmos e não vos quereis bastante; desejareis seduzir o próximo por vosso amor e dourar-vos com a sua ilusão.

Quisera que todos esses próximos e seus vizinhos se vos tornassem insuportáveis; assim teríeis que criar para vós mesmos o vosso amigo e o seu coração fervoroso.

Chamais uma testemunha quando quereis falar bem de vós, e logo que a haveis induzido a pensar bem da vossa pessoa, vós mesmos pensais bem da vossa pessoa.

Não só mente o que fala contra a sua consciência, mas sobretudo o que fala com a sua inconsciência. E assim falais de vós no trato social, enganando o vizinho.

Fala o louco: "O trato com os homens exaspera o caráter, principalmente quando o não temos."

Um vai após o próximo porque se procura; o outro porque se quisera esquecer.

A vossa malquerença com respeito a vós mesmos converte a vossa soledade num cativeiro.

Os mais afastados são os que pagam o nosso amor ao próximo, e quando vós juntais cinco, deve morrer um sexto.

Também não me agradam as vossas festas; encontrei nelas demasiados cômicos e os mesmos espectadores se conduzem frequentemente como cômicos.

Não falo do próximo; falo só do amigo. Seja o amigo para vós a festa da terra e um pressentimento do Super-homem.

Falo-vos do amigo e do seu coração exuberante. Mas é preciso saber ser uma esponja quando se quer ser amado por corações exuberantes.

Falo-vos do amigo que leva em si um mundo disponível, um invólucro do bem — do amigo criador que tem sempre um mundo disponível para dar.

E como se desenvolveu o mundo para ele, assim se envolve de novo: tal é o advento do bem pelo mal, do desígnio pelo acaso.

Sejam o porvir e o mais remoto a causa do vosso hoje; no vosso amigo deveis amar o Super-homem, como razão de ser.

Meus irmãos, eu não vos aconselho o amor ao próximo; aconselho--vos o amor ao mais afastado.

Assim falava Zaratustra.

Do caminho do criador

Queres, meu irmão, isolar-te? Queres procurar o caminho que te guia a ti mesmo? Espera ainda um momento e ouve-me.

"O que procura, facilmente se perde a si mesmo."

"Todo insulamento é um erro." Assim fala o rebanho. E tu pertenceste ao rebanho durante muito tempo.

Em ti também ainda há de ressoar a voz do rebanho. E tu pertenceste ao rebanho durante muito tempo.

Em ti também ainda há de ressoar a voz do rebanho. E quando disseres: "Já não tenho uma consciência comum convosco", isso será uma queixa e uma dor.

Olha: essa mesma dor é filha da consciência comum, e a última centelha dessa consciência ainda brilha na tua aflição.

Queres, porém, seguir o caminho da tua aflição, que é o caminho para ti mesmo? Demonstra-me o teu direito e a tua força para isso!

Acaso és uma força nova e um novo direito?

Um primeiro movimento? Uma roda que gira sobre si mesma? Podes obrigar as estrelas a girarem em torno de ti?

Ai! Existe tanta ansiedade pelas alturas!

Há tantas convulsões de ambição! Demonstra-me que não pertences ao número dos cobiçosos nem dos ambiciosos!

Ai! Existem tantos pensamentos grandes que apenas fazem o mesmo que um fole. Incham e esvaziam.

Chamas-te livre? Quero que me digas o teu pensamento fundamental, e não que te livraste de um jugo.

Serás tu alguém que tenha o direito de se livrar de um jugo? Há quem perca o seu último valor ao libertar-se da sua sujeição.

Livre de quê? Que importa isso a Zaratustra? O teu olhar, porém, deve anunciar-se claramente: livre, para quê?

Podes proporcionar a ti mesmo teu bem e o teu mal, e suspender a tua vontade por cima de ti como uma lei? Podes ser o teu próprio juiz e vingador da tua lei?

Terrível é estar a sós com o juiz e o vingador da própria lei, como estrela lançada ao espaço vazio no meio do sopro gelado da soledade.

Ainda hoje te atormenta a multidão; ainda conservas o teu valor e as tuas esperanças todas.

Um dia, contudo, te fatigará a soledade, se abaterá o teu orgulho e cerrarás os dentes. Um dia clamarás: "Estou só!"

Chegará um dia em que já não vejas a tua altura, e em que a tua baixeza esteja demasiado perto de ti. A tua própria sublimidade te amedrontará como um fantasma. Um dia gritarás: "Tudo é falso!"

Há sentimentos que querem matar o solitário, não o conseguem? Pois eles que morram! Mas serás tu capaz de ser assassino?

Meu irmão, já conheces a palavra "desprezo"? E o tormento da justiça de ser justo para com os que te menosprezam?

Obrigas muitos a mudarem de opinião a teu respeito; por isso te consideram. Abeiraste-te deles, e contudo, passaste adiante; é coisa que te não perdoam.

Elevaste-te acima deles; mas quanto mais alto sobes, tanto mais pequeno te veem os olhos da inveja. E ninguém é tão odiado como o que voa.

"Como quereríeis ser justo para comigo! — assim é que deves falar. — Eu elejo para mim a vossa injustiça, como lote que me está destinado."

Injustiça e baixeza é o que eles arrojam ao solitário; mas, meu irmão, se queres ser uma estrela, nem por isso os hás de iluminar menos.

E livra-te dos bons e dos justos! Agrada-lhes crucificar os que invejam a sua própria virtude: odeiam o solitário.

E livra-te ainda assim da santa simplicidade! A seus olhos não é santo o que é simples, se apraz-lhe brincar com fogo... das fogueiras.

E livra-te também dos impulsos do teu amor! O solitário estende depressa demais a mão a quem encontra.

Há homens a quem não deves dar a mão, mas tão somente a pata, e além disso quero que a tua pata tenha garras.

O pior inimigo, todavia, que podes encontrar, és tu mesmo; lança-te a ti próprio nas cavernas e nos bosques.

Solitário, tu segues o caminho que te conduz a ti mesmo! E o teu caminho passa por diante de ti e dos teus sete demônios.

Serás herege para ti mesmo, serás feiticeiro, adivinho, doido, incrédulo, ímpio e malvado.

É mister que queiras consumir-te na tua própria chama. Como quererias renovar-te sem primeiro te reduzires a cinzas?

Solitário, tu segues o caminho do criador: queres tirar um deus dos teus sete demônios!

Solitário, tu segues o caminho do amante: amas-te a ti mesmo, e por isso te desprezas, como só desprezam os amantes.

O amante quer criar porque despreza! Que saberia do amor aquele que não devesse menosprezar justamente o que amava?

Vai-te para o isolamento, meu irmão, com o teu amor e com a tua criação, e tarde será que a justiça te siga claudicando.

Vai-te para o isolamento com as minhas lágrimas, meu irmão. Eu amo o que quer criar qualquer coisa superior a si mesmo e dessa arte sucumbe.

Assim falava Zaratustra.

A velha e a nova

Por que deslizas tão furtivamente durante o crepúsculo, Zaratustra? E que ocultas com tanta precaução debaixo da tua capa?

É algum tesouro que te deram? É um menino que te nasceu? Seguirás tu também agora o caminho dos ladrões, amigo do mal?"

"— Claro, meu irmão! — respondeu Zaratustra. — Levo aqui um tesouro: uma pequena verdade.

É, porém, rebelde como uma criança, e se lhe não tapasse a boca gritaria desaforadamente.

Seguia eu hoje solitário o meu caminho, à hora em que o sol se escondia, quando encontrei uma velha que falou assim à minha alma:

"Zaratustra tem falado muito até mesmo conosco, mulheres, mas nunca nos falou da mulher."

Eu respondi: "Não é preciso falar da mulher senão aos homens."

"Fala-me a mim também da mulher — disse ela. — Sou bastante velha para esquecer logo tudo quanto me digas."

Cedi ao desejo da velha, e disse-lhe assim:

"Na mulher tudo é um enigma e tudo tem uma só solução: a prenhez.

O homem é para a mulher um meio; o fim é sempre o filho. Que é, porém, a mulher para o homem?

O verdadeiro homem quer duas coisas: o perigo e o divertimento. Por isso quer a mulher, que é o brinquedo mais perigoso.

O homem deve ser educado para a guerra, e a mulher para prazer do guerreiro. Tudo o mais é loucura.

O guerreiro não gosta de frutos doces demais. Por isso a mulher lhe agrada: a mulher mais doce tem sempre o seu quê de amargo.

A mulher compreende melhor do que o homem as crianças: mas o homem é mais infantil que a mulher.

Em todo o verdadeiro homem se oculta uma criança: uma criança que quer brincar. Eia, mulheres! descobri no homem a criança!

Seja a mulher um brinquedo puro e fino como o diamante, abrilhantado pelas virtudes de um mundo que ainda não existe.

Cintile no vosso amor o fulgor de uma estrela! A vossa esperança que diga: "Nasça de mim, do Super-homem!"

Haja valentia no vosso amor! Com o vosso amor deveis afrontar o que vos inspire medo.

Cifre-se a vossa honra no vosso amor! Geralmente a mulher pouco entende de honra. Seja, porém, honra vossa amar sempre mais do que fordes amadas e nunca serdes a segunda.

Tema o homem a mulher, quando a mulher odeia: porque, no fundo, o homem é simplesmente mau; mas a mulher é perversa.

A que odeia mais a mulher? O ferro falava assim ao ímã: "Odeio-te mais do que tudo porque atrais sem ser forte bastante para sujeitar."

A felicidade do homem, é: eu quero; a felicidade da mulher é: ele quer.

"Vamos! Já nada falta no mundo!" — assim pensa a mulher quando obedece de todo o coração.

E é preciso que a mulher obedeça e que encontre uma profundidade para a sua superfície. A alma da mulher é superfície: móvel e tumultuosa película de águas superficiais.

A alma do homem, porém, é profunda, a sua corrente brame em grutas subterrâneas; a mulher pressente a sua força mas não a compreende.

Então a velha respondeu-lhe: "Zaratustra disse muitas coisas bonitas, mormente para as que são novas.

Coisa singular! Zaratustra conhece pouco as mulheres, e, contudo, tem razão no que diz dela! Será porque nada é impossível na mulher?

E agora, como recompensa, aceita uma pequena verdade. Sou suficientemente velha para te dizer.

Sufoca-a, tapa-lhe a boca, porque do contrário grita alto demais."

"Venha a tua verdade, mulher!" — disse eu, e a velha falou assim:

"Acompanhas com as mulheres? Olha, não te esqueça o látego."

Assim falava Zaratustra.

A picada da víbora

Um dia, estava Zaratustra a dormitar sob uma figueira, porque fazia calor, e tinha tapado o rosto com o braço. Nisto chegou uma víbora, mordeu-lhe o pescoço, e ele soltou um grito de dor. Afastando o braço do rosto, olhou a serpente; ela reconheceu os olhos de Zaratustra, contorceu-se vagarosamente e quis se retirar. "Não — disse Zaratustra —, espera, ainda não te agradeci! Despertaste-me a tempo, pois o meu caminho ainda é longo."

"— O teu caminho é curto — disse tristemente a víbora: — o meu veneno mata." Zaratustra pôs-se a rir. "Quando foi que o veneno de uma serpente matou um dragão? — disse — reabsorve o teu veneno! Não és rica demais para me fazeres presente dele." Então a víbora tornou a enlaçar-lhe o pescoço e lambeu-lhe a ferida.

Quando um dia Zaratustra contou isto aos seus discípulos, eles perguntaram-lhe: "E qual é a moral do teu conto!" Zaratustra respondeu:

"Os bons e os justos chamam-me o destruidor da moral: o meu conto é imoral.

Se tendes, porém, um inimigo, não lhe devolvais bem por mal porque se sentiria humilhado; demonstrai-lhe, pelo contrário, que vos fez um bem.

E a ter que humilhar preferi encolerizar-vos. E quando se vos amaldiçoe, não me agrada que vós abençoeis. Amaldiçoai também.

E se vos fizeram uma grande injustiça, farei vós imediatamente cinco injustiças pequenas.

Horroriza ver o que por si só sofre o peso da injustiça.

Já sabeis isto? Injustiça repartida é semidireito. E aquele que pode trazer a injustiça deve levá-la.

Uma pequena vingança é mais humana do que nenhuma, E se o castigo não é somente um direito e uma honra para o transgressor, eu não quero o vosso castigo.

É mais nobre condenarmos do que teimar, mormente quando temos razão. Somente é preciso ser rico bastante para isso.

Não me agrada a vossa fria injustiça: nos olhos dos vossos juízes transparece sempre o olhar do verdugo e seu gelado cutelo.

Dizei-me: onde se encontra a justiça que é amor com olhos perspicazes?

Inventai-me, pois, o amor que suporta, não só todos os castigos, mas também todas as faltas.

Inventai-me a justiça que absolve todos, exceto aquele que julga!

Quereis ouvir mais? No que quer ser verdadeiramente justo, a mentira muda-se em filantropia.

Mas como poderia eu ser verdadeiramente justo? Como poderia dar a cada um o seu?

Basta-me isto: eu dou a cada um o meu.

Enfim, irmãos, livrai-vos de ser injustos com os solitários. Como poderia um solitário esquecer? Como poderia devolver?

Um solitário é como um poço profundo. É fácil lançar nele uma pedra; mas se a pedra vai ao fundo quem se atreverá a tirá-la?

Livrai-vos de ofender o solitário; mas se o ofendestes então, matai-o também!"

Assim falava Zaratustra.

Do filho do matrimônio

Tenho uma pergunta para ti só, meu irmão. Arrojo-a como uma sonda à tua alma, a fim de lhe conhecer a profundidade.

És moço e desejas filho e matrimônio. Eu, porém, pergunto: serás tu homem que tenha o direito de desejar um filho?

Serás tu vitorioso, o vencedor de ti mesmo, o soberano dos sentidos, o dono das tuas virtudes?

É isso o que eu te pergunto.

Ou será que falam ao teu desejo a besta e a necessidade física, ou o afastamento, ou a discórdia contigo mesmo?

Eu quero que a tua vitória e a tua liberdade suspirem por um filho. Devem erigir monumento vivente à tua vitória e à tua libertação.

Deves construir qualquer coisa que te seja superior.

Primeiro que tudo, porém, é preciso que te hajas construído a ti mesmo, retangular de corpo e alma.

Não deves só reproduzir-te, mas exceder-te! Sirva-te para isso o jardim do matrimônio!

Deves criar um corpo superior, um primeiro movimento, uma roda que gire sobre si; deves criar um criador.

Matrimônio: chamo assim à vontade de dois criarem um que seja mais do que aqueles que o criaram. O matrimônio é o respeito recíproco: respeito recíproco dos que coincidem em tal vontade.

Seja este o sentido e a verdade do teu matrimônio; mas isso a que os que estão demais, os supérfluos, chamam matrimônio, isso como se há-de chamar?

Ai! Que pobreza de alma entre dois! Que imundície de alma entre dois! Que mísera conformidade entre dois!

A tudo isso chamam matrimônio, e dizem que contraem estas uniões no céu!

Pois bem! Eu não quero esse céu dos supérfluos. Não; eu não quero essas bestas presas com redes divinas!

Fique-se também por lá bem longe de mim esse Deus que vem coxeando abençoar aquilo que não uniu!

Não vos riais de semelhantes matrimônios!

Que filho não teria razão para chorar por causa de seus pais?

Certo homem pareceu-me digno e sensato para o sentido da terra, mas quando vi a mulher dele, a terra pareceu-me moradia de insensatos.

Sim; queria que a terra se convulsionasse quando se acasalam um santo e uma pata.

Tal outro partiu como herói em busca de verdades e não trouxe por colheita senão uma mentira engalanada. Chamam a isso o seu matrimônio.

Este era frio nas suas relações e escolhia ponderadamente; mas de uma só vez transtornou para sempre a sua sociedade. A isso chamam o seu matrimônio.

Aquele procurava uma servente com as virtudes de um anjo; mas daí a pouco tornou-se servente de uma mulher, e agora precisava ele tornar-se anjo.

Vejo agora todos os compradores muito senhores de si e com os olhos astutos; mas até o mais astuto compra a sua mulher às cegas.

A muitas loucuras pequenas chamais amor. E o vosso matrimônio termina muitas loucuras pequenas para as tornar uma loucura grande.

O vosso amor à mulher e o amor da mulher pelo homem, ó! seja compaixão para deuses dolentes e ocultos! Duas bestas, porém, quase sempre se adivinham.

O vosso melhor amor, contudo, ainda não é mais do que uma imagem extasiada e um ardor doloroso. E um facho que vos deve iluminar para caminhos superiores.

Um dia deverá o vosso amor elevar-se acima de vós mesmos! Aprendei, pois, primeiro a amar! Por isso vos foi preciso beber o amargo cálice do vosso amor.

Existe amargura no cálice do melhor amor; assim vos faz desejar o Super-homem; assim tendes sede do criador.

Sede do criador, seta e desejo do Super-homem; diz-me meu irmão, é essa a tua vontade do matrimônio?

Santa é para mim tal vontade, santo tal matrimônio.

Assim falava Zaratustra.

Da morte livre

Muitos morreram tarde demais, e alguns demasiado cedo. A doutrina que diz "Morre a tempo!", ainda parece singular.

Morre a tempo: eis o que ensina Zaratustra.

Claro que aquele que nunca viveu a tempo, como há de morrer a tempo? O melhor é não nascer.

Eis o que aconselho aos supérfluos.

Até os supérfluos, contudo, se fazem importantes com a sua morte, e até a noz mais oca quer ser partida.

Todos concedem importância à morte; mas a morte ainda não é uma festa. Os homens ainda não sabem como se consagram às mais belas festas.

Eu vos predico a morte necessária, a morte que, para os vivos, vem a ser um aguilhão e uma promessa.

O que cumpre morre da sua morte, vitorioso, rodeado dos que esperam e prometem.

Assim seria preciso aprender a morrer, e não deveria haver festa sem tal moribundo santificar os juramentos dos vivos.

Morrer assim é o melhor, e morrer na luta é prodigalizar uma grande alma ainda maior.

O combatente e o vitorioso, porém, odeiam igualmente a vossa morte espaventosa, que se vem arrastando como uma ladra, e que, todavia, se aproxima como soberana.

Faço-vos o elogio da minha morte, da morte livre, que vem porque eu quero.

E quando hei de querer? O que tem um fim e um herdeiro, quer a morte a tempo para o fim e para o herdeiro.

E por respeito ao fim e ao herdeiro, já não suspenderá coroas murchas no santuário.

Na verdade, não me quero parecer com os cordeiros: estiram os seus fios e eles andam sempre atrás.

Há também quem se faça velho demais para as suas verdades e as suas vitórias; uma boca desdentada já não tem direito a todas as verdades.

E o que queira desfrutar glória deve despedir-se a tempo das honras e exercer a difícil arte de se retirar oportunamente.

É preciso fugir a deixar-se comer no próprio momento em que vos começam a tomar gosto. Os que querem ser amados há muito tempo sabem isso.

Há também maçãs ácidas, cujo destino é esperar até o último dia do outono. E põem-se amarelas e enrugadas no próprio momento em que amadurecem.

Nuns envelhece primeiro o coração, noutros a inteligência. E alguns são velhos na sua virtude; mas quando uma pessoa se faz moça muito tarde, conserva-se moça muito tempo.

Há quem fale na sua vida: um verme venenoso lhes rói o coração. Tratem ao menos de acertar na sua morte.

Há os que nunca estão doces: apodrecem já no verão. É a covardia que os sustenta no ramo.

Há demasiados que ficam e permanecem fixos num ramo excessivo tempo. Venha uma tempestade, que sacuda da árvore toda essa podridão bichosa!

Venham pregadores da morte rápida! Seriam as tempestades e as sacudidelas oportunas da árvore da vida. Eu, porém, só ouço pregar a morte lenta e a paciência com tudo o que é terrestre. Ai! Pregais a paciência com o que é terrestre? O terrestre é o que tem demasiada paciência convosco, blasfemos!

Em verdade, morreu demasiado cedo aquele hebreu a quem honram os pregadores da morte lenta, e para muitos foi uma fatalidade ele morrer cedo demais.

Esse Jesus hebreu só conhecia ainda as lágrimas e a tristeza do hebreu, juntamente com o ódio dos bons e dos justos; por isso o acometeu o desejo da morte.

Por que não ficou ele no deserto, longe dos bons e dos justos? Talvez houvesse aprendido a viver e a amar a terra e também o riso!

Crede-me, meus irmãos! Morreu cedo demais! Retratar-se-ia da sua doutrina se tivesse vivido até minha idade! Era bastante nobre para se retratar!

Não estava, porém, ainda maduro. O amor do jovem carece da maturação, e assim também odeia os homens e a terra. Tem ainda presas e trôpegas a alma e as asas do pensamento.

No homem, contudo, há mais de criança do que no jovem, e menos tristeza: compreende melhor a morte e a vida.

Livre para a morte e livre na morte; divino negador, quando já não é tempo de afirmar: assim compreende a vida e a morte.

Não seja a vossa morte uma blasfêmia contra os homens e contra a terra, meus amigos; eis o que exijo da doçura da vossa alma.

Vosso espírito e vossa virtude devem inflamar até a vossa agonia, como o arrebol do poente inflama a terra; senão a vossa morte será malograda.

Assim quero morrer eu para que, por mim, ameis mais a terra, meus amigos; e eu quero tornar-me terra, para encontrar o meu repouso naquela que me gerou.

Na verdade, Zaratustra tinha um objetivo; lançou a pela. Agora, meus amigos, sois vós os herdeiros do meu objetivo; a vós envio a dourada pela.

Prefiro a tudo, meus amigos, ver-vos lançar a pela dourada. E por isso me demoro ainda um pouquinho na terra. Perdoai-me!

Assim falava Zaratustra.

Da virtude dadivosa

I

Quando Zaratustra se despediu da cidade que o seu coração amava, a qual tem por nome a Vaca Malhada, muitos dos que se diziam seus discípulos o acompanharam. Assim chegaram a uma encruzilhada, então lhes disse Zaratustra que queria ficar só porque era amigo das caminhadas solitárias. Ao despedirem-se dele, os discípulos ofereceram-lhe como prenda um bastão, cujo castão representava uma serpente enroscada em torno do sol. Zaratustra aceitou-o alegremente, e apoiou-se nele. Depois falou assim aos discípulos:

"Dizei-me: como alcançou o ouro o mais alto valor? É porque é raro e inútil, de brilho cintilante e brando: dá-se sempre.

Só como símbolo da mais alta virtude o ouro alcançou o mais alto valor. É como o ouro, reluzente, o olhar daquele que dá. O brilho do ouro firma a paz entre a lua e o sol.

A mais alta virtude é rara e inútil: é resplandecente e de um brilho brando, uma virtude dadivosa é a mais alta virtude.

Em verdade vos adivinho, meus discípulos: vós aspirais como eu à virtude dadivosa. Que podereis ter de comum com os gatos e com os lobos?

A vossa ambição é querer converter-vos, vós mesmos, em oferendas e presentes. Por isso desejais acumular todas as riquezas em vossas almas.

A vossa alma anela insaciavelmente tesouros e joias, porque é insaciável a vontade de dar da vossa virtude.

Obrigais todas as crises a aproximarem-se de vós e a penetrar em vós outros, para tornarem a emanar da vossa fonte como os dons do vosso amor.

Em verdade, é preciso que tal amor dadivoso se faça saqueador de todos os valores; mas eu chamo são e sagrado esse egoísmo.

Há outro egoísmo, um egoísmo demasiado, pobre e famélico, que quer roubar sempre: o egoísmo dos doentes, o egoísmo enfermo.

Com olhos de ladrão olha tudo o que reluz, com a avidez da fome mede o que tem abundantemente que comer, e sempre se arrasta à roda da mesa do que dá.

A doença é uma invisível degeneração, eis o que tal apetite demonstra; a avidez de roubo desse egoísmo apregoa um corpo valetudinário.

Dizei-me, meus irmãos: qual é a coisa que nos parece má, a pior de todas? Não é a degeneração? E pensamos sempre na degeneração quando falta a alma que dá.

O nosso caminho é para cima: da espécie à espécie superior; mas o sentido que degenera, o sentido que diz "Tudo para mim", assombra-nos.

O nosso sentido voa para cima, assim o símbolo do nosso corpo é símbolo de uma elevação. Os símbolos dessas elevações são os nomes das virtudes.

Assim atravessa o corpo a história, lutando e elevando-se. E o espírito que é para o corpo? É o arauto das suas lutas e vitórias, o seu companheiro e o seu eco.

Todos os nomes do bem e do mal são símbolos; não falam, limitam-se a fazer sinais. Louco é o que lhes quer pedir o conhecimento.

Meus irmãos, estai atentos às ocasiões em que o vosso espírito quer falar em símbolos: assistis então à origem da vossa virtude.

Então é quando o vosso corpo se elevou e ressuscitou; então arrebata o espírito com os seus transportes para que se faça criador e apreciador e amante, benfeitor de todas as coisas.

Quando o nosso coração se agita, amplo e cheio, como o grande rio, bênção e perigo dos ribeirinhos, então assistis à origem da vossa virtude.

Quando vos elevais acima do louvor e da censura, é quando a vossa vontade, como vontade de um homem que ama e quer mandar em todas as coisas, então assistis à origem da vossa virtude.

Quando desprezais o que é agradável, a cama fofa, e quando nunca vos credes bastante longe da moleza para repousar, então assistis à origem da vossa virtude.

Verdadeiramente é um novo bem e mal! Verdadeiramente é um novo murmúrio profundo e a voz de um manancial novo!

Essa nova virtude é poder; um pensamento reinante e em torno desse pensamento uma alma sagaz: um sol dourado, e em torno dele a serpente do conhecimento."

II

Aqui Zaratustra calou-se um bocado e olhou os discípulos com amor. Em seguida prosseguiu assim. A voz havia-se-lhe transformado:

"Meus irmãos, permanecei fiéis à terra com todo o poder da vossa virtude. Sirvam ao sentido da terra o vosso amor dadivoso e o vosso conhecimento. Eu vo-lo rogo, e a isso vos conjuro.

Não deixeis a vossa virtude fugir das coisas terrestres e adejar contra paredes eternas. Ai! Tem havido sempre tanta virtude extraviada!

Restituí, como eu, à terra a virtude extraviada. Sim; restituí-a ao corpo e à vida, para que dê à terra o seu sentido, um sentido humano.

A inteligência e a virtude têm-se extraviado e enganado de mil maneiras diferentes. Ainda agora residem no nosso corpo essa loucura e esse engano: tornaram-se corpo e vontade.

A inteligência e a virtude ensaiaram-se e extraviaram-se de mil maneiras diferentes. Sim; o homem era um ensaio. Ai! quantas ignorâncias e erros se incorporam em nós.

Não só a razão dos milenários, mas também a sua loucura aparece em nós. É perigoso ser herdeiro.

Lutamos ainda passo a passo com o gigante azar e na humanidade inteira reinava até aqui a falta de sentido.

Sirvam a vossa inteligência e a vossa virtude no sentido da terra, meus irmãos, e o valor de todas as coisas será renovado por vós. Para isso deveis ser criadores!

O corpo purifica-se pelo saber, eleva-se com o esforço inteligente: todos os instintos do que pensa e conhece se santificam; a alma do que se eleva alvoroça-se.

Médico, ajuda-te a ti mesmo; assim, ajudas também o teu doente. Seja a melhor assistência do doente ver com os seus próprios olhos o que se cura a si mesmo.

Há mil sendas que nunca foram calçadas, mil fontes de saúde e mil terras ocultas na vida. Ainda se não descobriram nem esgotaram os homens nem a terra dos homens.

Vigiai e escutai, solitários! Sopros de adejos secretos chegam do futuro, e a ouvidos apurados chega uma fausta mensagem.

Solitários de hoje, vós, os afastados, sereis um povo algum dia. Vós que vos haveis entrescolhido a vós mesmos, formareis um dia um povo eleito do qual nascerá o Super-homem.

Em terra, a terra far-se-á um dia um lugar de cura. Já a envolve um odor novo, um eflúvio de saúde e uma nova esperança.

III

Ditas estas palavras, Zaratustra emudeceu, como quem ainda não disse a última palavra. Sopesou demoradamente o bastão, como que perplexo. Por fim falou assim, e a voz havia-se-lhe transformado:

"Agora, meus discípulos, vou-me embora sozinho! Ide-vos, vós outros, sozinhos também! Assim o quero.

Com toda a sinceridade vos dou este conselho: Afastai-vos de mim e precavei-vos contra Zaratustra! Melhor ainda: envergonhai-vos dele! Talvez vos haja enganado!

O homem que reflexiona não só deve amar os seus inimigos, mas também odiar os seus amigos.

Mal corresponde ao mestre aquele que nunca passa de discípulo. E por que não quereis arrancar a minha coroa?

Venerais-me! Mas que sucederia se uma vez caísse a vossa veneração? Cuidado, não vos esmague uma estátua!

Dizeis que credes em Zaratustra? Vós sois crentes em mim; mas que importam todos os crentes?!

Vós ainda vos haveis procurado; encontrastes-me então. Assim fazem todos os crentes: por isso a fé é tão pouca coisa.

Agora vos mando que me percais e vos encontreis a vós mesmos; e só quando todos me houverdes renegado, tornarei para vós.

Em verdade, meus irmãos, então buscarei com outros olhos as minhas ovelhas desgarradas; eu vos amarei então com outro amor.

E um dia devereis ser meus amigos e filhos de uma só esperança; então quero estar a vosso lado, pela terceira vez, para festejar convosco o grande meio-dia.

E o grande meio-dia será quando o homem estiver a meio do trajeto, entre a besta e o Super-homem, o célere, como sua esperança suprema, o seu caminho para o ocaso: porque será o caminho para uma nova manhã.

Então o que desaparece se abençoará a si mesmo, a fim de passar para o outro lado, e o sol do seu conhecimento estará no seu meio-dia.

"Todos os deuses morreram; agora viva o Super-homem!" Seja esta, chegado o grande meio-dia, a vossa última vontade!"

Assim falava Zaratustra.

SEGUNDA PARTE

Assim falava Zaratustra

"... e só quando todos me houverdes
renegado, tornarei para vós.
Em verdade, meus irmãos, então
buscarei com outros olhos as minhas
ovelhas desgarradas; eu vos amarei
então com outro amor."
Da virtude dadivosa — III

ZARATUSTRA

Criança do espelho

Depois disto Zaratustra tornou para a montanha e para a soledade da sua caverna, apartando-se dos homens. E esperou, como o semeador que lançou a sua semente; mas a alma se lhe encheu de impaciência e desejo do que amava, porque ainda tinha muitas coisas que lhes dar. Que isto é o mais difícil: fechar por amor a mão aberta e conservar o pudor ao dar.

Assim decorreram para o solitário meses e anos; mas a sua sabedoria aumentava e fazia-o padecer com a sua plenitude.

Certa manhã, despertando antes de amanhecer, meditou por muito tempo na cama, e por fim disse consigo:

Assustei-me tanto a sonhar que acordei! Não se aproximou de mim uma criança que levava um espelho?

"Zaratustra — disse ela —, olha-te a este espelho!"

Quando, porém, olhei para o espelho, soltei um grito e o coração deu-me um baque; porque não foi a mim que vi, mas a carranca sarcástica de um demônio.

Na verdade, compreendo demais o significado e a advertência do sonho: a minha doutrina corre perigo; o joio quer chamar-se trigo.

Os meus inimigos tornaram-se poderosos e desfiguraram a imagem da minha doutrina, a ponto de meus prediletos se envergonharem dos dons que lhes fiz.

Perdi os meus amigos! Chegou o momento de ir procurar os que perdi!"

Dizendo estas palavras, Zaratustra sobressaltou-se, não como quem tem medo e perde alento, mas como um visionário possuído do Espírito. A águia e a serpente olharam-no estupefatos: porque à semelhança da aurora, uma próxima ventura lhe pairava no semblante.

"Que me sucedeu, animais meus? — disse Zaratustra. — Não estou transformado?! Não se abeirou de mim a ventura como uma tempestade?!

A minha ventura é louca e apenas dirá loucuras; ainda é nova demais. Suportai-a, pois, com paciência!

Aniquila-me a ventura! Sejam meus médicos os que sofrem!

Posso tornar a descer para o pé dos meus amigos e também dos meus inimigos! Zaratustra pode tornar a falar e dar e a fazer bem aos seus prediletos!

O meu impaciente amor transborda em torrentes, precipitando-se desde o oriente até o ocaso. Até minha alma se agita nos vales, abandonando os montes silenciosos e as tempestades da dor.

Demasiado tempo sofri e estive em perspectiva. Demasiado tempo me possuiu a solidão. Agora esqueci o silêncio.

Todo eu me tornei qual boca e murmúrio de um rio que salta de elevadas penhas: quero precipitar as minhas palavras nos vales.

Corre o rio do meu amor para o insuperável! Como não encontraria um rio enfim o caminho do mar?

Sem dúvida há um lago em mim, um lago solitário que se basta a si mesmo; mas o meu rio de amor arrasta-o consigo para o mar.

Eu sigo novas sendas e encontro uma linguagem nova; à semelhança de todos os criadores, cansei-me das línguas antigas. O meu espírito já não quer correr com solas gastas.

Toda a linguagem me torna moroso. Salto para o teu carro, tempestade! E a ti também quero fustigar com a malícia!

Quero passar por vastos mares como uma exclamação ou um grito de alegria, até que encontre as Ilhas Bem-aventuradas onde morara os meus amigos... e entre eles os meus inimigos! Como amo agora todos a quem posso falar! Os meus inimigos também formam parte da minha ventura.

E quando quero montar no meu mais fogoso cavalo, nada me ajuda tanto como a minha lança; sempre está pronta a servir-me, a lança que brando contra os meus inimigos.

É muito grande a tensão da minha nuvem; por entre os risos dos relâmpagos quero lançar granizo às profundidades.

Formidavelmente se alevantará o meu peito, formidavelmente soprará a sua tempestade; assim se aliviará.

Verdadeiramente, a minha felicidade e minha liberdade sobrevêm como tempestades! É mister, porém, que os meus inimigos imaginem que o mal desencadeia sobre as suas cabeças.

Sim; também a vós, meus amigos, vos assombrará a minha selvagem sabedoria, e talvez vos ponhais em fuga com os meus inimigos.

Ah! Saiba eu tornar a atrair-vos com flautas pastoris! Aprenda a rugir com ternura a minha leonina sabedoria! Já temos aprendido tanta coisa juntos!

A minha selvagem sabedoria emprenhou nos montes solitários; nas duras pedras pariu o mais novo dos seus filhos.

Agora corre louca pelo deserto árido e procura sem cessar o branco céspede.

No mais branco céspede de vossos corações, meus amigos... no vosso amor desejaria eu depositar o mais caro que possuo!"

Assim falava Zaratustra.

Nas ilhas bem-aventuradas

"Os figos caem das árvores: são bons e doces; e conforme caem assim se lhes abre a vermelha pele. Eu sou um vento do Norte para os figos maduros.

Assim como os figos, caem em vós estas práticas; recebei o seu suco e a sua doce polpa. Em torno de nós reina o outono, reina a tarde como um céu sereno.

Vede que plenitude em nosso redor! E que belo, do seio da abundância, olhar para fora, para os mares longínquos!

Noutro tempo, quando se olhava para os mares longínquos, dizia-se: "Deus"; mas agora eu vos ensinei a dizer: "Super-homem."

Deus é uma conjectura; mas eu quero que a vossa conjectura não vá mais longe do que a vossa vontade criadora.

Poderíeis criar um Deus? Pois então não me faleis de deuses! Poderíeis, contudo, criar um Super-homem.

Talvez vós o não sejais, meus irmãos! Podeis transformar-vos em pais e ascendentes do Super-homem: seja essa a vossa melhor criação!

Deus é uma conjectura; mas eu quero que a vossa conjectura se circunscreva ao imaginável.

Poderíeis imaginar um Deus? Signifique para vós outros a vontade de verdade, que tudo se transforme no que o homem pode pensar, ver e sentir! Deveis cuidar até o último os vossos próprios sentidos!

E o que chamáveis mundo deve ser criado já por vós outros; a vossa razão, a vossa imagem, a vossa vontade, o vosso amor devem tornar-se o vosso próprio mundo. E verdadeiramente, será para ventura vossa!

Vós, que pensais e compreendeis, como havíeis de suportar a vida sem essa esperança? Não deveríeis persistir no que é incompreensível nem no que é irracional.

Hei de vos abrir, porém, inteiramente o meu coração, meus amigos; se existissem deuses como poderia eu suportar não ser um deus?! Por conseguinte, não há deuses.

Fui eu, na verdade, quem tirou essa consequência; mas agora é ela que me tira a mim mesmo.

Deus é uma conjectura; mas quem beberia sem morrer todos os tormentos desta conjectura?

Acaso se quererá tirar ao criador a sua fé, e à águia o seu voo pelas regiões longínquas?

Deus é um pensamento que torce tudo quanto está fixo.

Quê!? Não existiria já o tempo, e todo o perecível seria mentira?

Pensar tal produz vertigem nos ossos humanos e náuseas no estômago; verdadeiramente, pensar assim é como sofrer modorra.

Chamo mau e desumano a isso: a todo esse ensinamento do único, do pleno, do imóvel, do saciado, do imutável.

O imutável é apenas um símbolo! E os poetas mentem demais.

As melhores parábolas devem falar do tempo e do acontecer; devem ser um elogio e uma justificação de tudo o que é perecível.

Criar é a grande emancipação da dor e do alívio da vida; mas para o criador existir são necessárias muitas dores e transformações.

Sim, criadores, é mister que haja na vossa vida muitas mortes amargas. Sereis assim os defensores e justificadores de tudo o que é perecível.

Para o criador ser o filho que renasce, é preciso que queira ser a mãe com as dores de mãe.

Em verdade, o meu caminho atravessou cem almas, cem berços e cem dores de parto. Muitas vezes me despedi; conheço as últimas horas que desgarram o coração.

Mas assim o quer a minha vontade criadora, o meu destino. Ou, para o dizer mais francamente: esse destino quer ser minha vontade.

Todos os meus sentimentos sofrem em mim e estão aprisionados; mas o meu querer chega sempre como libertador e mensageiro da alegria.

"Querer, libertar": é essa a verdadeira doutrina da vontade e da liberdade; tal é a que ensina Zaratustra.

Não querer mais, não estimar mais e não criar mais! Ó! fique sempre longe de mim, esse grande desfalecimento.

Na investigação do conhecimento só sinto a alegria da minha vontade, a alegria do engendrar; e se há inocência no meu conhecimento, é porque nele há vontade de engendrar.

Essa vontade apartou-me de Deus e dos deuses. Que haveria, pois, que criar se houvessem deuses?

A minha ardente vontade de criar impele-me sempre de novo para os homens, assim como é impelido o martelo para a pedra.

Ai, homens! Uma imagem dormita para mim na pedra, a imagem das minhas imagens. Ó! haja de dormir na pedra mais feia e mais rija!

Agora o meu martelo desencadeia-se cruelmente contra a sua prisão. A pedra despedaça-se: que me importa?

Quero acabar esta imagem, porque uma sombra me visitou; qualquer coisa muito silenciosa e leve se dirigiu para mim!

A excelência do Super-homem visitou-me como uma sombra. Ai, meu irmãos! Que me importam já os deuses?"

Assim falava Zaratustra.

Dos compassivos

"Meus amigos, aos ouvidos do vosso amigo chegaram palavras zombeteiras: "Olhem para Zaratustra! Então não passa por entre nós como por entre animais?"

Mais valeria dizer: "Aquele que pensa passa pelo meio dos homens como por entre animais."

O que pensa chama ao homem animal de faces vermelhas. E por que é isto? Não será por que teve que se envergonhar demasiadas vezes?

Ó! meus amigos! Assim fala o pensador: Vergonha, vergonha! é esta a história do homem!

E por isso o homem nobre impõe a si mesmo o dever de não envergonhar; quer ter recato perante todo o que sofre.

Em verdade, não me agradam os misericordiosos, os que se comprazem na sua piedade; são demasiado faltos de pudor.

Se hei de ser compassivo, não quero ao menos que se diga que o sou; e quando o for, que o seja só à distância.

Agrada-me também ocultar a cara e fugir antes de ser reconhecido. Meus amigos, convido-vos a fazer o mesmo.

Depare-me sempre o meu destino, no caminho que percorro, aqueles que, como vós, não sofrem, e aqueles com quem posso repartir esperanças, comidas e mel.

Em verdade, tenho feito isto e aquilo pelos que sofrem; mas sempre me pareceu melhor quando aprendia a divertir-me mais.

Desde que há homens, o homem tem-se divertido muito pouco: é esse, meus irmãos, o único pecado original.

E quando aprendemos melhor a divertir-nos, esquecemo-nos melhor de fazer mal aos outros e de inventar dores.

Por isso lavo a mão que auxiliou o que sofre. Por isso ainda agora restrinjo a alma.

Envergonho-me de ter visto sofrer o que sofre, por causa da vergonha dele; e quando acudi em seu auxílio, feri-lhe rudemente o orgulho.

Grandes favores não tornam ninguém agradecido, mas apenas vingativo; e mesmo o pequeno benefício, não sendo esquecido, torna-se um verme roedor.

Sede pertinazes em obter! E distingui ao aceitar! Aconselho isto aos que não têm que oferecer.

Eu, porém, sou dos que dão: agrada-me dar, como amigo, aos amigos. Colham, todavia, os estranhos e os pobres, por si sós, o fruto da minha árvore: é menos humilhante para eles.

Dever-se-iam, porém, suprimir totalmente os mendigos. Na verdade, desgosta-se uma pessoa por lhes dar; e desgosta-se por lhes não dar.

Assim sucede com os pecadores e com as consciências manchadas! Crede-me, meus amigos: os remorsos impelem a morder.

O pior de tudo, no entanto, são os pensamentos mesquinhos. Vale mais fazer mal do que pensar ruimente.

De certo que vós dizeis: "O prazer das pequenas maldades poupa-nos mais de uma ação má." Mas nisso não se deveria querer economizar.

A má ação é como uma úlcera: desgasta, irrita e faz erupção: fala lealmente.

"Vede: sou uma enfermidade." Assim fala a má ação: isto é nobreza.

O pensamento mesquinho, porém, é como a lama: arrasta-se, agacha--se, e não quer estar em parte nenhuma, até que as pequenas excrescências apodrecem e abatem o corpo todo.

Pois eu digo estas palavras ao ouvido do que está em poder do demônio: "Ainda vale mais que deixes crescer o teu demônio! Para ti também existe ainda um caminho da grandeza!"

Ai, meus irmãos! Sabemos demais uns dos outros! E há quem chegue a ser transparente para nós, mas isso não basta, nem com muito, para o podermos penetrar.

É difícil viver com os homens, uma vez que é tão difícil guardar silêncio.

E aquele com quem somos mais injustos não é o que nos é antipático, mas aquele com quem nos não importamos.

Se tens, contudo, um amigo que sofre, sê um asilo para o seu sofrimento, mas até certo ponto um leito muito duro, um leito de campanha; assim ser-lhes-ás mais útil.

E se um amigo te faz mal, diz-lhe: "Perdoo-te o mal que me fizeste; mas se o houvesses feito a ti, como poderia eu perdoar-to?"

Assim fala todo o amor grande: sobrepuja o perdão e a piedade.

É preciso conter o coração: porque, se o deixamos livre, depressa perdemos a cabeça!

Ai! Onde se fizeram mais loucuras na terra do que entre os que têm dó, e que haverá que mais dano fizesse na terra do que a loucura dos que têm dó?

Pobres dos que amam sem estar acima da sua piedade!

O diabo disse-me assim um dia: "Deus também tem o seu inferno: é o seu amor pelos homens."

E ultimamente ouvi-lhe dizer estas palavras: "Deus morreu; foi a sua piedade pelos homens que o matou."

Livrai-vos, pois, da piedade: por causa dela paira sobre ele uma densa nuvem!

Eu conheço os sinais do tempo.

Relembrai também estas palavras: todo o grande amor está ainda superior à piedade, porque aquele que ama quer também criá-lo.

"Ofereço-me ao meu amor, e ao meu próximo como a mim mesmo." Assim se exprimem todos os criadores.

Contudo, "todos os criadores são cruéis".

Assim falava Zaratustra.

Dos sacerdotes

Um dia Zaratustra fez um sinal aos discípulos e falou-lhes assim:

Olhai estes sacerdotes; conquanto sejam meus inimigos, passai por diante deles silenciosamente e com a espada embainhada.

Também entre eles há muitos heróis, muitos sofreram demais: por isso querem fazer sofrer os outros.

São maus inimigos: nada há mais vingativo do que a sua humildade. E quem os ataca facilmente se macula.

O meu sangue é, porém, igual ao deles; e eu quero que o meu sangue seja honrado até no deles."

Quando passaram, a dor embargou Zaratustra; depois de lutar uns momentos com a dor, começou a falar assim:

"Aqueles sacerdotes causam-me pena e são-me antipáticos; mas desde que estou entre os homens, isto é o que menos me importa.

Fizeram-me e fazem-me sofrer; vejo-os prisioneiros e marcados. Aquele a quem chamam o Salvador pôs-lhes as algemas.

As algemas dos valores falsos e das palavras ilusórias! Ai! Haja quem os salve do seu Salvador!

Quando o mar um dia os arrojou julgaram arribar a uma ilha; mas afinal deram com um monstro adormecido!

Falsos valores e palavras ilusórias: eis quais são para os mortais os monstros mais perigosos: neles dormita e aguarda largo tempo o destino.

Afinal desperta e devora aquele que nele se albergou.

Ó aquela luz artificial! Aquela atmosfera pesada! A alma ali não pode voar até a sua própria alma.

A sua crença ordena isto: "Vós, pecadores, subi de joelhos as escadas."

Em verdade, prefiro ver o impudico a esses olhos deslocados pela vergonha e pela devoção!

Quem, pois, criou semelhantes antros, e semelhantes graus de penitência? Não eram os que queriam esconder-se e a quem o céu límpido ofendia?

E só quando o céu límpido olhe novamente através das abóbadas rendilhadas e contemple a erva e as vermelhas papoulas dos ruinosos muros, só então inclinarei o meu coração novamente ante as moradias desse Deus.

Chamaram Deus ao que os contrariava e prejudicava, e na verdade havia na sua adoração muito heroísmo!

E não souberam amar ao seu Deus senão crucificando o homem!

Pensaram viver como cadáver; amortalharam de negro os seus cadáveres, e até nas suas palavras percebo o mau cheiro das câmaras mortuárias.

E o que habita junto deles, habita junto dos negros tanques onde se ouve cantar o sapo com doce melancolia.

Seria preciso entoarem melhores cânticos para eu crer no seu Salvador; seria preciso que os seus discípulos tivessem mais aparência de redimidos.

Quereria vê-los nus: porque só a beleza devia pregar o arrependimento. Quem convencerá essa compunção mascarada?

Mesmo os salvadores desses homens não descendiam da liberdade e do sétimo céu da liberdade! Nunca andaram sobre as alfombras do conhecimento!

O espírito desses salvadores era todo vácuo, e nesse vácuo tinham posto a sua loucura o seu supre-faltas a que chamaram Deus.

O seu espírito estava mergulhado em piedade, e quando se enchiam de piedade sempre sobrenadava uma grande loucura.

Ousadamente lançavam o seu rebanho ao caminho, dando gritos: como se não houvesse mais do que um caminho que fosse dar ao futuro! Em verdade, esses pastores também formavam parte das ovelhas.

Tais pastores tinham espírito pequeno e almas grandes, sensitivas; mas, meus irmãos, quão pequenas foram até agora as almas sensitivas, mesmo as maiores!

No caminho que trilharam escreviam sinais de sangue, e a sua loucura ensinava que com o sangue se dá testemunho da verdade.

O sangue, porém, é o pior testemunho da verdade; o sangue envenena a doutrina mais pura e muda-a em loucura e ódio dos corações.

E quando alguém atravesse o fogo pela sua doutrina, isso que prova? Coisa muito divina é quando do próprio incêndio surge a própria doutrina.

O coração ardente e a cabeça fria: quando estas duas coisas se reúnem, nasce o torvelinho, o "Salvador".

Em verdade, houve nascidos melhores e maiores do que aqueles a que o povo chama salvadores, esses arrebatadores torvelinhos. E é mister, meus irmãos, que sejais salvos por outros maiores ainda do que todos os salvadores, se quereis encontrar o caminho da liberdade.

Nunca houve um Super-homem. Tenho visto a nu todos os homens, o maior e o mais pequeno.

Parecem-se ainda demais uns com os outros: até o maior era demasiado humano.

Assim falava Zaratustra.

Dos virtuosos

A força de tronos e de fogos de artifício celestes, é preciso falar aos sentidos frouxos e adormecidos.

A voz da beleza, porém, fala baixo: só se insinua nas almas mais despertas.

Hoje o meu escudo riu-se e estremeceu brandamente: era o estremecimento e o riso sagrado da beleza!

De vós, ó! virtuosos, se ria a minha beleza. E a sua voz chegava assim até mim: "Ainda querem ser pagos."

Virtuosos, ainda quereis ser pagos? Quereis recompensa por vossa virtude, e o céu em vez da terra e a eternidade em vez do vosso hoje?

E antipatizais comigo porque ensino que não há remunerador nem pregador? E na verdade, nem sequer ensino que a virtude seja recompensa de si própria.

Ah! É essa a minha pena! Introduziu-se astutamente a recompensa e o castigo no fundo das coisas e até no fundo das vossas almas, virtuosos!

A minha palavra, porém, semelhante ao colmilho do javali deve dilacerar o fundo de vossas almas e eu quero ser para vós relha de arado.

Saiam à luz todos os segredos do vosso íntimo, e quando os virdes expostos ao sol, rasgados e despedaçados, então ficará a vossa mentira também separada da vossa verdade.

Porque esta é a vossa verdade: sois demasiado limpos para a mancha da palavra vingança, castigo, recompensa, represálias.

Amais a vossa virtude como a mãe ama o filho, e quando se ouviu dizer que uma mãe quisesse ser paga do seu amor?

A vossa virtude é o melhor de vós mesmos. Tendes desejo do anel que se retorce para tornar sobre si.

E toda a obra da vossa virtude é como estrela que se apaga: a sua luz caminha ainda e continua viajando. Quando deixará de caminhar?

Assim a luz da vossa virtude caminha ainda mesmo depois da obra cumprida. Fique, pois, esquecida e morta: o seu raio de luz prossegue a sua viagem.

Seja a vossa virtude o vosso próprio ser, e não qualquer coisa estranha, uma epiderme, uma capa: eis a verdade do fundo da vossa alma, ó! virtuosos!

Mas há também alguns para quem a virtude é um espasmo produzido pelas disciplinas, e vós ouvistes de sobra os gritos desses!

E há outros que chamam virtude à preguiça ao seu vício; e quando alguma vez desprezam o seu ódio e a sua inveja, a sua "justiça" desperta e esfrega os olhos sonolentos.

E há outros que se veem arrastados para baixo; tirara de si mesmos os seus demônios; mas quanto mais se afundam, mais os olhos se lhes incendeiam e mais cobiçam o seu Deus.

Ai! Também o grito destes chegou aos vossos virtuosos ouvidos: "O que eu não sou é isso que é para mim Deus e a virtude."

E há outros que andam pesadamente, chiando como carros, transportando pedra ladeira abaixo: falam muito de dignidade e de virtude: chamam virtude ao seu freio.

E há outros que parecem relógios a que se dá corda; produzem o seu tique-taque e querem que esse tique-taque se chame virtude.

Na verdade, estes divertem-me: onde quer que encontre tais relógios dar-lhes-ei corda com a minha ironia, e não terão outro remédio senão pôr-se a andar.

E outros orgulham-se do seu punhado de justiça, e em nome disso atropelam tudo, de modo que o mundo se afoga na sua injustiça.

Que náuseas, quando lhes sai da boca a palavra virtude! E quando dizem: "Sou justo", é num tom em que se percebe: "Estou vingado!"

Querem despojar os seus inimigos com a sua virtude, e só se elevam para rebaixar os outros.

E há outros ainda que apodrecem no seu pântano e que falam por entre o caniçado: "Virtude é estar quieto no pântano.

Não mordemos a ninguém e afastamo-nos daquele que quer morder; e em todas as coisas somos da opinião que se nos dá."

E há ainda outros que gostam da mímica, e pensam: "A virtude é uma espécie de mímica."

Os seus joelhos estão sempre em adoração, e as suas mãos juntam-se em louvor à virtude; mas o coração está alheio a tudo isso.

E há outros que julgam que é virtuoso dizer: "A virtude é necessária"; mas no fundo só creem numa coisa.

E alguns que não sabem ver quanto de elevado há no homem, falam de virtude quando veem perto demais a sua baixeza: deste modo chamam "virtude" aos seus maus olhos.

Uns querem ser elevados e nomeados, e chamam a isso virtude; os outros querem ser derribados... e também chamam a isso virtude.

E assim quase todos julgam ter alguma parte na virtude; e todos querem, pelo menos, ser inteligentes em questão de "bem" e de "mal".

Zaratustra, porém, chegou, para dizer a todos esses embusteiros e insensatos: "Que sabeis vós da virtude? Que podereis saber da virtude?"

Vim aqui, meus amigos, para que vos canseis das alheias palavras que tereis aprendido dos embusteiros e dos insensatos.

Para que vos canseis das palavras "recompensa", "represálias", "castigo", "vingança na justiça".

Para que vos canseis de dizer que "uma ação é boa porque é desinteressada".

Ai, meus amigos! Esteja o vosso próprio ser na ação como a mãe no filho; seja esta a vossa palavra de virtude!

Verdadeiramente, eu tirei-vos com palavras os mais caros brinquedos da vossa virtude; e agora fazeis "beicinho" como as crianças.

Brincavam à beira-mar e veio a onda e levou-lhes os brinquedos para as profundezas. Agora choram.

A mesma onda, porém, lhes trará novos brinquedos e espalhará aos pés deles novas conchas coloridas.

Assim se consolarão, e vós também, meus amigos, tereis como eles vossos consolos e novas conchas coloridas.

Assim falava Zaratustra.

Da canalha

A vida é uma fonte de alegria, mas onde quer que a canalha vá beber, todas as fontes estão envenenadas.

Agrada-me tudo o que é limpo; mas não posso ver as bocarras grotescas e a sede dos impuros.

Lançaram as suas vistas para o fundo do poço; agora reflete-se do fundo o seu odioso sorriso.

Envenenaram a água santa com a sua concupiscência; e ao chamar alegria aos seus torpes sonhos, até envenenaram as palavras.

A chama indigna-se quando eles põem ao fogo os seus úmidos corações; o próprio espírito ferve e fumega quando a canalha se abeira do fogo.

A fruta mela-se e torna-se enjoativa nas suas mãos; o seu olhar é vento abrasador que seca a árvore de fruto.

E mais de um dos que se apartaram da vida, tão somente se apartaram da canalha; que queiram repartir com a canalha a água, a chama e o fruto.

E mais de um que se retirou ao deserto para lá sofrer a sede com os animais selvagens, fê-lo para se não sentar junto da cisterna em companhia de imundos cameleiros.

E mais de um que avançava como exterminador e como saraivada pelos campos de semeadura, só queria pôr o pé na boca da canalha para lhe tapar o gasnete.

E o que mais me perturba não era saber que até a vida se encontra necessitada de inimizade, de morte, e de cruzes de mártires; mas tão somente me perguntei um dia, e a pergunta quase me sufocava:

Quê? Teria a vida também necessidade da canalha?

As fontes envenenadas, os fogos pestilentos, os sonhos maculados, os vermes no pão da vida, são coisas necessárias?

Não era o ódio, mas o nojo o que me devorava a vida! Ai! muitas vezes chegou a enfastiar-me o engenho, o ver que também a canalha era engenhosa!

E voltei costas aos dominadores assim que vi o que hoje chamam dominar, traficar e regatear em matéria de poder... com a canalha!

E permaneci entre os povos como estrangeiro, e com os ouvidos cerrados, a fim de que fossem coisas estranhas para mim e a linguagem do seu tráfico e o seu regatear pelo poder.

E apertando as narinas atravessei com desalento todo o ontem e o hoje; na verdade, o ontem e o hoje empestam a populaça de pena.

Como um valido que ficou surdo, cego e mudo, assim vivi muito tempo, para não viver com a canalha do poder, a pena e dos prazeres.

Dificilmente e com cautela o meu espírito subiu escadas; as esmolas da alegria foram a sua consolação; a vida do cego deslizava apoiada num báculo.

Que me sucedeu, então? Como me curei da aversão? Quem rejuvenesceu meus olhos? Como remontei às alturas onde já há canalha sentada à beira das fontes?

A minha própria aversão me deu asas e forças que pressentiam os mananciais? Na verdade tive que voar ao mais alto para tornar a encontrar a fonte da alegria.

Ó! encontrei-a, meus amigos! Aqui, no mais alto brota para mim a fonte de alegria! E há uma vida em que se pode beber sem a canalha!

Fonte da alegria, quase brotas com demasiada violência! E amiúde esvazias a taça em vez de a encher!

Ainda tenho que aprender a aproximar-me de ti mais moderadamente; o meu coração acorre ao teu encontro com demasiada pressa: este coração onde arde o meu estio, o breve, ardente, melancólico e venturoso estio. Como anela pela sua frescura o meu coração estival!

Passou a aflição da minha primavera! Passaram os malignos corpos de neve em pleno junho! Já sou interessante estival e tarde de estio!

Um estio nas maiores alturas, com frescos mananciais e ditosa tranquilidade. Ó! Vinde, amigos meus! seja ainda mais ditosa esta tranquilidade!

Porque esta é a nossa altura e a nossa pátria e nossa mansão é demasiado elevada e escarpada para todos os impuros e para a sede dos impuros.

Lançai, pois, os vossos puros olhares à fonte da minha alegria, meus amigos!

Como poderia turvar-se? Sorrir-vos-á com a sua preguiça.

Nós outros, solitários, construímos o nosso ninho na árvore do futuro; as águias nos trarão no bico o sustento.

E decerto não será um sustento de que possam participar os impuros! Porque os impuros julgariam que devoravam fogo e que as fauces se lhes abrasavam.

Não preparamos aqui, em verdade, moradias para os impuros! A vossa ventura pareceria glaciá-la aos seus corpos e aos seus espíritos!

E nós queremos viver por cima deles como ventos fortes, vizinhos das águias, vizinhos do sol; assim vivem os ventos fortes.

E à semelhança do vento, quero soprar entre eles um dia e cortar a respiração ao seu espírito; assim o quer o meu futuro.

Zaratustra, em verdade, é um vento forte para todas as terras baixas, e dá estes conselhos aos seus inimigos e a quantos cospem e vomitam: "Livrai-vos de cuspir para o ar!"

Assim falava Zaratustra.

Das tarântulas

Olha: é esta a toca da tarântula! Queres vê-la, a ela mesmo? Está aqui a sua teia; toca-lhe para a veres tremer.

Olha: ei-la aqui, sem se fazer rogar. Bem-vinda tarântula! No teu escuro lombo negreja a característica marca triangular, e eu também sei o que há na tua alma.

Em tua alma aninha-se a vingança; onde quer que fiques, forma-se uma crosta negra. A vingança levanta na tua alma torvelinhos de vingança.

Assim vos falo em parábola a vós que levantais torvelinhos na alma, pregadores da igualdade! Vós outros sois para mim tarântulas sedentas de secretas vinganças.

Eu, porém, acabarei de revelar os vossos esconderijos, por isso me rio na vossa cara com o meu riso das alturas!

Por isso despedaço a vossa teia, para que a cólera vos faça sair do vosso antro de mentira e para que a vossa vingança apareça por detrás das vossas palavras de "justiça".

Seja o homem salvo da vingança; é esta para mim a ponte da esperança superior, e um arco-íris anuncia grandes tormentas.

As tarântulas, todavia, compreendem doutra forma. "Justamente quando as tempestades da nossa vingança enchem o mundo, é quando nós dizemos que haja justiça." Assim falam elas entre si.

"Queremos executar nossa vingança e lançar nossos ultrajes sobre todos os que não são semelhantes a nós outras." Isso juram a si mesmas as tarântulas.

E acrescentam: "Vontade de igualdade, isto será daqui por diante o nome da virtude, e queremos erguer o grito contra tudo o que é poderoso!"

Sacerdotes da igualdade: a tirânica loucura da vossa impotência reclama em brados a "igualdade", por detrás das palavras de virtudes esconde-se a vossa mais secreta concupiscência de tiranos!

Vaidade acre, inveja contida — talvez a vaidade e a inveja de nossos pais —, de vós saem essas chamas e essas loucuras de vingança.

O que o pai calou, fala o filho, e muitas vezes vi revelado no filho o segredo do pai.

Parecem-se com os extáticos; não é porém, o coração que os extasia, mas a vingança.

E se tornam frios e sutis, não é por agudeza, mas por inveja.

Também levam os zelos à senda dos pensadores; é este o sinal da sua emulação; sempre vão tão longe, tão longe, que afinal o seu cansaço tem sempre que adormecer até o meio da neve.

Todos os seus lamentos têm acentos de vingança; todos os seus elogios ocultam malefícios, e para eles serem juízes é a suprema felicidade.

Eis aqui, todavia, o conselho que vos dou, meus amigos: desconfiai de todos os que sentem poderosamente o instinto de castigar!

São pessoas de má raça e de má casta; por eles assomam o polícia e o verdugo.

Desconfiai de todos os que falam muito da sua justiça! Não é só mel o que falta às suas almas.

E se se chamam a si mesmos "os bons e os justos" não esqueçais que, agora, para serem fariseus só lhes falta... o poder.

Meus amigos, não quero que se me misture e se me confunda.

Há quem pregue a minha doutrina da vida, mas são a um tempo pregadores da igualdade e tarântulas.

Estas aranhas venenosas falam a favor da vida, apesar de estarem acaçapadas nas suas cavernas e afastadas da vida: porque assim querem prejudicar.

Querem prejudicar os que têm agora o poder; porque entre estes é ainda a coisa mais familiar a prática da morte.

A ser doutro modo, doutro modo pregariam as tarântulas: porque noutro tempo foram elas precisamente as que melhor souberam caluniar o mundo e queimar hereges.

Com estes pregadores da igualdade é que eu não quero ser misturado nem confundido. Porque a justiça me fala assim: "Os homens não são iguais."

Não devem tampouco chegar a sê-lo. Que seria, pois, o meu amor ao Super-homem, se eu falasse doutro modo?

Por mil pontes e por mil caminhos se devem precipitar para o porvir, e sempre haverá que colocar entre eles mais guerras, e desigualdades: assim me faz falar o meu grande amor!

Devem-se tornar inventores de imagens e de fantasmas em suas inimizades, e com as suas imagens e os seus fantasmas devem travar entre si o maior combate.

Bom e mau, rico e pobre, alto e baixo, todos os nomes de valores devem ser armas e símbolos bélicos, em sinal de que a vida sempre se há de superar novamente a si mesma.

Ela, a própria vida, quer elevar-se às alturas com pilares e grades: quer escrutar os longínquos horizontes e penetrar com os seus olhares as supremas belezas; para isso necessita as alturas.

Por conseguinte necessita alturas, necessita degraus e contradição dos degraus e dos que se elevam! A vida quer elevar-se e superar-se a si mesma.

E vede, meus amigos! Aqui onde está a caverna da tarântula, elevam-se as ruínas de um templo antigo: olhai com olhos iluminados.

O que aqui em outros dias elevou na pedra os seus pensamentos para as alturas, esse deve ter conhecido o segredo da vida toda, como o mais sábio.

Haja até na beleza luta e desigualdade e guerra pelo poder e pela supremacia; isto nos ensina ele aqui no símbolo mais luminoso.

Assim como aqui abóbadas e arcos travam corpo a corpo um divino combate, e assim como luz e sombra pugnam entre si em divina competência, assim fortes e nobres, sejamos nós também inimigos, meus amigos! Pugnemos divinamente uns contra os outros!

Desventura! Também me picou a tarântula, minha antiga inimiga! Divinamente firme e bela picou-me no dedo!

"Há de haver castigo e justiça — pensa a tarântula: — não é em vão que canta aqui o hino em honra da inimizade!"

Sim; está vingada! Pobre de mim; vai minha alma girar como um turbilhão de vingança!

Mas, para ela não girar, meus amigos, atai-me fortemente a esta coluna. Antes quero ser um estilista do que um turbilhão de vingança!

Zaratustra não é um turbilhão nem uma tromba, e se é bailarino, não é bailarino de tarantela!

Assim falava Zaratustra.

Dos sábios célebres

Todos vós, ó sábios célebres, tendes servido o povo e a superstição do povo, e não a verdade! E é precisamente por isso que vos têm honrado.

E por isso também foi tolerada a vossa incredulidade, porque era um rodeio engenhoso para o povo. Assim procede o amo com os seus escravos, e por seu desaforo o mantém.

O povo, porém, a quem detesta, tanto como os cães ao lobo, o espírito livre, inimigo dos preconceitos, aquele que a ninguém presta culto e que habita nos bosques.

Escorraçá-lo do seu esconderijo é o que o povo chamou sempre o "sentido da justiça", e até açula contra o espírito livre os seus mais ferozes mastins.

"Porque a verdade está onde está o povo! Desgraçado, três vezes desgraçado aquele que investiga!" Eis o que em todos os tempos se tem repetido.

Queríeis justificar a veneração do vosso povo: a isto chamastes "desejo de verdade". Ó! sábios célebres!

E o vosso coração disse sempre: "Eu saí do povo: dele me veio também a voz de Deus."

Pacientes e astutos como o asno sempre intercedestes pelo povo.

E mais de um potentado, que queria estar bem com o povo, atrelou à dianteira dos seus corcéis, um burrico, um sábio célebre.

E agora, ó sábios célebres! quisera que arrojásseis para longe de vós a pele do leão.

A pintada pele da fera e o pelo do explorador, do investigador e do conquistador.

Para aprender a crer na vossa "veracidade" necessitava ver-vos romper com a vossa vontade veneradora.

Por mim, chamo verídico àquele que vai para os desertos sem Deus, aniquilando o seu coração reverente.

No meio da amarela arena e abrasado pelo sol acontece-lhe olhar com avidez para as ilhas de copiosas fontes onde, sob umbrosas árvores repousa a vida.

A sua sede, porém, não o decide a imitar esses sibaritas porque onde há oásis há também ídolos.

Faminta, violenta, solitária, sem deuses: assim se quer a si própria a vontade-leão.

Livre dos deleites dos servos, livre dos deuses e das adorações, sem espanto e espantosa, grande e solitária: tal é a vontade do verídico.

No deserto têm vivido sempre os verídicos, os espíritos livres, como senhores do deserto; mas nas cidades residem os sábios célebres e bem-alimentados: os animais de tiro.

Que eles puxem sempre, como burros, pelo carro de povo!

E não é porque lho queira lançar em cara, mas não passam de servidores e de seres jungidos, embora usem dourados arreios.

E muitas vezes têm sido bons servidores, dignos de louvor; porque assim fala a virtude: "Se é forçoso seres servidor procura aquele a quem mais aproveitem os teus serviços.

O espírito e a virtude do teu amo devem aumentar por estares ao serviço dele: e assim, tu mesmo te engrandeces com o seu espírito e a sua virtude."

E na verdade, sábios célebres, servidores do povo, aumentastes com o espírito e a virtude do povo, e o povo aumentou por vossa causa. Digo isto em vossa honra.

Continuais, porém a ser povo, até nas vossas virtudes, povo de olhos fracos, povo que não sabe o que é o espírito.

O espírito é a vida que clarifica a própria vida; como o seu mesmo sofrimento aumenta o seu saber: já o sabíeis?

E a felicidade do espírito consiste nisto; em ser ungido pelas lágrimas, em ser vítima sagrada do holocausto: já o sabíeis?

E o que pensa e compreende deve aprender a construir com montanhas! Transportar montanhas é para o espírito pouca coisa: já o sabíeis?

Vós só vedes as centelhas do espírito; mas não a qualidade de bigorna que é, nem aonde chega a crueldade do seu martelo.

Na verdade, vós não conheceis a altivez do espírito! Ainda suportaríeis menos a sua modéstia, se a modéstia do espírito quisesse falar!

E nunca pudestes guindar o vosso espírito a cumeeiras de neve; não tendes bastante valor para isso! Ignorais também, por conseguinte, os arroubamentos da sua frescura.

Em todas as coisas, porém, me pareceis tomar demasiadas liberdades com o espírito, e muitas vezes fizestes da sabedoria um hospital de maus poetas.

Vós não sois águias: por isso não conhecestes o gozo de assombro do espírito. Quem não é ave não deve voar sobre abismos.

Pareceis-me tíbios, e a corrente de todo o conhecimento profundo é fria. São glaciais as fontes interiores do espírito; um consolo para mãos e trabalhadores ardentes.

Vós, sábios célebres, permaneceis aí, respeitáveis e eretos, com a espinha direita! Não vos impele o vento forte de uma vontade poderosa.

Nunca vistes cruzar o mar uma vela trêmula enfunada pela impetuosidade do vento?

Como vela que treme com a impetuosidade do espírito, assim cruza o mar a minha sabedoria, a minha selvática sabedoria!

Mas vós, servidores do povo, sábios célebres, como poderíeis acompanhar-me?

Assim falava Zaratustra.

O canto da noite

É noite; agora eleva-se mais a voz das fontes. E a minha alma é também uma fonte.

É noite; agora despertam todos os cantos dos amantes. E a minha alma é também um canto de amante.

Há qualquer coisa em mim não aplicada nem aplicável, que quer elevar a voz. Há em mim um anelo de amor que fala a linguagem do amor.

Eu sou luz. Ah! se fosse noite! Mas é esta a minha soledade: ver-me rodeado de luz.

Ah! se eu fosse sombrio e noturno! Como sorveria os seios da luz!

E também vos bendiria a vós, estrelinhas que brilhais lá em cima como pirilampos! E seria venturoso com vossos mimos de luz.

Eu, porém, vivo da minha própria luz, absorvo em mim mesmo as chamas que de mim brotam.

Eu não conheço o prazer de receber, e frequentemente tenho sonhado que roubar deve ser ainda maior deleite do que receber.

A minha pobreza reside em que a minha mão nunca se cansa de dar, a minha inveja são os olhos que vejo esperando, e as noites vazias do desejo.

Ó! miséria de todos os que dão! Ó! eclipse do meu sol! Ó! desejo de desejar! Ó! fome devoradora na fartura!

Eles recebem de mim; mas acaso lhes tocarei eu sequer a alma? Entre dar e receber há um abismo; e é muito difícil transpor o mais pequeno abismo.

Nasceu um homem da minha beleza: quereria prejudicar os que ilumino; quereria saquear os que cumulo de presente: assim tenho ânsia de maldade.

Retirando a mão, quando a mão já se estende; vacilando como a cascata que vacila até na sua queda; assim eu tenho sede de maldade.

Tais vinganças medita a minha exuberância; tais malícias nascem da minha soledade.

O meu prazer de dar morreu à força de dar; a minha virtude cansou-se de si mesma por sua própria exuberância.

O que dá sempre corre perigo de perder o pudor; aquele que reparte sempre, à força de repartir, acaba por se lhe calejarem as mãos e o coração.

Os meus olhos já se não arrasam de lágrimas ao ver a vergonha dos que imploram; a minha mão endureceu demais para experimentar o tremor das mãos cheias.

Para onde foram as lágrimas dos meus olhos e a plumagem do meu coração? Ó! soledade de todos que dão! Ó! silêncio dos que brilham!

Muitos sóis gravitam no espaço vazio; a sua luz fala a tudo que é obscuro; só para mim emudeceu.

Ó! É a inimizade da luz contra o luminoso! Desapiedada, segue o seu caminho. Profundamente injusto contra o luminoso, frio para com os sóis, assim caminha todo sol.

Como uma tempestade, voam os sóis por suas órbitas: é esse o seu caminho. Seguem a sua vontade inexorável: é essa a sua frialdade.

Ai! só vós obscuros e noturnos, que tirais o vosso calor do luminoso, só vós bebeis o leite balsâmico dos úberes da luz!

Ai! há gelo em torno de mim, gelo que queima as minhas mãos! Tenho uma sede que suspira por vossa sede!

É noite. Ai! Por que hei de eu ser luz? E sede do noturno! E soledade!

É noite... como uma fonte, brota o meu anelo — meu anelo de fulgor.

É noite: agora eleva-se mais a voz das fontes; e a minha alma é também uma fonte.

É noite: agora despertam todos os cantos dos namorados. E a minha alma é também um canto de namorado.

Assim falava Zaratustra.

O canto do baile

Uma tarde, atravessa Zaratustra o bosque com os seus discípulos, e procurando uma fonte, chegou a um verde prado rodeado de árvores e matagais: estavam ali bailando umas jovens. Logo que viram Zaratustra deixaram de bailar; mas Zaratustra aproximou-se-lhes amigavelmente e disse estas palavras:

Não pareis de bailar, encantadoras meninas! Quem se aproxima de vós não é um obstáculo ao vosso recreio, não é um inimigo das jovens.

Sou o advogado de Deus ante o diabo, e o diabo é o espírito da gravidade. Como! vaporosas! poderia eu ser inimigo das divinas danças ou dos pés juvenis de lindos tornozelos?

É certo que sou uma selva e uma noite de escuras árvores; mas aquele que não temer a minha obscuridade encontrará sob os seus ciprestes sendas de rosas.

Saberá também encontrar o pequenino deus preferido das donzelas: está junto da fonte, silencioso, com os olhos cerrados.

Adormeceu em pleno dia o folgazão! Andou azafamado demais à procura de mariposas?

Não vos agasteis comigo, formosas bailadeiras, se fustigo um tanto o pequenino deus. Pode ser que ele se ponha a gritar e a chorar; mas até chorando se presta ao riso.

E com lágrimas nos olhos vós deveis pedir uma dança; e eu mesmo acompanharei essa dança com uma canção.

Uma canção de baile e uma sátira sobre o espírito da gravidade, sobre o meu diabo soberano onipotente, que dizem ser o "dono do mundo".

Eis aqui a canção que Zaratustra cantou. Cupido e as jovens dançavam:

"Ainda há pouco olhei os teus olhos, ó! vida! e parecia-me cair no insondável!"

"Assim falam todos os peixes — dizias — o que eles não podem penetrar é insondável."

"Eu, porém, sou volúvel e selvagem, mulher em tudo, e nunca virtuosa."

"Posto que para vós, homens, eu seja "a profunda", ou "a fiel", "a eterna", "a misteriosa".

"Mas vós, homens, ó! virtuosos! emprestais-nos sempre as vossas próprias virtudes."

Assim ria ela, a inacreditável; que nunca a acredito, nem a ela nem ao seu riso, quando fala de si própria.

E quando eu falava a sós com a minha selvagem sabedoria, disse-me ela irritada:

"Tu queres, tu desejas, tu amas! e só por isso **lisonjeias** a vida."

Pouco me faltou para responder mal e dizer a verdade à irritada; e ninguém pode responder pior do que quando "diz a verdade" à sua sabedoria.

Assim sucede convosco. Eu nada amo mais profundamente do que a vida, e ainda mais quando a detesto.

Se me inclino para a sabedoria, e amiúde com excesso, é porque me lembra bastante a vida.

Tem os seus olhos, o seu riso e até o seu dourado anzol. Que hei de fazer, se se parecem tanto as duas?

E quando um dia a vida me perguntou:

"Mas que é sabedoria?" — eu respondi pressuroso: "Ah! sim!! a sabedoria!

Estamos sedentos dela, e não nos saciamos; olhamo-la através de uma bruma; queremos alcançá-la através de uma rede.

É formosa? Não sei. Até as carpas mais velhas, porém, se deixam colher por ela.

É versátil e obstinada: muitas vezes lhe vi morder os lábios e eriçar o cabelo com o pente.

Talvez seja má e falsa mulher em tudo; mas quando fala mal de si mesma é quando seduz mais".

Quando disse isto à vida, ela riu-se maldosamente e cerrou os olhos. "Mas de quem falas tu? — disse. — É de mim?

E conquanto tivesses razão, dizeres-me isso na minha cara. Fala, pois de tua sabedoria!"

"Ai! E então tornaste a abrir os olhos, ó! amada vida! E parecia-me tornar a cair no insondável!"

Assim cantou Zaratustra. Mas quando, acabado o baile, as donzelas se afastaram, ficou triste.

"O sol já se pôs há muito — disse por fim. — O prado está úmido, sente-se a frescura dos bosques.

Há algo desconhecido em torno de mim, que olha pensativo. Quê? Ainda vives, Zaratustra?

Por quê? Para quê? Onde? Como? Não é uma loucura viver ainda?

Ai, meus amigos! É a noite que assim me interroga. Perdoai-me a tristeza!

Cerrou-se a noite! Perdoai-me ter-se cerrado a noite!

Assim falava Zaratustra.

O canto do sepulcro

"Além está a ilha dos sepulcros, a silenciosa; além estão também os sepulcros da minha juventude. Além quero levar uma coroa imarcescível da vida."

E atravessei o mar.

"Ó! imagens e visões da minha juventude! Ó! olhares de amor, momentos divinos! Como vos desvanecestes depressa! Penso hoje em vós como nos meus mortos.

De vós, mortos prediletos, chega até mim um suave perfume que alivia o coração e faz correr as lágrimas. Verdadeiramente esse perfume agita e alivia o coração do que navega solitário.

Sou eu sempre o mais rico e invejável — eu, o solitário! — Porque vos possuí a vós outros, e vós me possuís ainda; dizei-me: para quem caíram da árvore maçãs mais vermelhas do que para mim?"

Eu sou sempre o herdeiro e o terreno próprio do vosso amor, onde florescem, em memória, meus amados, silvestres virtudes de todas as cores.

Ai! nós outros éramos feitos para permanecer uns ao pé dos outros; e vós outras, estranhas e deliciosas maravilhas, não vos apaixonastes por mim e pelo meu desejo como tímidas aves, não vistes como o confiado naquele que confia.

Sim; feitos para a fidelidade como eu, e para a doce eternidade, agora terei de vos lembrar por vossa infidelidade; ó! olhares e momentos divinos! ainda não aprendi outro nome.

Demasiado cedo morrestes para mim, fugitivos, não fugistes, todavia, de mim, nem eu de vós: não somos culpados uns para com os outros da nossa infidelidade.

Estrangularam-vos para me matarem a mim, aves das minhas esperanças! Sim; para vós, amados meus, atira sempre flechas a maldade, para me alcançar o coração.

E alcançou! Porque vós fostes sempre o mais caro para mim, o meu bem, a minha posse; por isso tivestes que morrer novos e cedo demais.

Para o mais vulnerável que havia em mim se disparou a flecha: para vós, cuja pele é semelhante ao pulmão, ainda mais o sorriso que morre de um olhar.

Eu, porém, hei de dizer aos meus inimigos: Que é matar um homem, em comparação com o que me fizestes?

O que fizestes comigo é pior que um assassínio; tirastes-me o irrestituível. Assim vos falo eu, inimigos meus!

Matastes as visões da minha juventude e as minhas mais caras maravilhas. Tirastes-me os meus companheiros de recreio, os espíritos bem-aventurados. Em memória deles deposito esta coroa e esta maldição.

Esta maldição contra vós, inimigos! Porque encurtastes a minha eternidade como se interrompe um som na fria noite! Sozinho, veio para mim a eternidade como olhar de olhos divinos, como um relance.

Assim me disse um dia minha pureza na hora propícia: "Para mim, todos os seres devem ser divinos."

Então precipitastes sobre mim imundos fantasmas. Ai! para onde fugiu aquela hora propícia?

"Todos os dias devem ser sagrados para mim."

Assim me falou um dia a sabedoria da minha juventude; palavras, na verdade, de uma prazenteira sabedoria.

Vós, porém, inimigos meus, roubastes-me as minhas noites para trocá-las por tormentoso velar. Ai! Para onde fugiu aquela prazenteira sabedoria?

Noutro tempo já suspirava por presságios felizes, e vós fizestes passar pelo meu caminho uma monstruosa e sinistra coruja. Ai! Para onde fugiu então o meu doce desejo?

Um dia fiz voto de renunciar a toda a repugnância e vós convertestes em úlceras tudo quanto me rodeia! Ai! Para onde fugiram então os meus mais nobres votos?

Como cego percorri venturosos caminhos; vós arrojastes imundícies ao caminho do cego, e agora repugna-me a antiga senda.

E quando consumi o mais árduo para mim, e celebrava o triunfo dos meus esforços, fizestes calar aos que me estimavam que eu lhes acarretava maior dano.

Assim procedestes sempre; amargastes o meu melhor mel e a atividade das minhas melhores abelhas.

Sempre enviastes à minha caridade os mendigos mais insolentes; sempre apinhastes em torno da minha compaixão os mais incuráveis desvergonhados. Assim feristes as minhas virtudes na sua fé.

E quando fazia a oferta do mais sagrado que possuía, a vossa "devoção" apressurava-se a ajuntar dádivas mais pingues; de modo que as emanações da vossa gordura afogavam o mais sagrado que eu tinha.

E uma vez quis bailar como nunca bailara; quis bailar além de todos os céus, então alcançastes o meu mais querido cantor.

E entoou o seu canto mais lúgubre e sombrio. Ai! zumbiu-me aos ouvidos como a mais fúnebre trompa!

"Cantor mortífero, instrumento de maldade, tu, que eras o mais inocente! Eu estava disposto para o melhor baile, e tu com as tuas notas mataste-me o êxtase.

Só no baile eu sei dizer os símbolos das coisas mais sublimes; e agora os meus membros não puderam representar o meu mais alto símbolo."

Inexpressiva ficou a minha mais alta esperança!

E todas as visões e todos os consolos da minha mocidade morreram.

Como pude suportar? Como pude ser superior a semelhantes feridas? Como ressuscitou a minha alma desses túmulos?

Sim? Há algo invulnerável em mim, qualquer coisa que se não pode enterrar e que faz saltar os rochedos; chama-se a minha vontade. Esta atravessa os anos silenciosa e imutavelmente.

A minha antiga vontade quer andar no seu passo pelos meus pés; o seu sentido é duro e invulnerável.

Eu só sou vulnerável no calcanhar!

"Assim vives tu sempre, pacientíssima, igual a ti mesma. Passastes sempre todos os túmulos!

Em ti ainda vive o irredimido da minha mocidade, e viva e moça permaneces sentada, cheia de esperança, sobre os amarelos escombros das sepulturas.

Sim; tu para mim ainda és a destruidora de todas as sepulturas. Salve, minha vontade! E só onde há sepulturas é que há ressurreições!"

Assim falava Zaratustra.

Da vitória sobre si mesmo

Chamais "desejo de verdade" ao que vos impele e incendeia, a vós, os mais sábios.

Desejo de imaginar tudo quanto existe; assim chamo eu ao vosso desejo.

Quereis tornar imaginável tudo quanto existe; porque duvidais com justa desconfiança que tudo seja imaginável.

É mister, porém, que tudo se amolde e curve perante vós! Assim o quer a vossa vontade. É mister que fique punido e submisso ao espírito como seu espelho e sua imagem.

Eis aqui toda a vossa vontade, sapientíssimos, como uma vontade de poder; e isto ainda que faleis do bem e do mal e das apreciações de valores.

Quereis ainda criar o mundo perante o qual possais ajoelhar-vos: é esta a vossa última esperança e a vossa última embriaguez.

Os simples, todavia, o povo, são semelhantes ao rio por onde avança um barquinho, e no barquinho vão, solenes e mascaradas, as apreciações dos valores.

Pusestes a vossa vontade e os vossos valores no rio do porvir; o que o povo considera bom e mau revela-me uma antiga vontade de domínio.

Vós, os mais sábios, pusestes esses hóspedes no barquinho; fostes vós e a vossa vontade dominante que os enfeitaram com adorno e nomes suntuosos.

Agora o rio arrasta mais para longe o vosso barquinho: tem que o arrastar. Pouco importa que a quebrada onda espume e, irada, lhe contrarie a quilha.

Não é o rio o vosso perigo e o fim do vosso bem e do vosso mal, sapientíssimos, mas essa mesma vontade, a vontade do poder, a vontade vital, inesgotável e criadora.

Mas, para compreenderdes a minha palavra sobre o bem e o mal, dir-vos-ei a minha palavra sobre a vida e a condição de todo o vivo.

Eu tenho seguido o que é vivo, persegui-o pelos caminhos grandes e pequenos, a fim de lhe conhecer a natureza.

Quando a vida emudecia, apanhava-lhe o olhar num espelho de cem facetas, a fim dos seus olhos me falarem.

Mas por onde quer que encontrasse o ser vivo, ouvi a palavra obediência. Todo o vivente é obediente.

Eis aqui a segunda coisa: manda-se ao que não sabe obedecer a si mesmo.

Tal é a condição natural do vivo.

Eis o que ouvi em terceiro lugar: mandar é mais difícil do que obedecer; porque aquele que manda suporta o peso de todos os que obedecem, e essa carga facilmente o derruba.

Mandar parece-me um perigo e um risco. E quando manda, o vivo sempre se arrisca.

E quando se manda a si próprio também tem que expiar a sua autoridade, tem que ser juiz, vingador e vítima das suas próprias leis.

Como é então isso? — perguntei a mim mesmo. — Que é que decide o vivo a obedecer, a mandar, e a ser obediente, mesmo mandando?

Escutai a minha palavra, sapientíssimos! Examinai seriamente se penetrei no coração da vida!

Onde quer que encontrasse o que é vivo, encontrei a vontade de domínio, até na vontade do que obedece encontrei a vontade de ser senhor.

Sirva o mais fraco ao mais forte: eis o que lhe incita a vontade, que quer ser senhora do mais fraco. É essa a única alegria de que se não quer privar.

E como o mais pequeno se entrega ao maior, para gozar do mais pequeno e dominá-lo, assim o maior se entrega também e arrisca a vida pelo poder.

É este o abandono do maior; haja temeridade e perigo e jogue-se a vida num lanço de dados.

E onde há sacrifício e serviço e olhar de amor há também vontade de ser senhor. Por caminhos secretos desliza o mais fraco até a fortaleza, e até mesmo ao coração do mais poderoso, para roubar o poder.

E a própria vida me confiou este segredo: "Olha — disse —, eu sou o que deve ser superior a si mesmo."

Certamente vós chamais a isso vontade de criar ou impulso para o fim, para o mais sublime, para o mais longínquo, para o mais múltiplo; mas tudo isso é apenas uma só coisa e um só segredo.

Prefiro desaparecer a renunciar a essa coisa única: é, na verdade, onde há morte e queda de folhas, é onde se sacrifica a vida pelo poder.

É mister que eu seja luta e sucesso e fim e contradição dos fins. Ai! Aquele que adivinha a minha vontade adivinha também os caminhos tortuosos que precisa seguir.

Seja qual for a coisa que eu crie e o amor que lhe tenha, em breve devo ser adversário e o adversário do meu amor: assim o quer a minha vontade.

E tu também, investigador, não és mais do que a senda e a pista da minha vontade: a minha vontade de domínio segue também os vestígios da tua vontade de verdade.

Certamente não encontrou verdade aquele que falava da "vontade de existir"; não há tal vontade.

Porque o que não existe não pode querer; mas como poderia o que existe ainda desejar a existência!

Só onde há vida há vontade; não vontade de vida, mas como eu predico, vontade de domínio.

Há muitas coisas que o vivente aprecia mais do que a vida; mas as próximas apreciações fala a "vontade de domínio".

Isto ensinou-me um dia a vida, e por isso, sapientíssimos, eu resolvo o enigma do vosso coração.

Em verdade vos digo. Bem e mal imorredouros não existem. É preciso que incessantemente se excedam a si mesmos.

Com os vossos valores e as vossas palavras do bem e do mal, vós, os apreciadores de valor, exerceis poderio; e é este o vosso amor oculto e o esplendor, o tremor e o transbordar da vossa alma.

Dos vossos valores, porém, surge um poder mais forte e uma nova vitória sobre si, que parte os ovos e a casca do ovo.

E o que deve ser criador no bem e no mal deve começar por ser destruidor e quebrar os valores.

Assim a maior malignidade forma parte da maior benignidade; mas esta benignidade é a criadora.

Digamo-lo, sapientíssimos, embora nos custe muito; calarmo-nos é ainda mais duro; todas as verdades caladas se tornam venenosas.

Aniquile-se tudo quanto pode ser aniquilado pelas nossas verdades! Há ainda muitas casas a edificar!"

Assim falava Zaratustra.

Dos homens sublimes

Tranquilo é o fundo do meu mar. Quem adivinharia que oculta monstros divertidos!

A minha profundidade é inabalável, mas radiante de enigmas e gargalhadas!

Hoje vi um homem sublime, solene, um purificador do espírito. Como a minha alma se riu da sua fealdade!

Inflando o peito, como quem aspira, estava ali silencioso o homem sublime, engalanando com feias verdades, sua polaina de caça, e rico com vestidos rotos, também nele havia muitos espinhos, mas não vi nenhuma rosa.

Ainda não conhece o riso nem a beleza.

Com semblante desabrido voltou esse caçador do conhecimento.

Lutou com animais selvagens; mas a sua rígida fisionomia ainda reflete o animal selvagem: um animal não subjugado.

Ei-lo sempre como um tigre preparando o salto; mas a mim não me agradam essas almas mesquinhas; não são do meu gosto todos esses retraídos.

E vós, amigos, dizeis-me que questões de gostos não se discutem. Toda a vida, contudo, é luta pelos gostos.

O gosto é a um tempo o peso, a balança, e o pesador; e ai de toda a coisa viva que quisesse viver sem luta pelos pesos, as balanças e os pesadores.

Se este homem sublime se enfastiasse da sua sublimidade, só então principiaria a sua beleza, e só então quereria eu gostar dele, só então lhe acharia gosto.

E só quando se apartar de si saltará por cima da sua sombra e penetrará no seu sol.

Demasiado tempo esteve sentado à sombra; o purificador do espírito viu empalidecer as faces, e quase o matou de fome a espera.

Ainda nos seus olhos há desdém, e repugnância oculta nos seus lábios.

É verdade que descansa agora, mas ainda não descansou ao sol.

Deveria fazer como o touro, e a sua felicidade deveria recender a terra, e não ao desprezo da terra.

Quereria vê-lo como um touro branco que sopra e muge diante do arado e o seu mugido deveria cantar o louvor de tudo o que é terrestre.

O seu semblante ainda é sombrio; nele se projeta, a sombra da mão. Ainda está na sombra o seu olhar.

A sua própria ação, nele não é mais do que uma sombra; a mão escurece o que atua. Ainda não está superior ao seu ato.

Agrada-me ver nele o pescoço de um touro, mas agora também me agradaria ver-lhe o olhar de anjo.

É preciso igualmente que esqueça a sua vontade de herói: deve ser para mim um homem elevado, e não só sublime: até o éter deveria elevar esse homem sem vontade.

Venceu monstros, adivinhou enigmas; mas precisava também salvar os seus monstros e os seus enigmas; precisava transformá-los em filhos divinos.

O seu conhecimento ainda não aprendeu a sorrir e a não ter inveja: a onda da sua paixão ainda se não acalmou na beleza.

Não é de certo na sociedade que se deve calar e submergir o seu desejo, mas na beleza. A graça forma parte da generosidade dos que pensam com elevação.

Com o braço sobre a cabeça: eis como deveria repousar o herói; assim deveria estar superior até ao seu repouso.

Mas, precisamente para o herói, a beleza é a mais difícil de todas as coisas. A beleza é inexequível para toda a vontade violenta.

Um tanto mais, um tanto menos, esse pouco aqui é muito.

Permanecer com os músculos inativos e a vontade desembaraçada é o que há de mais difícil para vós, homens sublimes.

Quando o poder se torna clemente e desce ao visível, a essa clemência chamo eu beleza.

De ninguém exija tanto a beleza como de ti, que és poderoso; seja a tua bondade a tua última vitória sobre ti mesmo.

Julgo-te capaz de todas as maldades: mas exijo de ti o bem.

Na verdade tenho-me rido amiúde dos fracos que se julgam bons por terem as patas tolhidas!

Deveis imitar a virtude da coluna, que vai sendo mais bela e mais fina, porém mais dura e resistente interiormente à medida que se alteia.

Sim, homem sublime: um dia serás bela e apresentarás ao espelho a tua própria beleza.

Então estremecerá a tua alma com desejos divinos, e na tua vaidade haverá adoração!

Porque eis aqui o segredo da tua alma: quando o herói a abandona, é então que se aproxima em sonhos o super-herói."

Assim falava Zaratustra.

Do país da civilização

Voei demasiado longe pelo futuro, e horrorizei-me.

Quando olhei em torno de mim reparei que o tempo era o meu único contemporâneo.

Tornei então para trás, cada vez mais apressado: assim cheguei até vós, homens atuais; assim cheguei ao país da civilização.

Pela primeira vez vos olhei com olhos favoráveis e com bons desejos.

E que me sucedeu? Apesar do medo que me invadiu... tive que me pôr a rir! Nunca meus olhos viram algo que fosse tão bizarro.

Eu ria, ria, ao passo que me tremiam os pés e também o coração. "Mas este — disse comigo — é o país dos vasos coloridos!"

Com a face e os membros pintados de mil maneiras, assim me assombrastes, homens atuais.

E com mil espelhos à vossa roda, que adulavam e repetiam o efeito das vossas cores.

Certo, não podíeis usar melhores máscaras do que a vossa própria cara, homens atuais.

Quem vos poderia reconhecer?

Pintalgados com os sinais do passado, cobertos por seu turno com outros sinais: assim vos ocultastes de todos os intérpretes!

E embora se soubesse examinar as entranhas, quem acreditaria que tivésseis entranhas? Parecíeis feitos de cores e de papéis pegados.

Todos os tempos e todos os povos olham revoltadamente através dos vossos véus; todos os costumes e todas as crenças falam confundidos através de vossas atitudes.

Aquele que vos tirasse os véus, os retoques, as cores e as atitudes, não deixaria mais do que um espantalho.

Na verdade, eu mesmo sou um pássaro espantado que uma vez vos viu nu e sem cores, e quando tal esqueleto me acenou amoroso, fugi espavorido.

Porque preferiria descer aos profundos e confundir-me nas sombras do passado! As sombras dos que existiram têm mais consistência do que vós.

A minha íntima amargura, homens atuais, é que vos não posso suportar nem nus, nem vestidos!

Tudo o que inquieta no futuro e tudo o que pode afugentar um pássaro espantado inspira verdadeiramente mais quietude e calma do que a vossa "realidade".

Porque vós dizeis: "Somos inteiramente reais, não temos crenças nem superstições"; assim encheis o papo, sem ter papo sequer.

Sim. Como seria possível vós crerdes, tão pintados! Vós que sois pinturas de tudo quanto se tem acreditado!

Sois uma refutação da própria fé, e a ruptura de todos os pensamentos.

Seres incríveis! Assim vos chamo eu a vós, "homens da realidade".

Todas as épocas declamaram umas contra as outras em vossos espíritos; e os sonhos e as declamações de todas as épocas eram mais reais do que a vossa vigília.

Sois estéreis: por isso vos falta a fé. Aquele, porém, que devia criar, tinha também sempre os seus sonhos de verdades e os seus sinais estelares, e tinha fé na fé!

Sois portas entreabertas onde aguardam os coveiros. Eis a vossa realidade: "Tudo merece desaparecer."

Ah! Como estais aí, diante de mim, homens estéreis? Que pobreza de costelas! E quantos dentre vós que o não têm visto.

E dizem: "Tirar-me-ia algum deus qualquer coisa enquanto eu dormia? Certamente, o suficiente para formar uma mulher! É prodigiosa a pobreza das minhas costelas!" Assim têm falado já muitos homens célebres.

Sim; fazeis-me rir, homens atuais e sobretudo quando vos assombrais de vós mesmos.

Pobre de mim se me não pudesse rir do vosso assombro e se tivesse de tragar tudo quanto há de repugnante em vossas escudelas!

Eu, porém, torno-vos ao de leve, pois tenho **coisas pesadas** para levar; e que me importa pousem na minha carga insetos e moscas?

A verdade é que a minha carga não será mais pesada por isso, não sois vós, contemporâneos, que me haveis de ocasionar maior fadiga.

Aonde devo subir ainda com o meu desejo? Olho do alto de todos os píncaros à procura de pátrias e de terras natais.

Em nenhuma parte, porém, as encontro: ando errante por todas as cidades e saio de todas as portas.

Os homens atuais, para quem há pouco se inclinava o meu coração, agora são-me estranhos e provocam-me o riso: e vejo-me expulso das pátrias e das terras natais.

Já não amo, pois, senão o país dos meus filhos, a terra incógnita entre mares longínquos: é essa que a minha vela deve, incessante, procurar.

Em meus filhos quero remediar o ser filho de meus pais; e, no futuro todo, quero remediar este presente.

Assim falava Zaratustra.

Do imaculado conhecimento

Ontem a lua, ao nascer, pareceu-me que ia dar à luz um sol; tão avultada e prenhe jazia no horizonte.

Mentia, porém, com a sua prenhez, e mais julgaria a lua homem do que mulher.

Claro que também muito pouco homem este tímido noctâmbulo. Anda pelos telhados com a consciência torva.

Que a solitária lua está cheia de cobiça e de inveja: cobiça a terra e todas as alegrias dos que amam.

Nada; não me agrada esse gato dos telhados; previnem-me todos os que espreitam as janelas voltadas.

De manso e silencioso anda por alfombras de estrelas; mas eu detesto todos os pés cautelosos em que nem mesmo as esporas tilintam.

Os passos do homem leal falam; mas o gato anda em segredo. Vede: a lua caminha deslealmente como o gato.

A vós, hipócritas afetados, que procurais o "conhecimento puro", ofereço esta parábola. A vós eu chamo lascivos.

Vós também amais a terra e tudo quanto é terrestre: compreendi--vos bem! O vosso amor, porém, envergonha-se com uma consciência tortuosa: pareceis-vos com a lua.

O vosso espírito convenceu-se de que deve menosprezar tudo quanto é terreno; mas não se convenceram as vossas entranhas. Elas são, todavia, o mais forte que há em vós.

E agora o vosso espírito envergonha-se de obedecer às vossas entranhas, e segue caminhos escusos e ilusórios para se livrar da sua própria vergonha.

"Para mim seria a coisa mais elevada (assim diz a si mesmo o vosso falso espírito) olhar a vida sem cobiça, e não como cães, com a língua de fora.

Ser feliz na contemplação, com a vontade morta, isento de capacidade e de apetite egoísta, frio de corpo, mas com os olhos embriagados de lua.

Para mim seria o melhor (assim se engana a si mesmo o enganado) amar a terra como a luz a ama, e tocar na sua beleza apenas com os olhos.

Eis o que eu chamo o imaculado conhecimento de todas as coisas: não querer das coisas mais do que poder estar diante delas."

Hipócritas afetados e lascivos! Falta-vos a inocência no desejo, e por isso caluniais o desejo!

Vós não amais a terra como criadores, como geradores satisfeitos de criar.

Onde há inocência? Onde há vontade de engendrar. E o que criar qualquer coisa superior a si mesmo, esse, para mim tem a vontade mais pura.

Onde há beleza? Onde é mister que eu queira com toda a minha vontade, onde eu quero amar e desaparecer, para que uma imagem não fique reduzida a uma simples imagem.

Amar e desaparecer: são coisas que andam a par há eternidades. Querer amar é também estar pronto a morrer. Assim vos falo eu, covardes.

Mas o vosso olhar ambíguo e afeminado quer ser contemplativo! E para vós; que maculais os nomes nobres, o que se pode tocar com olhos pusilânimes deve-se chamar "belo!"

A vossa maldição, porém — ó! imaculados que procurais o simples conhecimento! —, há de ser nunca chegardes a dar à luz, por muito avultados e prenhes que apareçais no horizonte.

Na verdade, encheis a boca de palavras nobres, e havíamos de crer que o vosso coração transborda, embusteiros?

As minhas palavras, porém, são grosseiras, desprezadas e informes: a mim agrada-me recolher o que nos vossos festins cai da mesa.

Com as minhas palavras chego sempre a dizer a verdade aos hipócritas! Sim, as minhas arestas, as minhas conchas e as minhas folhas espinhosas devem fazer-vos cócegas nos narizes, hipócritas!

Sempre há ar viciado em redor de vós e dos vossos festins: porque no ar flutuam os vossos lascivos pensamentos, as vossas mentiras e as vossas dissimulações.

Atreveis-vos, pois, em primeiro lugar a ter fé em vós mesmos — em vós e nas vossas entranhas! —; o que não tem fé em si mesmo mente sempre.

Pusestes diante de vós a máscara de um deus, homens "puros": a vossa ignominiosa e rasteira larva ocultou-se detrás da máscara de um deus.

A verdade é que vos enganais, "contemplativos"! Zaratustra também foi joguete das vossas divinas peles; não suspeitou que eram serpentes que enchiam essa pele.

Nos vossos divertimentos julgava eu ver divertir-se a alma de um deus, simples investigadores! Eu não conhecia arte melhor que os vossos artifícios!

A vossa distância ocultava-me imundícies de serpente e maus cheiros, e eu não sabia que por aqui rondava, lasciva, a astúcia de um lagarto.

Abeirei-me, porém, de vós: então chegou a mim a luz — e agora chega a vós — os amores da lua estão no seu declive.

Olhai-a. Aí a tendes surpreendida e pálida ante a aurora!

Porque já surge ardente a aurora: o seu amor pela terra aproxima-se! Todo o amor solar é inocência e desejo do criador.

Vede como a aurora passa impaciente pelo mar! Não sentis a sede e o cálido alento do seu amor?

Quer aspirar o mar e beber as suas profundidades, e o desejo do mar eleva-se com mil ondas.

Porque o mar quer ser beijado e aspirado pelo sol; quer tornar-se ar e altura e senda de luz também.

Eu, à semelhança do sol, como a vida e todos os mares profundos.

E tal é para mim o conhecimento: todo o profundo deve subir à minha altura.

Assim falava Zaratustra.

Dos doutos

Estando eu adormecido, pôs-se uma ovelha a depenicar a coroa de hera da minha cabeça, dizendo enquanto comia: "Zaratustra já não é um sábio."

Dito isto retirou-se altiva e desdenhosa.

Assim me contou um rapazinho.

Gosto de me deitar onde as crianças estão brincando, junto do muro gretado, sob os cardos e as vermelhas papoulas.

Ainda sou um sábio para as crianças, e também para os cardos e para as papoulas vermelhas. Todos eles são inocentes até na sua maldade.

Já não sou um sábio para as ovelhas: assim o quer a minha sorte. Bendita seja!

Porque é esta a verdade: saí da casa dos sábios atirando com a porta.

Demasiado tempo esteve a minha alma faminta sentada à sua mesa; eu não estou assim como eles, adestrado para o conhecimento como para descascar nozes.

Amo a liberdade e o ar na terra fresca; e até me agrada mais dormir em peles de bois do que nas suas honrarias e dignidades.

Sou ardente demais e estou demasiado consumido pelos meus próprios pensamentos; falta-me amiúde a respiração; então necessito procurar o ar livre e sair de todos os compartimentos empoeirados.

Eles, porém, estão sentados muito frescos à fresca sombra: em parte alguma querem passar de espectadores, e livram-se bem de se sentar onde o sol caldeia os degraus.

À semelhança dos que se postam no meio da rua a olhar de boca aberta quem passa, assim eles aguardam de boca aberta os pensamentos dos outros.

Se se lhes toca com as mãos, involuntariamente levantam pó em torno de si, como sacos de farinha; mas quem suspeitaria que o seu pó procede do grão e das douradas delícias dos campos de estio?

Se dão mostras de sábios, horrorizam-me com as suas sentenças e as suas verdades: a sua sabedoria cheira amiúde como se saísse de um pântano, e indubitavelmente já nele ouvi cantar as rãs.

São destros e têm dedos hábeis; que tem que ver a minha simplicidade com a sua complexidade? Os seus dedos entendem à maravilha tudo quanto seja fiar, ajuntar e tecer; tanto assim que fazem as meias do espírito.

São bons relógios — sempre que haja o cuidado de lhes dar corda. — Indicam então a hora sem falar e com um ruído modesto.

Trabalham como moinhos e morteiros: basta lançar-lhes grão! Eles já sabem moer bem o grão e convertê-lo em branca farinha.

Olham os dedos uns dos outros com desconfiança. Inventivos em pequenas maldades, espreitam aqueles cuja ciência coxeia; espreitam-nos como aranhas.

Sempre os vi preparar veneno com precaução, tapando as mãos com luvas de cristal.

Também jogam com dados falsos, e vi-os jogar com tal entusiasmo que estavam banhados de suor.

Somos estranhos uns aos outros, e as suas virtudes ainda me contrariam mais do que as suas falsidades e trapaças.

E quando eu andava entre eles, mantinha-me sempre por cima deles; e é por isso que me olham de soslaio.

Não querem ouvir andar ninguém por cima das suas cabeças; por isso entre mim e as suas cabeças puseram ramagem, terra e lixo.

Assim abafaram o ruído dos meus passos; e até agora os mais doutos são os que menos me têm ouvido.

Entre mim e eles interpuseram todas as fraquezas e todas as faltas dos homens: "andar falso" eis como chamam a isto nas suas casas.

Eu, porém, apesar de tudo, ando sempre por cima da cabeça deles com os meus pensamentos; e se quisesse andar com os meus próprios defeitos, ainda assim andaria sobre eles e sobre as suas cabeças.

Que os homens não são iguais: assim fala a justiça. E o que eu quero não poderiam eles querer!

Assim falava Zaratustra.

DOS POETAS

Desde que conheço melhor o corpo — dizia Zaratustra a um dos seus discípulos — para mim o espírito já não é espírito senão até certo ponto; e todo o "imorredouro" não é também mais do que símbolo."

"Já te ouvi falar assim" — respondeu o discípulo — e nesse tempo acrescentavas: "Os poetas, porém, mentem demais. Por que dizias que os poetas mentem demais?"

"Por quê? — disse Zaratustra. — Perguntas por quê?

Eu não pertenço ao número daqueles a quem é lícito interrogar sobre o seu porquê.

Será de ontem por acaso o que eu tenho experimentado? Há muito tempo que experimento os fundamentos das minhas opiniões.

Precisaria ser um tonel de memória para poder arrecadar as minhas razões.

Bastante me custa já arrecadar as minhas opiniões e mais de um pássaro me foge.

E também acontece introduzir-se-me no pombal qualquer bicho estranho para mim, o qual treme quando o agarro.

No entanto, que te dizia um dia Zaratustra? Que os poetas mentem demais?

Zaratustra, contudo, também é poeta.

Julgas então que eu falava verdade?

Por que julgas isso?"

O discípulo respondeu: "Eu creio em Zaratustra." Zaratustra, porém, meneou a cabeça sorrindo.

"Não me salve a fé — respondeu — e a fé em mim mesmo, ainda menos do que nenhuma.

Supondo, todavia, que alguém dissesse seriamente que os poetas mentem demais, esse alguém teria razão: nós mentimos demasiado.

Sabemos, também, pouco demais e aprendemos mal demais; por conseguinte, forçoso é mentirmos.

Logo, quem entre nós, poetas, não terá adulterado o seu vinho? Muitas misturas envenenadas se têm feito em nossas tabernas: tem-se realizado nelas o indescritível.

E é por sabermos pouco que nos seduzem os pobres de espírito, especialmente quando são mulheres novas.

E até desejamos as coisas que as velhas contam entre si a noite. É o que em nós mesmos chamamos o eterno feminino.

E como se existisse um caminho secreto que conduzisse ao saber e se subtraísse aos que aprendem qualquer coisa, assim cremos no povo e na sua sabedoria.

Todos os poetas, porém, julgam que aquele que está deitado na erva ou numa encosta solitária, com o ouvido a escuta, aprende algo do que se passa entre o céu e a terra.

E se experimentam ternas comoções os poetas supõem sempre que a própria Natureza está apaixonada por eles.

E que se lhe acerca ao ouvido a murmurar coisas secretas e palavras carinhosas. Disso se gabam e se gloriam, perante todos os mortais.

Ai! Existem tantas coisas entre o céu e a terra que só os poetas sonharam!

E mormente no céu: porque todos os deuses são símbolos e artifícios de poeta.

A verdade é que sempre nos sentimos atraídos para o alto, isto é, para o reino das nuvens: lá colocamos os nossos manequins de mil cores, e chamamos-lhes deuses e Super-homens.

Que todos esses deuses e Super-homens são bastante leves para poder ocupar esses lugares.

Ah! Como estou farto de todo o deficiente que se empenha em ser um acontecimento!

Ah! como estou farto dos poetas!"

Quando Zaratustra disse isto, o discípulo ficou irritado contra ele, mas calou-se, Zaratustra emudeceu igualmente e os olhos volveram-se-lhes para o íntimo como se olhassem ao longe. Por fim começou a suspirar e a tomar alento.

"Eu sou hoje e de antes — disse —, mas em mim há qualquer coisa que é de amanhã, de depois de amanhã e do futuro.

Estou enfastiado dos poetas, dos antigos e dos novos: para mim todos são superficiais, todos são mares esgotados.

Não pensaram profundamente; por isso mesmo não sentiram fundo.

Um tanto de voluptuosidade, por isso mesmo, não sentiram fundo.

Um tanto de voluptuosidade e um tanto de tédio; eis ao que se reduziram as suas meditações.

Os seus arpejos apenas me parecem hálito e fuga de fantasmas. Até hoje que sabem eles da alacridade dos sons?

Também os acho pouco asseados; todos turvam as suas águas para parecerem profundas.

Gostam de se fazer passar por conciliadores; mas, para mim, são sempre pessoal de meios-termos, de composições e miscelâneas, e sórdidos.

Ai! Lancei as minhas rédeas aos mares deles para apanhar peixes, mas tão só pesquei a cabeça de um deus antigo.

Assim deu o mar uma pedra ao faminto. E os próprios poetas parecem vir do mar.

Certo neles encontram-se pérolas: devem parecer-se ainda mais a duros testáceos. E ao invés de alma tenho visto frequentemente no seu interior espuma salgada.

Também do mar aprenderam a sua vaidade: não é o mar o primeiro dos pavões reais?

Até diante do mais feio búfalo abre a sua cauda; nunca se há de cansar do seu leque de rendas, prata e seda.

O búfalo olha essas coisas com enfado, pois tem o pensamento em areias, matas e pântanos.

Que lhe importam a ele a beleza do oceano, e as galas do pavão? Eis o símbolo que ofereço aos poetas.

O seu espírito próprio é o rei dos pavões e um oceano de vaidade.

O espírito do poeta quer espectadores; assim fossem búfalos!

Eu, porém, enfastiei-me desse espírito e vejo chegar um tempo em que ele próprio se enfastiará de si mesmo.

Já vi poetas transformarem-se e procederem contra si próprios.

Tenho visto redentores do espírito; saíram dos poetas.

Assim falava Zaratustra.

Dos grandes acontecimentos

Há uma ilha no mar — perto das Ilhas Bem-Aventuradas de Zaratustra — onde fumega constantemente uma montanha de fogo. O povo, e mormente as velhas, dizem que essa ilha está colocada como um penhasco diante da porta do inferno; mas o mesmo atalho que leva a essa porta atravessa a ígnea montanha.

Sucedeu, pois, que na época em que Zaratustra vivia nas Ilhas Bem-Aventuradas, ancorou um baixel na ilha onde se acha a montanha fumegante, e a sua tripulação saltou para terra para atirar aos coelhos. Ao meio-dia, porém, quando novamente estavam reunidos o capitão e a sua gente, viram de súbito um homem atravessar o ar perto deles, e uma voz pronunciou nitidamente estas palavras: "Já é tempo! não há um instante a perder!"

Quando a visão se aproximou mais — passava rápida, como uma sombra, em direção da montanha de fogo — reconheceram sobressaltados que era Zaratustra: porque já todos o conheciam, exceto o capitão, e lhe queriam como quer o povo, misturando em parte iguais o amor e o receio.

"Olhem — disse o piloto — é Zaratustra que vai para o inferno!"

Pela mesma época em que estes marinheiros arribaram a ilha do fogo, correu o rumor de que desaparecera Zaratustra, e, interrogados os amigos, responderam que durante a noite embarcara sem dizer para onde.

Houve, por conseguinte, certa inquietação; mas ao fim de três dias essa inquietação aumentou com a narrativa dos marinheiros. A verdade é que os discípulos dele se riam desses rumores, e até um deles chegou a dizer: "Prefiro acreditar que foi Zaratustra quem levou o demônio." No íntimo, porém, todos estavam cheios de angústia e de sobressalto. Grande foi, portanto, o seu alvoroço quando ao fim de cinco dias Zaratustra lhes apareceu.

Eis a descrição da conversa que Zaratustra teve comoção do fogo:

"A terra — disse — tem pele, e essa pele sofre enfermidades; uma delas, por exemplo, chama-se "homem".

E a outra chama-se "cão do fogo". Acerca dele têm os homens dito e deixado dizer muitas mentiras.

Para aprofundar esse segredo cruzei o mar e vi a verdade, nua, nua dos pés a cabeça.

Sei agora a que me hei de ater sobre o cão do fogo, assim como sobre todos os estragos que atemorizam, e não só as velhas.

Sai da tua profundidade, cão do fogo — exclamei — e confessa quão profunda é essa profundidade! Donde tiras o que vomitas?

Bebes copiosamente do mar: é isso o que revela o sal da tua facúndia. Verdadeiramente, para um cão das profundidades, tomas demasiado alimento da superfície.

Olho-te em suma, como o ventríloquo da terra, e sempre que ouvi falar em demônios de erupções e estragos, sempre me pareceram semelhantes a ti, com o teu sal, as tuas mentiras e as tuas trivialidades.

Sabes mugir e obscurecer com cinzas! Tens a maior bocarra, e aprendeste bastante a arte de fazer ferver lodo.

Por onde quer que andes sempre há de haver perto de ti lodo e coisas esponjosas, cavernosas e comprimidas: tudo isso quer liberdade.

"Liberdade!" é o teu grito predileto, mas eu perdi a fé nos "grandes acontecimentos" desde que em torno deles haja muitos uivos e muita fumarada.

Creia em mim, ruído do inferno! Os acontecimentos maiores não são os mais ruidosos, mas as nossas horas mais silenciosas.

O mundo gira, não em redor dos inventores de estrondos novos, mas a roda dos inventores de valores novos: gira sem ruído.

E confessa-o! Quando o teu ruído e o teu fumo se dissipavam, sempre sucedia ter-se passado coisa pouco importante. Que importa que uma cidade se torne múmia, e que caia no lodo uma coluna!

E acrescentarei mais estas palavras para os destruidores de colunas: "É rematada loucura deitar sal no mar e colunas no lodo.

A coluna jazia no lodo do desprezo; mas a sua lei quer que surja do desprezo com nova vida e beleza.

Ergue-se agora com mais divina aparência e sedutor sofrimento, e ainda dará graças, destruidores, por a terdes derrubado."

É este, porém, o conselho que dou aos reis e as igrejas, e a quantos fraquejam pela idade e pela virtude: "deixai-vos derrubar para volverdes a vida e de vós se assenhoreie a virtude!"

Assim falei diante do cão do fogo; mas ele interrompeu-me rosnando e perguntou-me: "Igreja? Isso que é?"

Igreja — respondi — é uma espécie de Estado, e a espécie mais enganosa. Cala-te, porém, cão hipócrita: tu conheces a tua raça melhor que ninguém!

O Estado é um cão hipócrita como tu; como a ti, agrada-lhe falar fumegando e uivando, para fazer crer, como tu, que fala saindo das entranhas das coisas.

Que o Estado empenha-se em ser o animal mais importante da terra. E julga sê-lo.

Quando disse isto, o cão do fogo pareceu louco de ciúme. "Quê! — exclamou. — O animal mais importante da terra?"

E julga sê-lo?! E do seu gasnete saíram vozes tão terríveis que eu supus o asfixiaria a cólera e a inveja.

Por fim foi-se calando, diminuindo os seus uivos; mas quando ele se calou, disse-lhe eu rindo:

"Encolerizas-te, cão do fogo! Por conseguinte, tenho razão.

E para eu conservar a razão, deixa-me falar-te doutro cão do fogo; este fala realmente do coração da terra.

O seu hálito é de ouro, uma chuva de ouro: assim o quer o seu coração. As cinzas, o fumo e a espuma quente, para ele que são?

Do seu seio voa um riso como uma nuvem colorida: é inimigo dos teus murmúrios, das tuas erupções, e da raiva nas tuas entranhas.

O seu ouro e o seu riso, porém, tira-os do coração da terra, porque, não sei se sabes que o coração da terra é de ouro!"

Ao ouvir isto o cão do fogo não pôde escutar-me mais. Envergonhado meteu o rabo entre as pernas, e arrastando-se para a sua casinhota, ia dizendo, confuso: "Guão! guão!"

Assim contava Zaratustra; mas os discípulos quase o não ouviam, tanta era a sua vontade de lhes falar dos marinheiros, dos coelhos e do homem voador.

"Que hei de eu pensar disso? — disse Zaratustra. — Acaso serei um fantasma?

Isso deve ter sido a minha sombra.

Já ouvistes falar do viajante e da sua sombra?

O certo é que devo prendê-la mais, ou tornará a prejudicar-me a reputação."

E Zaratustra tornou a menear a cabeça com admiração: "Que devo pensar disso?" — repetiu.

Por que gritaria o fantasma? "Já é tempo! Não há um instante a perder!"

Mas para que é que já é tempo?
Assim falava Zaratustra.

O adivinho

... E vi os homens sumirem-se numa grande tristeza. Os melhores cansaram-se das suas obras.

Proclamou-se uma doutrina e com ela circulou uma crença: "Tudo é oco, tudo é igual, tudo passou!"

"É verdade que temos colhido; mas por que apodreceram e enegreceram os nossos frutos? Que foi que na última noite caiu da má lua?

O nosso trabalho foi inútil; o nosso vinho tornou-se veneno; o mau-olhado amareleceu-nos os campos e os corações.

Secamos de todo, e se caísse fogo em cima de nós, as nossas cinzas voariam em pó. Sim; cansamos o próprio fogo.

Todas as fontes secaram para nós, e o mar retirou-se. Todos os solos se querem abrir, mas os abismos não nos querem tragar!

"Ó! Aonde haverá ainda um mar em que uma pessoa se possa afogar?" Assim a nossa queixa ressoa através dos pântanos.

Na verdade, já nos fatigamos demais para morrer; agora continuamos a viver acordados em abóbadas funerárias!"

Assim ouviu Zaratustra falar um adivinho; e a sua predição chegou-lhe diretamente a alma e transformou-o. Vagueou triste e fatigado, e tornou-se semelhante aqueles de que falara o adivinho.

"Na verdade — disse ele aos discípulos — pouco falta para chegar esse grande crepúsculo. Ai! Como hei de haver para o atravessar salvando a minha luz?

Como farei para a minha luz se não afogar nessa tristeza? Deve ser ainda a luz de mundos longínquos a iluminar as noites mais longínquas!"

Fundamente preocupado, Zaratustra começou a vaguear de uma para outra parte, e durante três dias não comeu, nem bebeu, nem descansou e perdeu a palavra. Por fim caiu num profundo sono.

Entretanto, os discípulos passavam grandes vigílias sentados à roda dele, e aguardavam desassossegados que ele despertasse e se curasse da sua tristeza.

Eis, porém, o discurso que lhes dirigiu Zaratustra ao despertar, ainda que sua voz parecesse vir de longe.

"— Ouvi o sonho que tive, amigos, e ajudai-me a adivinhar a sua significação!

Para mim este sonho é um enigma; o seu sentido permanece ainda oculto nele e vela; ainda não paira livremente sobre ele.

Sonhei que renunciara em vida. Convertera-me em vigilante noturno e guardião dos túmulos, na montanha solitária do palácio da Morte.

Lá guardava eu os seus ataúdes: as abóbadas sombrias estavam cheias desses troféus das suas vitórias.

Através dos féretros de cristal olhavam-me as vidas vencidas.

Eu respirava a atmosfera de eternidades reduzidas a pó: a minha alma jazia sufocada e pulverulenta. E quem poderia arejar ali a alma?

Rodeava-me a claridade da noite, e ao seu lado acaçapava-se a solidão; sobre isto um sepulcral silêncio de agonia, o pior dos meus amigos.

Eu levava as minhas chaves, o mais ferrugentas que podiam ser; e sabia abrir com elas as portas mais perras.

Com gritos roucos de cólera corriam os sons por largas galerias, quando se abriam os batentes da porta: uma ave soltava gritos sinistros: não queria ser acordada.

O mais espantoso, porém, e quando mais se me oprimia o coração era quando tudo outra vez se calava, e eu tornava a ver-me só no meio daquele silêncio traiçoeiro.

Assim passou o tempo lentamente, se é que ainda se podia falar de tempo; mas afinal sucedeu o que me despertou.

Soaram três pancadas a porta, as abóbadas tremeram e ressoaram três vezes seguidas: aproximei-me da porta.

— Alpa — exclamei. — Quem leva a sua cinza para a montanha? Alpa! Alpa! Quem leva a sua cinza para a montanha?

E apertava a chave, e empurrava a porta, e forcejava; mas a porta não cedia.

Nisto o furacão separou-lhe, violento, os batentes; e por entre silvos e gritos agudos, que cortavam o ar, atirou-me com um negro ataúde.

E, silvando e rugindo, o ataúde despedaçou-se e despediu mil gargalhadas.

Mil visagens de crianças, de anjos, de corujas, de loucos e de borboletas do tamanho de crianças se riam e zombavam de mim.

Eu tinha um medo horrível: caí no chão e gritei de pavor como nunca gritara.

O meu grito despertou-me, porém, e tornei a mim."

Assim contou Zaratustra o seu sonho, depois calou-se, porque ainda lhe não conhecia a significação; mas o seu discípulo mais dileto levantou-se imediatamente, pegou-lhe na mão e disse:

"A tua própria vida nos explica esse sonho, Zaratustra!

Não serás tu o vento de silvos agudos que arranca as portas do palácio da Morte?

Não serás tu o ataúde cheio de malignidades e de angélicas visagens da vida?

Na verdade, com mil gargalhadas infantis chega Zaratustra a todas as câmaras mortuárias, rindo-se de todos esses vigias noturnos e de todos esses guardiões dos sepulcros que agitam as suas chaves com sinistro som.

Tu os espantarás e derribarás com o teu riso; o desmaio e o despertar provaram o teu poder sobre eles.

E mesmo quando chegar o longo crepúsculo e a mortal lassidão, tu não desaparecerás do nosso céu, patrocinador da vida!

Mostraste-nos novas estrelas e novos esplendores noturnos; estendestes sobre nós o próprio riso com um toldo ricamente matizado.

Agora, dos túmulos brotarão sempre risos infantis; agora virá, sempre vitorioso de todos os desfalecimentos mortais, um vento enérgico, do qual tu és o fiador e o adivinho.

Em verdade sonhaste com eles — com os teus inimigos — foi esse o teu sonho mais doloroso.

Mas assim como despertaste deles e tornaste a ti, assim eles devem despertar-se a si próprios... e tornar para ti."

Deste modo falou o discípulo; e todos os outros se apinhavam à roda de Zaratustra, pegavam-lhe as mãos e queriam induzi-lo a largar o leito e a tristeza para tornar para eles. Zaratustra, porém, continuava no leito, com um olhar estranho.

Como se regressasse de longa ausência contemplou os discípulos e observou-lhes os semblantes; e ainda assim os não reconheceu; mas quando o ergueram o puseram de pé, os olhos transformaram-se-lhe de repente; compreendeu tudo quanto sucedera, e, cofiando a barba, disse com voz firme:

"Ora! tudo isso virá a seu tempo; mas, agora, discípulos meus, ide arranjar bom alimento, e já. Quero penitenciar-me assim dos meus maus sonhos!

O adivinho, porém, deve comer e beber a meu lado; e eu lhe indicarei um mar onde se possa afogar.

Assim falou Zaratustra; mas depois olhou largo tempo o discípulo que lhe explicara o sonho, e meneou a cabeça.

Da redenção

Um dia, passando Zaratustra pela ponte grande, viu-se rodeado de aleijados e de mendigos, e um corcunda, disse-lhe assim:

"Olha, Zaratustra! Também o povo aprende de ti, e começa a crer na tua doutrina; mas para te acreditarem de todo ainda falta uma coisa:

tens que nos convencer também a nós, aleijados. Tens por onde escolher! Podes curar cegos, fazer andar coxos e aliviar um tanto o que leva às costas uma carga pesada. Será este, a meu ver, o melhor modo de fazer que os aleijados creiam em Zaratustra."

Zaratustra respondeu assim ao que falava: "Se ao corcunda se lhe tira a corcova, tira-se-lhe ao mesmo tempo o espírito — assim diz o povo. — Se ao cego se restitui a vista, vê na terra demasiadas coisas más; de forma que maldiz daquele que o curou. — O que faz correr o coxo faz-lhe o maior dos males: porque apenas se apanha a correr desenvolvem-se-lhe os vícios. Eis o que diz o povo quanto aos aleijados. E por que razão não aprenderia Zaratustra do povo o que o povo aprendeu de Zaratustra?

Desde que vivo entre os homens, porém, o que menos me importa é ver que a este falta um olho, aquele um ouvido, a um terceiro a perna, ou que haja outros que perderam a língua, o nariz ou a cabeça.

Vejo e já vi coisas piores: e as há tão espantosas, que não quereria falar de todas elas nem também calar-me sobre alguma, a saber: há homens que carecem de tudo, conquanto tenham qualquer coisa em excesso — homens que são unicamente um grande olho, ou uma grande boca, ou um grande ventre, ou qualquer outra coisa grande. — A esses chamo eu aleijados às avessas.

Quando, ao sair da minha soledade, atravessava pela primeira vez esta ponte, não dei crédito aos meus olhos, não cessei de olhar e acabei por dizer: "Isto é uma orelha! Uma orelha do tamanho de um homem!" Acercava-me mais, e por trás da orelha movia-se algo tão pequeno, mesquinho e débil que fazia compaixão. E efetivamente: a monstruosa orelha descansava num tênue cabelo — esse cabelo era um homem! — Olhando através de uma lente ainda se podia reconhecer uma cara invejosa, e também uma alma vã que se agitava no remate do cabelo. O povo, contudo, dizia-me que a orelha grande era não só um homem, mas um grande homem, um gênio. Eu, porém, nunca acreditei no povo quando ele me falava de grandes homens, e sustento a minha ideia de que era um aleijado às avessas que tinha pouquíssimo de tudo e uma coisa em demasia."

Assim que Zaratustra disse isto ao corcovado e àqueles de quem era intérprete e representante, voltou-se para os discípulos com profundo descontentamento e disse:

"Meus amigos, ando entre os homens como entre fragmentos e membros de homens.

Para os meus olhos o mais horrível é vê-los destroçados e divididos como em campo de batalha e de morticínio.

E se os meus olhos fogem do presente para o passado, sempre encontram o mesmo: fragmentos, membros, e casos espantosos... mas homens, não!

O presente e o passado sobre a terra... ai, meus amigos! eis para mim o mais insuportável; e eu não viveria se não fosse um visionário do que deve vir.

Um vidente, um voluntário, um criador, um futuro e uma ponte para o futuro — e também, ai! até certo ponto, um aleijado no meio dessa ponte: — tudo isto é Zaratustra.

E vós também vos interrogastes amiúde: "Para nós que é Zaratustra? Como lhes poderemos chamar?" E à minha imitação destes as vossas perguntas como respostas.

É o que promete ou o que cumpre? Um conquistador ou um herdeiro? O outono ou a relha do arado? Um médico ou um convalescente?

É poeta ou diz a verdade? É libertador ou dominador? Bom ou mau?

Eu ando entre os homens como entre os fragmentos do futuro: desse futuro que os meus olhares aprofundam.

E todos os meus pensamentos e esforços tendem a condenar e a unir numa só coisa o que é fragmento e enigma e espantoso azar.

E como havia eu de suportar ser homem, se o homem não fosse também poeta adivinho de enigmas e redentor do azar?!

Redimir os passados e transformar tudo, "foi" num "assim o quis": só isto é redenção para mim.

Vontade! — assim se chama o libertador e o mensageiro da alegria: — eis o que vos ensino, meus amigos; mas aprendei também isto: a própria vontade é ainda escrava.

O querer liberta; mas como se chama o que aprisiona o libertador?

"Assim foi": eis como se chama o ranger de dentes e a mais solitária aflição da vontade. Impotente contra o fato, a vontade é para todo o passado um malévolo espectador.

A vontade não pode querer para trás: não pode aniquilar o tempo, e o desejo do tempo é a sua mais solitária aflição.

O querer liberta: que há de imaginar o próprio querer para se livrar da sua aflição e zombar do seu cárcere?

Ai! Todo o preso enlouquece! Também loucamente se liberta a vontade cativa.

A sua raiva concentrada é o tempo não retroceder; "o que foi"; assim se chama a pedra que a vontade não pode remover.

E por isso, por despeito e raiva, remove pedras e vinga-se do que não sente como ela raiva e despeito.

Assim a vontade, a libertadora, tornou-se maléfica; e vinga-se em tudo que é capaz de sofrer, de não poder voltar para trás.

Isto, e só isto, é a vingança em si mesma, a repulsão da vontade contra o tempo e o seu "foi".

Realmente vive uma grande loucura na nossa vontade; e a maldição de todo humano é essa loucura de haver aprendido a ter espírito.

O espírito de vingança: meus amigos, tal foi até hoje a melhor reflexão dos homens; e onde quer que houvesse dor, deve sempre ter havido castigo.

"Castigo": assim se chama a si mesma a vingança: com uma palavra enganadora finge uma consciência limpa.

E como naquele que quer há sofrimento, posto que não é permitido querer para trás, a própria vontade e toda a vida deviam ser castigo.

E assim se acumulou no espírito uma nuvem após outra, até que a loucura proclamou: "Tudo passa; por conseguinte, tudo merece passar!"

"E aquela lei que diz que o tempo deve devorar os seus próprios filhos, é a mesma justiça." Assim se proclamou a loucura.

"A ordem moral das coisas repousa no direito e no castigo. Ai! Como livramo-nos da corrente das coisas e do castigo da "existência"? Assim se proclamou a loucura.

"Como pode haver redenção, se há um direito terno? Ai! não se pode remover a pedra do passado: é mister que todos os castigos sejam também eternos!" Assim se proclamou a loucura.

"Nenhum fato pode ser destruído; como poderia ser desfeito pelo castigo?" Eis o que há de eterno no castigo da existência: a existência deve ser uma vez e outra, eternamente, ação e dívida. "A não ser que a vontade acabe por se libertar a si mesma, e que o querer se mude em não querer. Mas, irmãos, vós conheceis estas canções da loucura!

Eu vos afastei delas quando vos disse: "A vontade é um criador."

Todo o "foi" é fragmento e enigma e espantoso azar, até que a vontade criadora acrescente: "Mas eu assim o quero! Assim o hei de querer."

Já falou, porém, assim? E quando sucederá isso? Acaso a vontade se livrou da sua própria loucura?

Porventura se tornou a vontade para si mesma redentora e mensageira de alegria? Acaso esqueceu o espírito de vingança e todo o ranger de dentes?

Então quem lhe ensinou a reconciliação com o tempo e qualquer coisa mais alta que a reconciliação?

É preciso que a vontade, que é vontade de Jerônimo, queira qualquer coisa mais alta que a reconciliação; mas como? Quem a ensinará também a retroceder?"

Neste ponto do seu discurso, Zaratustra deteve-se, como de súbito assaltado pelo terror. Contemplou os discípulos com olhos espantados: o seu olhar penetrava como setas nos seus pensamentos. Passado um momento, porém, tornou-se a rir e disse com serenidade:

"É difícil viver entre os homens porque é tão difícil uma pessoa calar-se. Sobretudo para um falador!"

Assim disse Zaratustra.

O corcunda, entretanto, escutara a conversa ocultando a cara: quando ouviu rir Zaratustra ergueu os olhos com curiosidade e disse lentamente:

"Porque é que Zaratustra nos fala de uma maneira e doutra diferente aos seus discípulos?"

Zaratustra respondeu: "Que há de estranhar? Com seres disformes pode-se muito bem falar de maneira disforme!"

"Sim — disse o corcunda. — E com estudantes bem se pode fazer de professor.

Mas por que é que Zaratustra fala de um modo aos seus discípulos, e doutro a si próprio?"

Da circunspecção humana

Não é a altura que terroriza; o que aterroriza é o declive!

O declive donde o olhar se precipita para o fundo e a mão se estende para o cume. É aqui que se apodera do coração a vertigem da sua dupla vontade.

Ai, meus amigos! Adivinhais a dupla vontade do meu coração?

Vede, vede, qual é o meu declive e o meu perigo; o meu olhar precipita-se para o cume, enquanto a minha mão quereria fincar-se e amparar-se... no abismo!

Ao homem se me aferra a vontade, ao homem me prendo com cadeias, enquanto do alto me atrai o Super-homem: porque para lá quer ir a minha outra vontade.

E por isso vivo cego entre os homens, como se os não conhecesse: para a minha mão não perder inteiramente a sua fé nas coisas sólidas.

Não vos conheço a vós, homens; é essa a obscuridade e o consolo que amiúde me envolve.

Sinto-me perto de todos os pérfidos, e pergunto: Quem me quer enganar?

A minha primeira circunspeção humana é deixar-me enganar para me não ver obrigado a estar em guarda contra os enganadores.

Ai! Se eu me pusesse em guarda contra o homem, como poderia ser o homem uma âncora para o meu barco? Facilmente me veria arrastado para o largo.

Não me precaver: tal é a providência que preside ao meu destino.

E aquele que não quiser morrer de sede entre os homens deve aprender a beber em todos os vasos, e o que quiser permanecer puro entre os homens deve aprender a lavar-se em água suja.

Eis o que a mim mesmo tinha dito muitas vezes à guisa de consolação: "Não te importes, velho coração! Feriu-te um infortúnio: gloria-te disso como de uma ventura!"

Eis aqui, porém, a minha outra circunspeção humana: trato com mais considerações os vaidosos que os orgulhosos.

Não é a vaidade ferida mãe de todas as tragédias? Mas onde é o orgulho que se fere, cresce qualquer coisa melhor do que ele.

Para o espetáculo da vida recrear é mister que seja bem-representado; mas para isso necessitam-se bons atores.

Todos os vaidosos me têm parecido bons atores; representam e querem que a gente se divirta em os ver: todo o seu espírito está nesse desejo.

Põem-se em cena, e fingem; ao seu lado gozo eu na contemplação da vida; assim se cura a melancolia.

Por isso sou diferente para os vaidosos: porque são os médicos da minha melancolia e me apegam ao homem como a um espetáculo.

Quem medirá em toda a sua profundidade, a modéstia do vaidoso? Eu gosto dele e lastimo-o pela sua modéstia.

De vós outros quer aprender a fé em si mesmo; de vossos olhares se alimenta, de vossas mãos come o elogio.

Até acredita nas vossas mentiras, se mentis bem acerca dele, porque no fundo do coração suspira: "Quem sou eu?"

E se a verdadeira virtude é a que nada sabe de si mesma, o vaidoso nada sabe da sua modéstia!

Eis aqui, porém, a minha terceira sisudez humana; não quero privar-me da vista dos maus por uma timidez igual à vossa.

Desfruto vendo os portentos que faz brotar o sol ardente: tigres e palmeiras e cobra cascavel.

Também se vêm entre os homens lindas crias do ardente sol, e muitas coisas maravilhosas entre os maus.

Verdade é que assim como os mais sensatos de vós me não parecem tais completamente, assim também a maldade dos homens me pareceu inferior à sua reputação.

E muitas vezes perguntei a mim mesmo, meneando a cabeça: Por que sonhas ainda, cobra cascavel?

Até para o mal há um futuro. E ainda para o homem se não descobriu o meio-dia mais ardente.

Quantas coisas se chamam já hoje as piores das maldades e que, todavia, não têm mais de doze pés de largura.

Um dia, porém, virão ao mundo dragões maiores.

Que para o Super-homem ter o seu dragão, o superdragão digno dele, serão precisos muitos sóis ardentes que caldeiem as úmidas selvas virgens!

É preciso que os vossos gatos monteses se transformem em tigres, e os vossos sapos venenosos em crocodilos: porque ao bom caçador convém boa caça!

É a verdade, justos e bons! Há em vós outros muitas coisas que se prestam ao riso, especialmente o vosso temor pelo que hoje se tem chamado demônio!

E a vossa alma está tão longe do que é grande, que o Super-homem vos espantaria com a sua bondade!

E vós outros, sábios e ilustrados, fugiríeis ante a ardência solar da sabedoria em que, prazenteiro, banha o Super-homem a sua nudez!

Homens superiores em que tem tropeçado o meu olhar! É esta a minha dúvida sobre vós outros e o meu secreto riso! Adivinho que chamaríeis... demônio ao meu Super-homem!

Ai! Enfastiei-me desses superiores e melhores: desejo subir e afastar-me cada vez mais da sua altura, com rumo ao Super-homem.

Deu-me um calafrio quando vi nus os melhores deles, e então me nasceram asas para me transportarem a longínquos futuros.

A futuros mais remotos, a meios-dias mais meridionais que os que jamais pôde sonhar a fantasia, além onde os deuses se envergonham de todo o vestuário.

Mas a vós outros, irmãos e próximos meus, quero-vos ver disfarçados e bem adornados, e vaidosos, e dignos, com os "bons e os justos".

E disfarçado quero eu estar também entre vós para vos desconhecer e desconhecer-me a mim mesmo: porque é esta a minha última circunspecção humana.

Assim falava Zaratustra.

A hora silenciosa

Que me sucedeu, meus amigos? Vede-me confuso, fustigado, obedecendo contrafeito, disposto a retirar-me... a retirar-me para longe de vós!

Sim: é preciso que Zaratustra torne outra vez para a solidão: mas agora o urso regressa sem alegria ao seu antro.

Que me sucedeu? Que é que me obriga a isto? Ah! A minha dama irritada assim o quer: falou-me. Já vos disse alguma vez o seu nome?

Ontem, perto da noite, falou-me a minha hora mais silenciosa: eis o nome da minha dama.

E vede o que se passou, pois tenho que vos dizer tudo, para que o vosso coração se não endureça contra quem se ausenta precipitadamente.

Conheceis o terror do que adormece?

Treme dos pés à cabeça, porque acaba de lhe faltar o sono e principia a sonhar.

Digo-vos isto em parábola. Ontem, à hora mais silenciosa, faltou-me o sono, principiava o sonho.

Avançaram os ponteiros; o relógio da minha vida respirava... Nunca ouvi tal silêncio à minha roda; o meu coração estremecia assombrado.

Nisto disseram-me sem voz: "Tu sabe-o, Zaratustra!"

E eu gritava de terror ao ouvir aqueles murmúrios, e o sangue fugia-me da face; mas calei-me.

Então, tornaram a dizer-me sem voz:

"Tu sabe-o, Zaratustra, mas não o dizes!"

E eu respondi por fim: "Sei-o sim, mas não o quero dizer!"

Então tornaram a dizer-me, sem voz: "Não queres, Zaratustra. Deveras? Não te entrincheires por detrás da tua teimosia!"

Eu chorava, tremia como uma criança e disse: "Ai! Bem quisera, mas isso é coisa superior às minhas forças!"

E tornaram a dizer-me em segredo: "Que te importa, Zaratustra? Diz a tua palavra e morre!"

Eu respondi: "Ai! a minha palavra? Quem sou eu? Espero um mais digno; eu nem sequer sou digno de sucumbir."

Tornaram então a dizer-me sem voz: "Que te importa? Ainda não és bastante humilde; a humildade tem a pele mais rija."

E eu respondi: "Que é que não levou já a pele da minha humildade? Habito aos pés da minha altura: até onde se elevam os meus píncaros? Ainda mo não disse ninguém. Eu, porém, conheço bem os meus vales."

Tornaram então a dizer-me sem voz: "Ó! Zaratustra! Quem tem que transpor montanhas transpõe também vales e profundidades."

E eu respondi: "A minha palavra ainda não transpôs montanhas, e o que eu tenho dito não tem chegado até os homens. É verdade que tenho andado por entre os homens, mas ainda os não alcancei."

E tornaram a dizer-me sem voz: "Que é que sabes a esse respeito? O rocio cai sobre a erva no momento mais silencioso da noite."

E eu retorqui: "Zombaram de mim quando descobri e segui a minha própria vida, e na verdade, tremeram-me então os pés."

E falaram-me assim: "Que te importam os seus motejos! Tu és um que se esqueceu de obedecer; deves agora mandar.

Não sabes do que todos necessitam? Do que ordena as grandes coisas.

Realizar grandes coisas é difícil; mas mais difícil ainda é ordenar grandes coisas.

O mais indesculpável em ti é teres o poder e não quereres reinar."

E eu respondi: "Falta-me a voz do leão para mandar."

Então me responderam como um murmúrio: "São as palavras mais silenciosas que trazem a tempestade. Os pensamentos que vêm com pés de lã são os que dirigem o mundo.

Zaratustra, precisas caminhar como uma sombra do que há de vir: assim mandarás, e mandando, irás para a frente."

E eu respondi: "Envergonho-me."

E tornaram a dizer-me sem voz: "É preciso tornares-te criança e desprezares a vergonha.

Ainda tens o orgulho da mocidade; fizeste-te moço muito tarde; mas o que se quer tornar criança deve também vencer a sua mocidade."

E eu reflexionei muito, tremendo. Por fim repeti o que dissera primeiro: "Não quero!"

Ouviu-se então uma gargalhada em torno de mim. Desgraçado! Como aquele riso me cortava o coração!

E pela última vez me disseram: "Zaratustra, os teus frutos estão maduros, mas tu é que não estás maduro para os teus frutos!

Precisas voltar para a solidão."

E ouviu-se outra risada que se afastava: depois tudo ficou em sossego, como um duplo silêncio. Eu, porém, estava caído no solo, banhado em suor.

"Já ouvistes tudo, e sabeis, por que devo tornar para a minha solidão. Nada vos ocultei, meus amigos.

Mas também aprendestes comigo quem é sempre o mais discreto dos homens.

Ai meus amigos! Mais teria que vos dizer, mais teria que vos dar! Por que vo-lo não dou? Será por ser avarento?"

Ditas estas palavras, a Zaratustra embargou-se-lhe a voz pela força da dor e ao pensamento de que ia deixar imediatamente os seus amigos, de modo que começou a chorar e ninguém o podia consolar. Entretanto, foi-se sozinho pela noite, deixando os amigos.

TERCEIRA PARTE

Assim falava Zaratustra

“Vós outros olhais para cima quando
aspirais elevar-vos.
Eu, como estou alto, olho para baixo.
Qual de vós podeis estar alto e rir-
-vos ao mesmo tempo?
O que escala elevados montes ri-se
de todas as tragédias da cena e da vida.”

ZARATUSTRA

O viajante

Era aproximadamente meia-noite quando Zaratustra seguiu pelo cume da ilha para chegar de madrugada à ribeira, onde queria embarcar. Nesse lugar havia uma boa enseada onde costumavam ancorar também barcos estrangeiros, os quais recebiam a bordo alguns das Ilhas Bem-Aventuradas que queriam atravessar o mar. Enquanto subia a montanha pensava Zaratustra nas muitas viagens solitárias que fizera desde a sua mocidade e nas muitas montanhas, cristas e cumeeiras que escalara.

"Eu sou um viajante e um escalador de montanhas — disse de si para si; não me agradam as planícies, parece que não posso estar muito tempo sossegado.

Ou seja porque o queira o meu destino ou a eventualidade que me espera, sempre uma viagem há de ser para mim uma ascensão: em suma, cada qual vive unicamente a si mesmo.

Passou o tempo em que me poderiam sobrevir acasos, e que poderia suceder-me que já me não pertença?

O meu próprio ser está enfim de regresso, e quanto dele próprio andou durante muito tempo por estranhas terras, e disperso entre todas as coisas e todas as contingências!

E sei mais alguma coisa; estou agora diante do meu último píncaro e do que me foi evitado durante mais tempo. Ai! tenho que seguir o meu caminho mais rigoroso! Começou a minha viagem mais solitária.

Quem é, porém, da minha condição, não se livra de semelhante hora, da hora que diz: "Só agora segue o teu caminho de grandeza! Até hoje tem-me confundido num só o cume e o abismo!

Segue o teu caminho de grandeza; veio agora a ser o teu último refúgio o que até aqui se chamou o teu último perigo!

Segue o teu caminho de grandeza: a tua melhor animação agora é não existirem caminhos atrás de ti!

Segue o teu caminho de grandeza: aqui ninguém há de ir em teu seguimento. Os teus próprios pés apagaram o caminho que deixas atrás de ti, e nele está escrito: "Impossibilidade."

E se, mais adiante, te faltarem todas as escadas, será preciso saberes trepar sobre a tua própria cabeça; se não, como quererias subir mais alto?

Sobre a tua própria cabeça e por cima do teu próprio coração. Agora o mais suave vai-se tornar para ti o mais duro.

Aquele que sempre cuidou muito de si, acaba por se tornar enfermiço com o excesso de cuidado. Bendito seja o que endurece! Não gabo o país onde fluem manteiga e mel!

Para ver muitas coisas precisamos aprender a olhar para longe de nós: esta dureza é necessária para todos os que escalam os montes.

O que, porém, investiga, com olhos indiscretos, como poderia ver mais que o primeiro terno das coisas?

Mas tu, Zaratustra, que querias ver todas as razões e o fundo das coisas, precisas passar por cima de ti mesmo, e ascender, ascender até as tuas próprias estrelas ficarem abaixo de ti!"

"Sim! Ver-me a mim próprio, e até as minhas estrelas, olhando para baixo! Só a isso chamo o meu cume; é esse o último cume que me falta escalar!"

Assim falava consigo Zaratustra enquanto subia, consolando o seu coração com duras máximas: porque, como nunca, tinha ferido o coração.

E quando chegou ao alto da crista viu estender-se na sua frente o outro mar; ficou imóvel e calado por muito tempo. Naquela altura estava a noite fria e clara e estrelada.

"Reconheço a minha sorte" — disse afinal com tristeza. "Eia! Estou pronto! Começou agora a minha última soledade.

Que mar tão negro e triste a meus pés! Que sombrio e noturno pesadelo! Ó! destino e oceano! É mister que eu agora desça para vós.

Estou em frente da minha mais alta montanha e da minha mais longa viagem! Por isso tenho que descer como nunca desci!

Tenho que ir ao fundo da dor mais do que nunca, até as suas mais negras profundidades! Assim o quer o meu destino.

Eia! Estou pronto!

De onde vêm as mais elevadas montanhas? Isso perguntava eu noutro tempo.

Soube então que vêm do mar.

Este testemunho está escrito nas suas pedras e nas paredes das suas cristas. Desde o mais baixo há de o mais alto erguer o seu cume."

Assim falava Zaratustra no píncaro da montanha onde reinava o frio, mas quando chegou perto do mar e se encontrou sozinho entre as rochas da margem, sentiu-se cansado do caminho e ainda mais cheio que dantes de ardentes desejos.

"Ainda dorme tudo — disse. Também o mar está adormecido. Dirige-me um olhar estranho e sonolento.

A sua respiração, porém, é quente, sinto-o. E ao mesmo tempo vejo que sonha.

Agita-se sonhando sobre duros almofadões.

Escuta! Escuta! Quantos gemidos as más recordações lhe arrancam! Ou serão maus presságios?

Ai! Estou triste contigo, monstro sombrio, e aborrecido comigo mesmo por tua causa.

Ai! Por que não terá a minha mão bastante força? Quereria livrar-te dos sonhos maus!"

Falando desta forma Zaratustra ria de si mesmo com melancolia e amargura.

"Que, Zaratustra — disse —, ainda queres cantar consolações ao mar? Ai, Zaratustra! Louco rico de amor, ébrio de confiança! Mas assim foste sempre, sempre te abeiraste familiarmente de todas as coisas terríveis.

Querias acariciar todos os monstros. Um sopro de hálito quente, um tanto de branda velocidade nas garras e imediatamente estavas disposto a amar e a atrair.

O amor — o amor a qualquer coisa — basta-lhe viver — é o perigo do mais solitário. Na verdade, prestam-se ao riso a minha loucura e a minha modéstia no amor."

Assim falava Zaratustra, e pôs-se a rir outra vez; mas então pensou nos amigos que deixara, e como se houvesse pecado contra eles em pensamento, se enfadou consigo mesmo pelos seus pensamentos. E assim o riso mudou-se em pranto: Zaratustra chorou amargamente de cólera e de ansiedade.

Da visão e do enigma

I

Quando os marinheiros souberam que Zaratustra se encontrava no barco — porque, ao mesmo tempo que ele, fora a bordo um homem das Ilhas Bem-Aventuradas —; houve grande curiosidade e grande expectação.

Zaratustra, porém, conservou-se em silêncio durante dois dias, e permaneceu frio e surdo, simplesmente triste, de forma que não respondia aos olhares nem às perguntas.

Na noite do segundo dia abriram-se-lhe de novo os ouvidos, conquanto permanecesse calado: porque naquele barco que vinha de longe e que ainda queria ir mais longe, se podia ouvir uma porção de coisas estranhas e perigosas. Zaratustra, porém, era amigo de todos os que fazem grandes viagens e de quem não sabe viver sem perigo. Por fim escutando, desatou-se-lhe a língua e quebrou-se-lhe o gelo do coração. Então começou a falar assim:

"A vós outros, quem quer que sejais, intrépidos exploradores e aventureiros que embarcastes com velas astutas em mares temíveis.

A vós, ébrios de enigmas, gozosos das penumbras, almas atraídas por flautas a todas as voragens ilusórias.

Porque não quereis seguir às cegas e com mão medrosa um fio condutor; e onde quer que podeis adivinhar aborreceis concluir.

Somente a vós conto o enigma que vi, a visão do mais solitário.

Sombrio atravessei ultimamente o pálido crepúsculo — sombrio e duro, com os lábios contraídos. — Mais de um sol se pusera para mim.

Um sendeiro que subia com ar de desafio por entre despenhadeiros, um sendeiro perverso e solitário que já não queria erva nem brenhas, um sendeiro de montanha rechinava ante o repto dos meus passos.

Mudos no meio do irônico ranger dos calhaus, pisando a pedra que os fazia resvalar, os meus pés pugnavam para cima.

Para cima, embora gravitasse sobre mim esse espírito, a puxar para o abismo: a despeito do espírito do pesadelo, meu demônio e mortal inimigo.

Para cima, embora gravitasse sobre mim esse espírito, entre anão e míope, paralisado e paralisador, vertendo chumbo nos meus ouvidos e destilando pensamentos de chumbo no meu cérebro.

"Ó Zaratustra! — me segredava em tom chocarreiro, batendo as sílabas. — Pedra da sabedoria atiraste-te ao alto, mas toda a pedra atirada tem... que tornar a cair.

Condenado a ti mesmo e à tua própria lapidação, ó! Zaratustra! atiraste muito longe a pedra... mas tornará a cair em cima de ti!"

Aqui se calou o anão, e muito tempo decorreu; mas o seu silêncio oprimia-me: quando uma pessoa se desdobra em duas encontra-se mais insulada do que quando é uma só! Eu subi, subi mais, sonhando e pensando: mas tudo me oprimia. Assemelhava-me a um enfermo prostrado pela agudeza do seu sofrimento, e a quem um pesadelo desperta do seu torpor.

Eu, porém, tenho qualquer coisa a que chamo valor, qualquer coisa que até agora matou em mim todo o humor sombrio. Esse valor me fez deter por fim e dizer: "Anão! ou tu ou eu!"

O valor é o melhor dos matadores: o valor que ataca, porque sempre se ataca ao rufar do tambor.

É o homem o animal mais valoroso: por isso venceu todos os outros animais. Ao rufar do tambor triunfou de todas as dores: e a dor humana é a dor mais profunda.

O valor mata também a vertigem à beira dos abismos! E onde não estará o homem à beira dos abismos? Mesmo olhar... não será olhar abismos?

O valor é o melhor dos matadores: também mata a compaixão. E a compaixão é o abismo mais profundo: tão fundo quanto o homem vê na vida, assim fundo vê no sofrimento.

Mas o valor, o valor que ataca, é o melhor dos matadores; mata a própria morte, porque diz: "Quê? Era isto a vida? Então tornemos a começar!"

Nesta sentença ressoa muito o tambor de guerra. Quem tiver ouvidos que ouça."

II

"Alto, anão! — disse. — Ou eu ou tu! Eu, porém, sou o mais forte dos dois: tu não conheces o meu mais profundo pensamento. Esse... não mo poderias tirar!"

Nisto se me aliviou a carga, porque o indiscreto anão me saltou dos ombros.

Acaçapou-se numa pedra diante de mim. No sítio em que paramos, encontrava-se como por casualidade um pórtico.

"Anão! — prossegui. — Olha para este pórtico! Tem duas caras. Aqui se reúnem dois caminhos: ainda, ninguém os seguiu até o fim.

Esta rua larga que desce dura uma eternidade... e essa outra longa rua que sobe... é outra eternidade...

Estes caminhos são contrários, opõem-se um ao outro, e encontram-se aqui neste pórtico. O nome do pórtico está escrito em cima; chama-se "instantes."

Se alguém, todavia, seguisse sempre, cada vez mais longe, por um destes caminhos, acaso julgas, anão, que eles eternamente se oporiam?"

"Tudo quanto é reto mente — murmurou com desdém o anão. — Toda a verdade é sinuosa; o próprio tempo é um círculo."

"Espírito do pesadelo! — disse eu irado. — Não aprecies tão ao de leve as coisas! — ou te deixo onde estás acaçapado, e olha que fui eu quem te trouxe cá acima!

Olha para este instante! — continuei. — Deste pórtico de momento segue para trás uma larga e eterna rua; detrás de nós há uma eternidade.

Tudo quanto é capaz de correr não deve já ter percorrido alguma vez esta rua? Tudo o que pode suceder não deve ter sucedido, ocorrido, já alguma vez?

E se tudo existiu já por aqui, que pensas tu, anão, deste instante? Esse pórtico não deve também... ter existido por aqui?

E não estão as coisas tecidas de tal forma que este instante atrai após si o seguinte? Por consequência... até a si mesmo?

Porque tudo quanto é capaz de correr deve percorrer também mais uma vez esta larga rua que sobe!

E aquela aranha preguiçosa que se assusta à luz da lua, é a mesma luz da lua, e eu e tu, que nos encontramos agora aqui juntos no pórtico segredando sobre coisas eternas, não devemos ter passado já por aqui, e tornar a correr pela outra rua que sobe? Não devemos tornar eternamente por essa larga e lúgubre rua?

Assim falava eu, em voz cada vez mais baixa, porque me assustavam os meus próprios pensamentos e a sua oculta intenção, quando de súbito ouvi uivar um cão ali perto. Não ouvira, já uma vez, uivar assim um cão? E vi-o também, com o pelo eriçado, a cabeça erguida, trêmulo no meio da noite silenciosa, quando até os cães acreditam em fantasmas.

E tive pena dele. Acabava de aparecer silenciosamente a lua cheia por cima da casa: detivera-se com o disco incendiado, sobre a alta abóbada, como em propriedade alheia.

Foi isso que despertou o cão. Que os cães acreditam em ladrões e fantasmas.

E quando o tornei a ouvir uivar, tornei a sentir dó dele. Que fora feito, entretanto, do anão, do pórtico, da aranha e dos segredos? Teria sonhado? Teria acordado? Encontrei-me de repente entre agrestes brenhas, sozinho, abandonado à luz da solitária lua.

Mas ali jazia um homem! E o cão, a saltar e a gemer, com o pelo eriçado — via-me caminhar —, começou a uivar outra vez, e pôs-se a gritar. Nunca ouvira um cão pedir socorro assim.

Nunca vi nada semelhante ao que ali presenciei. Vi um moço pastor a contorcer-se anelante e convulso, com o semblante desfigurado, e uma forte serpente negra pendendo-lhe da boca.

Quando vira eu tal repugnância e pálido terror num semblante? Adormecera, decerto, e a serpente introduziu-se-lhe na garganta, aferrando-se ali?

A minha mão começou a tirar a serpente, a tirar... mas em vão! Não conseguia arrancá-la da garganta. Então saiu de mim um grito: "Morde! Morde! Arranca-lhe a cabeça! Morde!" Assim gritava qualquer coisa em mim; o meu espanto, o meu ódio, a minha repugnância, a minha compaixão, todo o meu bem e o meu mal se puseram a gritar em mim num só grito.

Valentes que me rodeais! Exploradores, aventureiros! Vós outros que apreciais os enigmas, adivinhai o enigma que eu vi então e explicai-me a visão do mais solitário.

Que foi uma visão e uma previsão: que símbolo foi o que vi naquele momento? E quem é aquele que ainda deve chegar?

Quem é o pastor em cuja garganta se introduziu a serpente? Quem é o homem em cuja garganta se atravessara assim o mais negro e mais pesado que existe?

O pastor, porém, começou a morder como o meu grito lhe aconselhava: deu uma dentada firme! Cuspiu para longe de si a cabeça da serpente e saltou para o ar.

Já não era homem nem pastor; estava transformado, radiante; ria! Nunca houve homem na terra, que risse como ele!

Ó! meus irmãos! Ouvi uma risada que não era risada de homem... e agora devora-me uma sede, uma ânsia que nunca se aplacará.

Devora-me a ânsia daquele riso. Ó! Como pude eu viver ainda? E como poderia agora morrer?"

Assim falava Zaratustra.

Da beatitude involuntária

Com tais enigmas e tais amarguras no coração, passou Zaratustra o mar. Quando estava, porém, a quatro dias das Ilhas Bem-Aventuradas e dos seus amigos, dominara completamente a dor: vitorioso e com passo firme, assentara de novo no seu destino. Então Zaratustra falou assim à sua consciência radiante de alegria:

"Estou novamente só, e assim quero estar: só com o céu sereno e o mar livre; novamente reina a tarde em meu redor.

À tarde encontrei pela primeira vez os meus amigos; das outras vezes também à tarde, à hora em que toda a luz se torna mais tranquila.

Que os raios de ventura que ainda estão a caminho entre o céu e a terra, procurem um asilo numa alma luminosa. Agora, a ventura tornou mais tranquila a luz toda.

Ó! tarde da minha vida! Também a minha ventura desceu um dia ao vale para procurar um asilo; encontrou então aquelas almas francas e hospitaleiras.

Ó! tarde da minha vida! Quanto eu não dei para ter uma só coisa: esse viveiro dos meus pensamentos e essa luz matinal das minhas mais altas esperanças!

Um dia, o criador procurou copartícipe e filhos da sua esperança, e sucedeu não os encontrar, vendo-se na necessidade de os criar.

Eu estou, portanto, em meio da minha obra, indo para meus filhos e tornando ao pé deles: por amor aos filhos deve uma pessoa completar--se a si própria.

Que ninguém ama de todo o coração senão o seu filho e a sua obra; e onde há um grande amor de si mesmo, é sinal de fecundidade: eis o que tenho notado.

Os meus filhos, árvores do meu jardim e da minha terra melhor, ainda se encontram na sua primavera, apinhados uns contra os outros, e agitados em massa pelo vento.

E na verdade, onde existem juntas tais árvores, existem Ilhas Bem-Aventuradas!

Quero, porém, transplantá-las um dia separadamente, a fim de aprenderem a soledade, a altivez e a precaução!

Nodoso e retorcido, com flexível dureza, deve cada qual erguer-se ao pé do mar, com próprio farol da vida invencível.

No mesmo sítio onde se precipitam no mar as tempestades, onde a fralda da montanha se banha nas ondas, nesse sítio deverá cada qual estar de sentinela dia e noite, para sua prova e reconhecimento.

É mister que seja reconhecido e provado, para se saber se é de minha raça e da minha origem, se é dono de uma ampla vontade, silencioso mesmo quando fale, e condescendente de forma que aceite quando dê.

A fim de chegar a ser um dia meu companheiro e colaborador, um dos que escreve a minha vontade nas minhas tábuas para o pleno cumprimento de todas as coisas.

E por causa dele e dos seus semelhantes devo eu compenetrar-me de mim mesmo: por isso agora fujo à minha ventura, oferecendo-me a todos os sofrimentos para a minha última prova e reconhecimento.

E, na verdade, já era tempo de partir; e a sombra do viajante, e o tédio mais prolongado e a hora mais silenciosa todos estes me disseram: "Não há um instante a perder!"

O vento soprou pelo orifício da fechadura e disse-me: "Anda!"

Eu, contudo, estava acorrentado pelo amor aos meus filhos: a ânsia de amor estendia-me esse laço para eu ser presa de meus filhos e me perder por eles.

Para mim, ansiar é já ter-me perdido.

Possuo-vos, meus filhos! Nesta possessão tudo deve ser certeza, e nada desejo.

O sol do meu amor, porém, abrasava-me. Zaratustra abrasava-se no seu próprio jugo. Nisto passaram por mim sombras e dúvidas.

Já desejava o frio e o inverno: "Ó! Tornem o frio e o inverno a fazer-me tiritar e entrechocar os dentes!" — suspirava eu. — Então se ergueram dentro de mim nuvens glaciais.

O meu passado destruiu as suas sepulturas; mais de uma dor enterrada viva despertou; não fizera mais do que adormecer envolta em sudários.

Assim tudo me gritava em sinais: "É já tempo!" Mas eu não ouvia: até que afinal, começou o meu abismo a agitar-se, morder-me o pensamento.

Ai! Pensamento que vens do meu abismo! Quando encontrarei forças para te ouvir refletir sem tremer!

Chegam-me à garganta os baques do coração quando te ouço refletir. O teu próprio silêncio de abismo me quer afogar.

Nunca me atrevi a chamar-te à superfície: já era bastante trazer-te comigo! Ainda não tive força suficiente para a última audácia e temeridade do leão.

Bem terrível tem sido sempre o teu peso para mim; mas hei-de encontrar um dia a força e a voz do leão para te chamar à superfície!

Quando eu tenha conseguido esse triunfo, conseguirei ainda outro maior, e uma vitória, será a marca da minha plenitude.

Entretanto, vagueio por mares incertos, acariciado pelo acaso sedutor; olho atrás e adiante, e ainda não descubro fim.

Ainda não chegou a hora da minha última luta — ou talvez chegue neste instante. — É certo olharem-me com pérfida beleza o mar e a vida que me rodeiam!

Ó tarde da minha vida! Ó ventura da véspera! Ó porto em pleno mar!

Ó paz na incerteza! Como desconfio de todos vós! Desconfio deveras da vossa pérfida beleza. Pareço-me com o amante que desconfia do sorriso meigo demais.

Como o ciumento repele a sua amada, terno até na sua dureza, assim eu repilo esta hora venturosa.

Para longe de mim, hora venturosa! Contigo fui bem-aventurado, a meu pesar! Aqui me encontro, pronto para a minha mais profunda dor: chegaste fora de tempo.

Para longe de mim, hora venturosa! Busca antes asilo além, junto de meus filhos!

Vai, corre! Abençoa-os antes do crepúsculo e dá-lhes a minha felicidade!

Já se aproxima a noite; esconde-se o sol! Foi-se a minha ventura!"

Assim falava Zaratustra. E esperou a sua desventura toda a noite; mas esperou em vão. A noite permaneceu serena e silenciosa, e a felicidade aproximava-se-lhe cada vez mais. Perto do alvorecer, todavia, pôs-se a rir intimamente e disse em tom irônico:

"A felicidade persegue-me. Deve-se isto a eu não correr atrás das mulheres. Que a felicidade é mulher."

Antes do nascer do sol

Ó! céu desenrolado sobre mim! Céu claro e profundo! Abismo de luz! Ao contemplar-te estremeço de divinos desejos!

Elevar-me à minha altura; eis a tua profundidade! Cobrir-me com a tua pureza: eis a minha inocência!

O deus oculto na sua beleza: assim ocultas as tuas estrelas. Não falas: assim me anuncias a tua sabedoria.

Mudo surgiste para mim sobre o fervente mar: o teu amor e o teu pudor revelam-se à minha alma fervente.

Belo, vieste a mim, velado na tua beleza; mudo, falaste-me, revelando-te na tua sabedoria: ó! como pude eu não adivinhar todos os pudores da tua alma! Antes do sol vir até mim, o mais solitário.

Somos amigos de sempre: as nossas penas são o fundo dos nossos seres, são-nos comuns; até o sol é comum.

Não falamos porque sabemos demasiadas coisas: calamo-nos e entendemo-nos por sorrisos.

Não és tu a luz do meu fogo? Não és tu a alma irmã da minha inteligência?

Tudo aprendemos juntos; juntos aprendemos a elevar-nos sobre nós, e a sorrir, sem nuvens, para baixo, com límpidos olhos, desde remotas paragens, quando a nossos pés se desvanecem como névoa vaporosa, a imposição, o fim e o erro.

E quando eu caminhava só, de que tinha a minha alma fome durante as noites e nos caminhos do erro? E quando eu escalava montes, a quem procurava nos píncaros senão a ti?

E todas as minhas viagens e todas as minhas ascensões não passavam de um expediente e recurso de inércia. O que a minha vontade toda quer é voar, voar para ti!

E que odiava eu mais do que as nuvens e tudo o que te empana? E odiava até o meu próprio ódio porque te empanava!

Tenho aversão às nuvens, a esses gatos monteses que se arrastam: tiram-nos a ti e a mim o que nos é comum: a imensa e infinita afirmação das coisas.

Nós outros temos aversão às rasteiras nuvens, a esses seres de meio-termo e de composições, a esses seres mistos que não sabem nem bendizer nem maldizer com todo o seu coração.

Preferia estar metido num túnel ou num abismo sem ver o céu, a ver-te a ti, céu de luz, empanado pelas nuvens que passam!

E muitas vezes tenho sentido desejos de as trespassar com fulgurantes fios de ouro e rufar como trovão na sua pança de caldeira: rufar de cólera, visto que me roubam a mim a tua afirmação — céu puro! céu sereno! abismo de luz! — e roubam-te a ti em mim.

Que eu prefiro o ruído e o troar e as execrações do mau tempo a essa calma medida e duvidosa de gatos.

E "quem não sabe bendizer deve aprender a maldizer!" De um luminoso céu me caiu esta máxima luminosa — até nas escuras noites brilha esta estrela no meu céu.

Eu, porém, bendigo e afirmo sempre, contanto que me rodeies, céu sereno, abismo de luz! A todos os abismos, pois, levo a minha benfeitora afirmação.

Eu cheguei a ser o que bendiz e afirma; tenho sido um lutador a fim de um dia ter as mãos livres para abençoar.

E a minha bênção consiste em estar por cima de cada coisa com o seu próprio céu, a sua redonda abóbada, a sua abóbada cerúlea e sua eterna serenidade: e bem-aventurado aquele que assim abençoa!

Que todas as coisas são batizadas na fonte da eternidade e além do bem e do mal; mas o bem e o mal mesmo não são mais do que sombras interpostas, úmidas aflições e nuvens passageiras.

Há bênção certamente, e não maldição quando eu predico: "Sobre todas as coisas se encontra o céu Azar, o céu Inocência, o céu Acaso e o céu Ufania."

"Por azar" é esta a mais antiga nobreza do mundo: eu a restituí a todas as coisas; eu as livrei da servidão do fim.

Essa liberdade e essa serenidade celeste coloquei-as como abóbadas cerúleas sobre todas as coisas, ao ensinar que acima delas, e por elas, nenhuma "vontade eterna" queria.

Eu pus, em vez desta vontade, essa petulância, essa loucura quando ensinei: Há uma coisa impossível em qualquer parte, e essa coisa é a racionalidade.

Um pouco de razão, um grão de sensatez, disperso de estrela em estrela, é a levedura indubitavelmente misturada a todas as coisas: por causa da loucura se acha a sensatez misturada a todas as coisas!

Um pouco de sensatez é possível: mas eu encontrei em todas as coisas esta benfeitora certeza: preferem bailar sobre os pés do acaso.

Ó! céu puro e excelso! A tua pureza para mim consiste agora em que não haja nenhuma aranha, nem teia de aranha eterna da razão: em seres um salão de baile para os azares divinos, uma mesa divina para os divinos dados e jogadores de dados.

Mas sorriste? Disse coisas indizíveis? Maldisse-te querendo abençoar-te?

O que te faz sorrir é a vergonha de ser dois. Mandas-me retirar e calar, por que chega agora o dia?

O mundo é profundo, e mais profundo do que jamais pensou o dia. Nem tudo pode falar diante do dia. Mas chega o dia. Separemo--nos então!

Ó! céu desenrolado sobre mim, céu pudico e incendido! Ó! felicidade antecedente à saída do sol! Chega o dia. Separemo-nos!

Assim falava Zaratustra.

Da virtude amesquinhadora

I

Quando Zaratustra chegou a terra firme não foi logo direto à sua montanha e à sua caverna, mas deu muitas voltas e fez muitas perguntas para se informar duma porção de coisas; e dizia de si para consigo, gracejando: "Eis aqui um rio que, por mil voltas, retrocede à sua nascente!" Que ele queria saber o que fora feito do homem durante a sua ausência: se se tornara maior ou mais pequeno. E um dia divisou uma fileira de casas novas; admirado, disse:

"Que significam aquelas casas? Em verdade, nenhuma alma grande as edificou como símbolo de si mesma.

Tirá-las-ia da sua caixa de brinquedos algum rapazinho idiota?

Pois torne-as a meter na caixa outro rapazinho!

E aqueles aposentos e desvãos! Poderão ali entrar e sair homens? Parecem-me feitos para bichos da seda, ou para gatos gulosos, que talvez se deixem também comer."

E Zaratustra ficou-se a refletir. Por fim disse com tristeza: "Tudo se tornou pequeno!"

Por toda a parte vejo portas mais baixas; aquele que é da minha espécie ainda poderá talvez passar por elas, mas tem que se agachar!

Ó! quando tornarei para a minha pátria onde já não terei que me curvar... ante os pequenos?

E Zaratustra suspirou e olhou ao longe.

Nesse mesmo dia pronunciou o seu discurso sobre a virtude amesquinhadora.

"Passo pelo meio deste povo e abro os olhos; esta gente não me perdoa que eu lhe não invejo as virtudes.

Querem morder-me por eu lhes dizer que as pessoas pequenas necessitam pequenas virtudes, e porque me é difícil conceber que sejam necessárias as pessoas pequenas.

Estou aqui como galo em terreiro estranho, que até as galinhas lhe querem bicar; mas eu nem por isso conservo rancor a tais galinhas.

Sou indulgente com elas como com a pequena moléstia; ser espinhoso para com os pequenos parece-me um proceder digno de ouriços.

Todos falam de mim quando estão sentados à noite à roda do lar; falam de mim, mas ninguém pensa em mim.

Eis o novo silêncio que aprendi a conhecer; o rumor que fazem à minha roda, estende-me um manto sobre os pensamentos.

Eles vociferam: "Que nos quer esta sombria nuvem? Andemos com cautela, não nos traga alguma epidemia!"

E ultimamente uma mulher puxou pelo filho que se queria aproximar de mim, e gritou: "Afastai as crianças! Olhos daqueles queimam as almas das crianças!"

Quando eu falo, fogem, julgam que a tosse é uma objeção contra os ventos rijos: nada conjecturam do sussurro da minha felicidade.

"Ainda não temos tempo para Zaratustra." — Tal é a sua objeção. — Mas que importa um tempo que "não tem tempo" para Zaratustra?

Ainda que me glorificassem, como poderia adormecer aos seus louvores? O seu elogio é para mim um cinturão de espinhos: mortifica-me mesmo depois de o tirar.

E também aprendi isto entre eles: o que elogia como que entrega, mas em rigor quer que se lhe dê mais.

Perguntai ao meu pé se lhe agrada essa maneira de elogiar e de atrair! Verdadeiramente não quer bailar nem estar quieto a esse som e compasso.

Procuram elogiar-me a sua modesta virtude e atrair-me para ela; quiseram arrastar o meu pé ao som da modesta felicidade.

Eu passo pelo meio do povo e abro os olhos: amesquinharam-me e continuam a amesquinhar-se. Deve-se isto à sua doutrina da felicidade e da virtude.

É que também são modestos na sua virtude, porque querem ter as suas conveniências, e só uma virtude modesta se conforma com as conveniências.

Aprendem também a andar a seu modo e andar para diante: a isto chamo eu ir coxeando. São assim um obstáculo a todos que andam depressa.

E há quem caminhe para a frente, a olhar para trás e com o pescoço estendido; de boa vontade disputaria com semelhantes corpos.

Os pés, os olhos não devem mentir nem desmentir; mas entre as pessoas pequenas há muitas mentiras.

Alguns deles querem, mas na maioria apenas são queridos. Alguns são sinceros, mas o mais deles são maus cômicos.

Há entre eles cômicos sem o saber e cômicos sem querer; os sinceros são sempre raros, principalmente os cômicos sinceros.

Escasseia o varonil: por isso as mulheres se masculinizam. Que só o que for homem bastante emancipará na mulher... a mulher.

Eis a pior das hipocrisias que tenho encontrado entre os homens: até os que mandam fingem as virtudes dos que obedecem.

"Eu sirvo, tu serves, nós servimos" — assim salmodeia também aqui a hipocrisia dos governantes.

— E ai quando o primeiro amo não é mais do que o primeiro servidor!

O meu olhar curioso deteve-se também na sua hipocrisia, e adivinhou a sua felicidade de moscas e seu zumbido à roda das vidraças assoalhadas.

Toda a bondade que vejo é pura fraqueza, toda a justiça e piedade, fraqueza pura.

São corretos, leais e benévolos uns para com os outros, como são corretos, leais e benévolos entre si os grãos da areia.

Abraçar modestamente uma pequena felicidade é o que chamam "resignação"! E ao mesmo tempo olham de soslaio modestamente para outra pequena felicidade.

No fundo da sua simplicidade só têm um desejo: que ninguém os prejudique. Por isso são amáveis com todos e praticam o bem.

Isto, porém, é covardia, conquanto se chame "virtude".

E quando a esses mesquinhos lhes sucede falar com rudeza, eu na sua voz só ouço a farfalheira, porque toda a rajada de vento os enrouquece!

São hábeis; as suas virtudes têm dedos hábeis; mas faltam-lhes os pulsos; os seus dedos não sabem desaparecer por detrás dos pulsos.

Para eles, o que modera e domestica é a virtude; assim fizeram do lobo um cão e do próprio homem o melhor animal doméstico do homem.

"Nós colocamos a nossa cadeira mesmo no meio — assim me confessa o seu sorriso — a igual distância dos gladiadores moribundos e dos imundos suínos."

Isto, porém, é mediocridade, embora lhe chamem moderação.

II

Passo por entre este povo e deixo cair muitas palavras; mas não sabem receber nem aprender.

Assombram-se de eu não vir anatematizar os apetites e os vícios, e na verdade, também não vim para pôr de sobreaviso contra os ladrões.

Admiram-se de eu não estar pronto a afinar e aguçar-lhe a sutileza: como se não tivessem ainda bastante sábios sutis, cujas vozes chiam aos meus ouvidos como rodas a que falta óleo.

E quando grito: "Maldizei todos os demônios covardes que há em vós e quereriam gemer, cruzar as mãos e adorar, então eles clamam: "Zaratustra é ímpio!"

E os seus pregadores de resignação são os que mais vociferam, mas é justamente a esses que me apraz gritar ao ouvido: "Sim! Eu sou Zaratustra, o ímpio!"

Os pregadores de resignação! Onde quer que haja ruindade, enfermidade e tinha, arrastam-se como piolhos e só por nojo os não esmago!

Pois bem! Eis o sermão que lhes prego ao ouvido: eu sou Zaratustra, o ímpio, que diz: "Quem há mais ímpio do que eu, para me regozijar com a sua ensinança?"

Eu sou Zaratustra, o ímpio; onde encontrarei semelhantes meus? Semelhantes meus são todos os que se dão a si próprios, à sua vontade se desprendem de toda a resignação.

Eu sou Zaratustra, o ímpio; no meu caldeirão cozo todos os sucessos; e só quando estão em ponto é que lhes dou as boas-vindas como sustento meu.

E mais de um acidente se me aproximou com ares de senhor; mas a minha vontade falou-lhe de uma maneira ainda mais dominante, e logo se me ajoelhou aos pés, suplicando-me lhe desse asilo e acolhesse cordialmente, dizendo em tom adulador: "Olha, Zaratustra: só um amigo pode aproximar-se assim de um amigo!"

A quem falar, porém, quando ninguém tem os meus ouvidos? Por isso quero gritar a todos os ventos:

Gente mesquinha, cada vez vos amesquinhais mais! Gente acomodatícia, estai-vos esmigalhando! E acabareis por irdes a pique com a vossa infinidade de minguadas virtudes, minguadas comissões e de minguada resignação.

O vosso solo é demasiado fofo e mole! E para uma árvore se tornar grande tem que se abraçar a duras rochas com duras raízes.

Até o que omitis a tecer a teia do futuro dos homens, até o vosso nada é uma teia de aranha e uma aranha que vive o sangue do futuro.

E quando recebeis é como se furtásseis, mesquinhos e virtuosos; até entre ladrões, contudo, diz a honra: "Só se deve furtar onde não se pode saquear."

Isto dá-se: tal é também uma doutrina de resignação; mas eu vos digo, a vós que amais as vossas comodidades: isto toma-se e tomar-se-á sempre ainda mais de vós.

Ai! se não acabardes de uma vez com essa vontade a meias! Não saberdes ser decididos tanto para a preguiça como para a ação!

Ai! se não compreenderdes estas palavras minhas: "Fazei sempre o que quiserdes; mas sede desde logo daqueles que podem querer!"

"Amais sempre o vosso próximo como a vós mesmos: mas sede desde logo dos que se amam a si mesmos — dos que se amam com grande desdém."

Assim falava Zaratustra, o ímpio.

"Mas, para que falar, quando ninguém tem os meus ouvidos! Ainda é hora demasiado matutina para mim.

Eu sou entre esta gente o meu próprio precursor, o meu próprio canto de galo nas ruas escuras.

Chega, porém, a sua hora! Chega também a minha! A cada hora se tornam mais pequenos, mais pobres, mais estéreis: pobre erva! pobre terra!

Breve estarão na minha frente como erva seca, como uma estepe, e verdadeiramente fatigados de si mesmos, e mais sedentos de fogo que de água!

Ó! bendita a hora do raio! Ó! mistério de antes do meio-dia! Há de chegar a vez de eu os converter em corrente de fogo e em profetas de línguas de chamas.

Até profetizarão com línguas de chamas: já vem, já se aproxima o Grande Meio-Dia!"

Assim falava Zaratustra.

No monte das Oliveiras

"O inverno, mau hóspede, penetra na minha morada; tenho as mãos arroxeadas do apertão da sua amizade.

Honro este hóspede maligno, mas agrada-me deixá-lo só, safar-me dele; e correndo bem, consegue uma pessoa safar-se.

Quentes os pés e o pensamento, corro aonde o vento emudece, até o rincão assoalhado do meu monte das Oliveiras.

Lá me rio do meu rigoroso hóspede, e lhe fico agradecido por me livrar das moscas e fazer calar uma porção de ruídos.

Que ele não gosta de ouvir zumbir uma mosca, e até a rua ele torna tão solitária que a luz da lua chega a ter medo da noite.

É um hóspede rígido; mas eu honro-o e não rezo ao pançudo deus do fogo, como fazem os efeminados.

Vale mais bater um pouco os dentes do que adorar ídolos! — tal a minha condição. — E eu estou mal, mormente com os deuses do fogo, como o espírito ardente, fervido e taciturno!

Quando amo, amo melhor no inverno do que no estio; zombo agora melhor e mais animosamente dos meus amigos desde que o inverno entra em minha casa.

Animosamente, até chegar a aconchegar-me na cama — ainda então ri e se diverte a minha felicidade retirada — será que ri o meu sono enganador?

Arrastar-me... eu? Nunca na minha vida me arrastei ante os poderosos, e se alguma vez menti foi por amor. Por isso estou satisfeito até numa cama de inverno.

Um leito humilde aquece-me mais do que um leito magnífico, porque eu sou zeloso da minha pobreza. E no inverno é quando a minha pobreza me é mais fiel.

Inauguro todos os dias com uma maldade: zombo do inverno com um banho frio: isto faz resmungar o meu rigoroso hóspede.

Gosto também de me cocegar com uma velazinha, para enfim permitir ao céu sair da pardacenta aurora. Que eu quando sou mais mau é de madrugada, quando chiam os baldes no poço e os cavalos relincham pelas ruas sombrias. Então espero impaciente que se levante o céu luminoso, o céu invernal de nívea barba, o velho de cabeça branca: o silencioso céu invernal que até sobre o seu sol guarda silêncio, às vezes.

Aprenderia eu com ele o amplo silêncio luminoso? Ou ele o aprenderia comigo? Ou cada um de nós o inventou para si mesmo?

A origem de todas as coisas boas é múltipla; todas as boas coisas folgazãs saltam de prazer à existência: como só o farão uma vez!

Também o longo silêncio é uma coisa boa, cheia de travessura. E olhar, à semelhança de um céu de inverno, com sereno semblante de olhos redondos, calar, como ele faz, o seu sol e a sua inflexível vontade de sol: essa arte e essa malícia do inverno aprendi-a eu bem.

A minha arte e a minha mais cara malícia em que o meu silêncio tenha aprendido a se não delatar pelo silêncio.

Com palavras e ruídos de dados, entretenho-me a iludir a gente solene que anda à espreita; quero que a minha vontade e o meu fim se subtraiam a esses severos observadores.

Para ninguém poder ver o meu fundo íntimo e a minha última vontade, inventei o longo e claro silêncio.

Encontrei mais de um inteligente que velava o semblante e turvava a sua água, para ninguém poder olhar através e para o fundo.

Era, porém, a ele positivamente que acudiam os astutos desconfiados; pescavam-se-lhe os peixes mais escondidos!

Mas os claros, os bravos, os transparentes, esses são para mim os mais silenciosos astutos: o eu fundo é tão profundo que a mais límpida água o denuncia.

Silencioso céu invernal de barba nívea, branca cabeça de redondos olhos que te ergues sobre mim! Ó! símbolo divino da minha alma e da travessura da minha alma!

E não será mister que eu me esconda como quem tragou ouro, para me não abrirem a alma?

Não será mister que eu use andas, para não repararem no comprimento das minhas pernas todos esses tristes invejosos que me rodeiam?

Todas essas almas defumadas, corrompidas, consumidas, aborrecidas, azedadas, como poderiam suportar com a sua inveja a minha ventura?

Por isso lhes revelo somente o inverno e gelo dos meus píncaros; mas não lhes revelo que ainda cingem a minha montanha todas as zonas solares.

Só ouvem sibilar as minhas tempestades de inverno; mas não sabem que passo também por quentes mares, como lânguido, pesado e ardente vento Sul.

Os meus azares e reveses inspiram-lhes dó; mas as minhas palavras dizem: "Deixai vir a mim o azar: é inocente como uma criança."

Como poderiam suportar a minha ventura, se eu a não rodeasse de acidentes e misérias invernais, de tocas de urso branco e mantos de céu de neve! Se eu não tivesse dó da sua compaixão, da compaixão desses tristes invejosos? Se não suspirasse e tiritasse diante deles, deixando-me envolver pacientemente na sua compaixão.

Eis a sábia e caritativa malícia da minha alma: não oculta o seu inverno e os seus ventos gelados; nem sequer oculta as suas frieiras.

A soledade de uns é fuga da enfermidade; a de outros é a fuga perante a enfermidade.

Ouça-me tiritar e suspirar ante o frio do inverno toda essa miséria velhaca e invejosa que me rodeia! Com tais arrepios e suspiros fujo dos seus quartos abrasados.

Lastimem-me e tenham dó de mim pelas minhas frieiras: "Acabará por se gelar com o gelo do seu conhecimento!" — É assim que gemem.

Eu, entretanto, corro de cá para lá, com os pés quentes, pelo meu monte das Oliveiras; no retiro assoalhado do meu monte das Oliveiras canto e escarneço de toda a compaixão."

Assim falava Zaratustra.

De passagem

Atravessando assim, lentamente, muitos povos e cidades, tornava Zaratustra para a sua montanha e a sua caverna. E caminhando de passagem chegou também de improviso à porta da grande cidade; mas aí caiu sobre ele, impedindo-lhe a entrada com os braços estendidos, um doido furioso. Era o mesmo louco a que o povo chamava "o macaco de Zaratustra" porque imitava um tanto a forma e a cadência da sua frase, e lhe agradava também explorar o tesouro da sua sabedoria.

O doido, portanto, falou assim a Zaratustra:

"Ó! Zaratustra! é esta a grande cidade: aqui nada tens que procurar, mas tudo a perder.

Para que queres introduzir-te neste lodaçal? Tem dó dos teus pés! Cospe à porta da cidade e torna sobre os teus passos!

Isto é um inferno para os pensamentos solitários. Aqui se cozem vivos os grandes pensamentos, aqui se reduzem à papa.

Aqui apodrecem todos os grandes sentimentos; aqui só se pode ouvir o crepitar das paixonetas ressequidas.

Não sentes já o cheiro dos matadouros e das baiucas do espírito? Não fumega esta cidade com os vapores dos espíritos sacrificados?

Não vês, penduradas, as almas, como frangalhos sujos? E desses frangalhos, todavia, fazem periódicos!

Não ouves como aqui se troca o engenho em jogo de palavras? Cospem repugnantes intrigas verbais! E dessas intrigas, fazem os de cá periódicos!

Provocam-se sem saber por quê. Entusiasmam-se e não sabem por quê. Chocalham com a sua lâmina de folha e tilintam com o seu ouro.

Sentem frio e procuram calor nas bebidas quentes; acaloram-se e procuram frescura nos espíritos álgidos; a opinião pública consome-os e torna-os febris.

Todos os apetites e todos os vícios assentaram aqui, mas há também virtuosos, há muitas virtudes hábeis e laboriosas, virtudes com dedos expedidos, com carnes duras para suportar boas assentadas, com o peito adornado de cruzinhas bentas por raparigas enchumaçadas e sem nádegas.

Também há aqui muita devoção, muita lisonja cortesã e muitas baixezas ante o deus dos exércitos.

"De cima" chovem as estrelinhas e as magnânimas cuspideiras; para cima vão os desejos de todos os peitos desprovidos de estrelinhas.

A lua tem a sua corte, e a corte seus satélites; mas o povo mendicante e as hábeis virtudes mendicantes rezam a tudo o que vem da corte.

"Eu sirvo, tu serves, nós servimos." Assim rezam ao soberano todas as virtudes hábeis, para que a merecida estrela se prenda afinal ao peito esquálido.

A lua, porém, gira em torno de tudo quanto é terrestre; assim também o soberano gira em torno do que há de mais terrestre: o ouro dos merceeiros.

O deus dos exércitos não é o deus das barras de ouro; o soberano propõe, mas o merceeiro... dispõe.

Em nome de tudo quanto é claro, forte e bom que em ti existe, Zaratustra, cospe a esta cidade dos merceeiros e torna para trás!

Aqui corre sangue viciado, pobre e espumoso, por todas as veias; cospe à grande cidade, que é o grande vazadouro onde se acumulam todos os excrementos.

Cospe à cidade das almas deprimidas e dos peitos estreitos, dos olhos penetrantes e dos dedos viscosos; à cidade dos importunos e dos impertinentes, dos escritorezitos e dos palradores, dos ambiciosos exasperados; à cidade onde se reúne todo o carcomido, desconsiderado, sensual, sombrio-putrefato, ulcerado e conjurado; cospe à grande cidade e torna sobre os teus passos!

Neste ponto, porém, Zaratustra interrompeu o louco furioso e tapou-lhe a boca.

Cala-te! — exclamou Zaratustra. — Já é tempo de me deixares com a tua linguagem e as tuas maneiras.

Por que tens vivido tanto tempo à beira do pântano, a ponto de tu mesmo te converteres em rã e sapo?

Não correrá agora em tuas próprias veias um sangue de pântano, viciado e espumoso, para teres aprendido a guinchar e a blasfemar assim?

Por que te não retiraste para o bosque? Por que não lavraste a terra? Não está o mar cheio de ilhas verdejantes?

Desprezo o teu desdém; e já que me prevines, por que te não prevenistes a ti mesmo?

Só do amor há de surgir o meu desdém e a minha ave anunciadora; não do pântano!

Chamam-te o meu macaco, doido raivoso; mas eu chamo-te suíno grunhidor; com o teu grunhido acabas por me estropiar o meu elogio da loucura.

Em princípio, quem foi que te fez grunhir? Não te adularam bastante. Por isso te sentaste ao lado dessas imundícies, a fim de teres numerosas razões de vingança. Que a vingança, louco vaidoso, é a tua espuma toda: calei-te perfeitamente!

A tua língua de louco, porém, prejudica-me até naquilo em que tens razão. E ainda que tivesse mil vezes razão a palavra de Zaratustra, tu sempre ma tirarias com a minha própria palavra!

Assim falava Zaratustra, e olhando a grande cidade, suspirou e ficou longo tempo calado. Por fim disse:

Também eu estou desgostoso nesta grande cidade, e não é só deste louco. Aqui e ali nada há que melhorar, nada há que piorar.

Ai desta grande cidade! Quereria ver já a coluna de fogo em que se há de consumir.

Que tais colunas de fogo hão de proceder o Grande Meio-Dia: Isto, contudo, tem o seu tempo e o seu próprio destino.

A ti, louco, te dou este ensinamento a modo de despedida: onde já se não pode amar, deve-se... passar!

Assim falava Zaratustra, e passou por diante do louco e da grande cidade.

Dos trânsfugas

I

Ai! como já está triste e cinzento neste prado tudo o que há pouco estava ainda verde e cheio de cor! E quanto mel de esperança eu daqui levei à minha colmeia!

Todos estes corações juvenis se tornaram já velhos: e nem velhos sequer! Simplesmente fatigados, comuns e cômodos. Explicam-no, dizendo:

"Tornamos a ser piedosos."

Ainda não há muito os vi à primeira hora a andar briosamente; mas as pernas do conhecimento fatigaram-se-lhes e agora caluniam até os seus brios da manhã.

Na verdade mais de um alçava dantes as pernas como um bailarino, o riso acenava-lhe com a minha sabedoria; mas depois refletiu e acabo de o ver curvado... arrastando-se até a cruz.

Dantes giravam em redor da luz e da liberdade como mosquitos e jovens poetas.

Um pouco mais velhos, um pouco mais frios, e já estão acocorados ao amor do lume como santarrões.

Desfaleceram por me haver tragado a soledade como uma baleia? Teriam debalde prestado ouvidos durante longo tempo às minhas trombetas e aos meus gritos de arauto?

Ai! Sempre são muito poucos os que têm um coração de largo fôlego e larga impetuosidade; e são também os únicos de espírito perseverante. Tudo o mais é covardia.

E o mais é sempre a grande massa, o ordinário, o supérfluo, os que estão demais. Todos estes são covardes!

Aquele que for da minha têmpera tropeçará no seu caminho com aventuras iguais às minhas; de forma que os seus primeiros companheiros devem ser cadáveres e acrobatas.

Os seus segundos companheiros, porém, chamar-se-ão seus crentes: um exame animado, muito mar, muita loucura, muita veneração infantil.

A estes crentes não deve ligar o seu coração aquele que dentre os homens for da minha índole; nessas primaveras e nesses prados de variadas cores, o que conhece não deve presumir a fraca e fugitiva condição humana.

Se pudessem doutra maneira quereriam também doutra maneira. As coisas por metade prejudicam o todo. Se há folhas que murcham, por que se há de queixar uma pessoa?

Deixa-a cair, Zaratustra, e não te queixes! Pelo contrário: varre-as com o sopro do teu vento; varre essas folhas, Zaratustra! Aparte-se de ti tudo quanto é murcho!

II

"Tornamos a ser piedosos" — assim confessam os trânsfugas; e muitos deles ainda são demasiado covardes para o confessar assim.

A estes encaro eu, a estes digo eu nas suas caras envergonhadas: Sois vós os que rezam outra vez!

Rezar, todavia, é uma vergonha! Não para toda a gente; mas para ti e para mim e para quantos têm a sua consciência na cabeça. Para ti é uma vergonha rezar!

Bem o sabes: o covarde demônio que dentro de ti se compraz em juntar as mãos e em cruzar os braços, e que desejaria ter uma forma mais fácil, esse covarde demônio disse-te: "Há um Deus!"

Assim, pois, fazes parte dos que temem a luz, daqueles a quem a luz nunca deixa repouso; tens agora que ocultar todos os dias a cabeça mais profundamente na noite e nas trevas.

E na verdade, escolheste bem a tua hora; porque as aves noturnas tornaram a erguer o voo. Chegou a hora dos seres que temem a luz, a hora do descanso em que... se não descansa.

Ouço-o bem: chegou a hora da sua caçada — não de uma caçada infernal, mas mansa, suave, farejando pelos cantos sem fazer mais ruído que o murmúrio de uma reza: caçadas de santarrões cheios de alma: todas as ratoeiras dos corações estão novamente preparadas!

E onde quer que erga uma cortina logo sai para fora uma borboleta noturna.

Estaria ali acaçapada com outra borboleta noturna? Que eu em toda parte pressinto pequenas comunidades ocultas e em toda parte em que houver esconderijos haverá novos beatos e cheiro de beatos.

Estarão reunidos durante noites inteiras e dizem entre si: — "Tornemos a ser crianças e invoquemos o Senhor!" Os piedosos confeiteiros deram-lhe cabo da boca e do estômago.

Ou contemplam durante longas noites alguma astuta aranha espreitando, que predica a astúcia às próprias aranhas, ensinando: "É bom tecer sob as cruzes!"

Ou passam dias inteiros sentados, munidos de canas de pesca, na margem dos pântanos, e julgam que aquilo é que é ser profundo; mas o que pesca onde não há peixes parece-me que nem sequer é superficial.

Ou aprendem alegremente a tocar harpa com um versejador que se desejaria insinuar no coração das donzelas, porque está cansado das velhas e dos seus elogios.

Ou aprendem a espavorir-se com algum sábio tresloucado que espera em quartos escuros que apareçam os espíritos... enquanto o seu espírito desaparece completamente!

Ou escutam um velho charlatão, músico ambulante a quem ventos tristes ensinaram toadas lamentosas: agora sibila à semelhança do vento e predica a compreensão em tom compungido.

E alguns até se tornam guardas-noturnos; sabem agora tocar cornetas, rondar de noite e despertar antigas coisas há muito tempo adormecidas.

Ontem à noite, ao lado do ripado de um jardim, ouvi algumas palavras a propósito dessas coisas alheias que procediam desses velhos guardas, tristes e mirrados.

"Sendo pai, não vela bastante pelos filhos: pais humanos fazem-no melhor do que ele."

"É velho demais. Já nada se ocupa dos seus filhos." Assim respondeu o outro guarda.

"Mas terá ele filhos? Ninguém o pode provar, se ele mesmo o não prova. Há muito que eu quereria que ele o provasse fundamente."

"Provar? Acaso provou ele alguma vez alguma coisa? Custam-lhe as provas; tem muito empenho em que o acreditem."

"Sim, sim! Salva-o a fé, a fé em si mesmo! É a condição dos velhos! A nós sucede-nos o mesmo!"

Assim conversaram os dois morcegos, inimigos da luz: depois tocaram tristemente as cornetas; eis o que se passou ontem à noite, ao lado do velho ripado do jardim.

Entretanto o meu coração contorcia-se de riso; queria estalar, mas não sabia como, e ria, ria.

Na verdade, a minha morte será afogar-me em riso, vendo asnos embriagados e ouvindo assim morcegos duvidarem de Deus.

Não passou há muito o tempo de tais dúvidas? Quem teria ainda o direito de despertar do seu sono coisas tão inimigas da luz?

Há muito que se acabaram os antigos deuses, e na verdade tiveram um bom e alegre fim divino!

Não passaram pelo "crepúsculo" para caminhar para a morte — é uma mentira dizê-lo! — Pelo contrário: mataram-se a si mesmos a poder de... riso!

Sucedeu isso quando chegaram a pronunciar-se por um deus as palavras mais ímpias — as palavras: só há um Deus! Não terás outros deuses a par de mim!

Um deus velho, colérico e zeloso, que se excedeu a esse ponto.

Então todos os deuses se puseram a rir, e agitando-se nos seus assentos, exclamaram: "Não se baseia precisamente a divindade em haver deuses, e não Deus?

Quem tiver ouvidos que ouça."

Assim falava Zaratustra na cidade que amava, e que se chama a Vaca Malhada. Que dali só mediam dois dias de caminho para chegar à sua caverna ao pé dos animais que amava, e sempre se lhe alegrava a alma ao aproximar-se o seu regresso.

O regresso

Ó! soledade! Pátria minha! Vivi muito tempo selvagem em selvagens países estranhos para não regressar a ti sem lágrimas!

Ameaça-me agora com o dedo, como uma mãe, sorri-me como sorri uma mãe, e diz somente: "Quem foi que em tempos fugiu do meu lado como um torvelinho? Aquele que ao retirar-se exclamou: Demasiado tempo fiz companhia à soledade; esqueci então o silêncio? Foi isso, sem dúvida, o que ora aprendeste?

Ó! Zaratustra! sei tudo! e sei que tu, irmão, te sentes mais abandonado entre a multidão do que jamais estiveste comigo.

Uma coisa é o abandono, e outra a soledade; eis o que aprendeste agora! Que entre os homens serás sempre selvagem e estranho mesmo que te amem; porque, primeiro que tudo querem que se lhes guarde consideração.

Aqui, porém, estás na tua pátria e na tua casa; podes aqui dizer tudo e espraiar-te completamente: aqui ninguém se envergonha de sentimentos ocultos e tenazes.

Aqui todas as coisas se aproximam da tua palavra com carícias e te animam: porque te querem subir ao ombro.

Montado em todos os símbolos, cavalgas aqui para todas as verdades.

Aqui podes falar a todas as coisas com retidão e franqueza, e na verdade, tudo o que se lhes fale com retidão lhes soa como um elogio.

O abandono é muito diferente. Recordas-te Zaratustra? Quando a tua ave se pôs a gritar por cima de ti, estando tu no bosque, indeciso, sem saber para onde ir, ao lado de um cadáver, quando dizias: "Guiem-me os meus animais! Encontrei mais perigo entre os homens do que entre os animais." Aquilo era abandono.

E lembras-te, Zaratustra? Quando estavas sentado na tua ilha, fonte de vinho entre baldes vazios, dando de beber constantemente aos sequiosos, até que afinal foste o único sequioso entre bêbados, e dizias de noite lastimando-te: "Não será maior gozo aceitar do que dar? E não será gozo ainda maior roubar que aceitar?" Aquilo era abandono!

E recordas-te, Zaratustra? Quando chegou a tua hora mais silenciosa e te pôs fora de ti: quando te segredou maliciosamente: "Fala e sucumbe!" Quando te desgostou da tua espera e do teu silêncio, e abateu o teu decaído ânimo? "Aquilo era abandono!"

Ó! soledade! Pátria minha! Como a tua voz me fala celestial e afetuosamente!

Nós não nos interrogamos, não nos queixamos um ao outro: francamente passamos junto pelas portas francas.

Que em ti está franco e iluminado, e as próprias horas deslizam aqui mais ligeiras, pois na obscuridade o tempo nos parece mais pesado do que a luz.

Aqui se me revela a essência e a expressão de todas as coisas: tudo o que existe se quer exprimir aqui, e tudo o que está em via de existir quer aprender a falar de mim.

Além todo o discurso é vão! A melhor sabedoria é esquecer e passar: foi isto o que aprendeste agora.

O que quisesse compreender tudo entre os homens teria que aprender tudo: mas para isso tenho eu as mãos limpas demais.

A mim já me não agrada respirar o seu hálito. Ai! ter eu vivido tanto tempo entre o seu ruído e o seu mau hálito.

Ó! bendita soledade! Ó! puros aromas! Como este silêncio aspira o ar puro a plenos pulmões! Como este bendito silêncio escuta!

Em troca, além tudo fala e nada se ouve. Embora uma pessoa anuncie o seu saber a toques de campainha, os merceeiros abafarão o som na praça pública com o ruído das suas moedas.

Entre eles tudo fala: já ninguém sabe compreender. Tudo cai à água; nada cai em fontes profundas.

Entre eles tudo fala; já nada se consegue nem conclui.

Tudo cacareja; mas quem é que quer ficar ainda no ninho a chocar ovos?

Entre eles tudo fala, tudo se dilui. E o que ontem era ainda demasiado duro para o próprio tempo e para os seus dentes, hoje pende, despegado e roído, da boca dos homens atuais.

Entre eles tudo fala, tudo se divulga. E o que antigamente se chamava mistério e segredo das almas profundas pertence hoje às tormentas do arroio.

Ó! singular natureza humana! Bulício em ruas escuras. Agora ficas atrás de mim: o meu maior perigo fica atrás!

As contemplações e a compaixão foram sempre o meu maior risco, e todos os seres humanos querem ser contemplados e socorridos.

Com verdades dissimuladas, com as mãos loucas e enlouquecido o coração, rico em piedosas mentiras; assim vivi sempre entre os homens.

Eu estava entre eles disfarçado, disposto a desconhecer-me para os suportar, comprazendo-me em dizer para me convencer: "Louco, não conheces os homens!"

Esquece-se o que os homens são quando se vive com eles. Há demasiadas afinidades em todos os homens.

E se eles me desconheciam, eu, louco, olhava-os ainda com mais indulgência do que a mim — pois estava acostumado a ser rigoroso para mim mesmo — e frequentes vezes me vingava em mim dessa indulgência.

Picado de moscas venenosas e roído como pedras pelas numerosas gotas de maldade, assim estava eu entre eles, e ainda dizia comigo: "Tudo quanto há-de pequeno é inocente da sua pequenez!"

Especialmente os chamados "bons" foram os que me pareceram as moscas mais venenosas: picam com toda a inocência; mentem com toda inocência. Como poderiam ser justos comigo?!

A piedade ensina a mentir aos que vivem entre os homens. A piedade torna a atmosfera carregada para todas as almas livres. Que a estupidez dos bons é insondável.

Ocultar-me a mim mesmo é minha riqueza: eis o que lá aprendi — porque todos se me mostram pobres de espírito.

A mentira da rainha compaixão foi olhar e sentir em cada um o que para ele era bastante espírito e o que era espírito demais.

Aos seus rígidos sábios chamei sábios, mas não rígidos — aprendi assim a comer palavras. — Aos seus coveiros chamei investigadores e escrutadores — aprendi assim a trocar palavras.

Os coveiros colhem enfermidades à força de cavar sepulturas. Sob velhos escombros dormem exalações insalubres.

Não é necessário remover os atoleiros; basta viver nos montes.

Com o nariz satisfeito respiro outra vez a liberdade dos montes! Afinal libertou-se o meu nariz do cheiro de todos os seres humanos!

Cocegada pelo ar vivo como por vinhos espumantes a minha alma buliçosa exclama contente: "À tua saúde!"

Assim falava Zaratustra.

Dos três males

I

No meu último sonho de madrugada, encontrava-me eu num promontório... para além do mundo; tinha uma balança na mão e pesava o mundo.

Ó! Por que veio a aurora demasiado cedo para mim? Despertou-me o ardor da muita zelosa! Que ela é sempre zelosa do ardor dos meus sonhos matinais.

Medível para o que tem tempo, pesável para um bom pesador, exequível para asas vigorosas, adivinhável para divinos brita-nozes: assim viu o meu sonho o mundo.

O meu sonho, atrevido navegante, meio baixel, meio rajada de vento, silencioso como a mariposa, impaciente coma o falcão; que paciência teve hoje para pesar o mundo!

Falar-lhe-ia em segredo a minha sabedoria, a minha sabedoria diurna, risonha e desperta que zomba de todos "os mundos infinitos?" Que ela diz: "Onde há força conquista-se também o número, que é o que tem mais força."

Com que segurança o meu sonho olhou este mundo infinito! Não era curiosidade, nem indiscrição, nem temor, nem súplica.

Como se apresentasse à mão uma grande maçã — uma maçã de ouro, madura, fresca e de macia pele — assim se me apresentou o mundo.

Como se uma árvore me acenasse — uma árvore de grandes ramos, de vontade firme, curvada como para presentear com o seu apoio o fatigado viajante: — assim se encontrava o mundo no meu promontório.

Como se graciosas mãos me estendessem um cofre — um cofre aberto para deleite dos ursos pudicos e reverentes: — assim saiu o mundo ao meu encontro.

Enigma insuficiente para afugentar o amor dos homens, solução incapaz de adormecer a sabedoria dos homens; uma coisa humanamente boa: tal me pareceu hoje o mundo de que tanto mal se diz.

Quanto agradecido estou ao meu sonho de manhã por ter assim pesado o mundo à primeira hora! Como uma coisa humanamente boa, me chegou esse consolador do coração!

E para proceder como ele, para me servir de exemplo o melhor seu, quero pôr agora na balança os três males maiores e pesar humanamente bem.

O que ensinou a abençoar, ensinou também a amaldiçoar; quais são as três coisas mais amaldiçoadas no mundo? São essas que quero pôr na balança.

A voluptuosidade, o desejo de dominação, o egoísmo: estas três coisas têm sido as mais difamadas e caluniadas até hoje; são estas três coisas que quero pesar humanamente bem.

Belo! Eis aqui o meu promontório, e eis ali o mar: com mil carícias se me dirige, correndo, o mar ondeado, esse cão velho e fiel, monstro de cem cabeças a quem eu estimo.

Pois hei-de aqui suster a balança, sobre o mar ondeante; e elejo também uma testemunha; és tu, árvore solitária, de forte perfume e de ampla abóbada, árvore querida!

Por que ponte vai o presente para o futuro? Qual é a força que compele o alto a descer para baixo? E que foi que obrigou a coisa mais alta a crescer ainda mais?

Agora a balança está imóvel e em equilíbrio; lancei nela três pesadas perguntas: o outro prato sustem três pesadas respostas.

II

Voluptuosidade, és para todos os desprezadores do corpo cingidos de cilício o seu aguilhão e mortificação, e o "mundo maldito" para todos os que creem em além-mundos; porque a voluptuosidade se ri e moteja de todos os heréticos.

Voluptuosidade, és para a canalha o fogo lento em que a queimam; para toda a madeira carcomida e de todos os trabalhos hediondos o grande forno ardente.

Voluptuosidade, és para os corações livres qualquer coisa inocente e livre, as delícias do jardim terrestre transbordante de gratidão do futuro presente.

Voluptuosidade, só és um veneno deleitoso para os melancólicos; para os que têm a vontade do leão, és o maior cordial, o vinho dos vinhos, que se economiza religiosamente.

Voluptuosidade, és a maior felicidade simbólica para a ventura e a esperança superior. Que há muitas coisas a que é permitido o consórcio, e mais que o consórcio, muitas coisas que são mais estranhas para si do que o homem para a mulher; e quem compreendeu, até que ponto são estranhos um para o outro, o homem e a mulher?

Voluptuosidade... Mas quero limitar os meus pensamentos e também as minhas palavras, para os sórdidos e os exaltados me não invadirem os jardins.

Desejo de dominar: o açoite pungente dos mais duros de todos os corações endurecidos, o martírio espantoso reservado ao mais cruel, a chama sombria das fogueiras vivas.

Desejo de dominar: o afã que sentem os povos mais vãos, o que zomba de todas as virtudes incertas, o que cavalga sobre todos os orgulhos.

Desejo de dominar: o terremoto que quebra e desagrega tudo quanto é velho e oco, o furioso destruidor de todos os sepulcros caídos, o sinal de interrogação que surge ao lado das respostas prematuras.

Desejo de dominar: ante cujo olhar se arrasta e humilha o homem, descendo abaixo da cobra e do suíno, até que, enfim, clama nele o grande desprezo.

Desejo de dominar: o terrível mestre que ensina o grande desprezo, que predica na cara de cidades e de impérios: "Tira-te daí!" até que afinal exclamam eles próprios: "Fora eu!"

Desejo de dominar: que ascende também até os puros e os solitários a fim de os atrair, que ascende até as alturas da satisfação de si mesmo, ardente como um amor que pinta no céu terrestre sedutoras beatitudes purpúreas.

Desejo de dominar... Mas quem quereria chamar a isto um desejo quando para baixo é que a altura aspira ao poder!

Nada há de febril nem doentio em tais desejos e decadências!

Não se condene a altura solitária à eterna soledade, nem se contente de si! Desçam as montanhas para os vales e os ventos das alturas para as planícies!

Ó! quem encontrasse o verdadeiro nome para batizar e honrar semelhante desejo! "Virtude dadivosa." Assim chamou Zaratustra noutro tempo a essa coisa inefável.

E também então — pela primeira vez, decerto — elogiou a sua palavra o egoísmo, o bom e o são egoísmo que brota da sua alma poderosa a que corresponde o corpo elevado, belo, vitorioso e reconfortante, em redor do qual tudo se troca em espelho: o corpo flexível e persuasivo, o dançarino cujo símbolo e expressão é a alma contente de si mesma.

Ao próprio contentamento de tais corpos e tais almas chama-se "virtude".

Com os seus assertos sobre o bem e o mal essa alegria protege-se a si própria como se se rodeasse de bosques sagrados; com os nomes da sua ventura, desterra para longe de si tudo o que é desprezível.

Desterra para longe de si tudo quanto é covarde; diz ela: Mau é o que é covarde.

Desprezível lhe parece o que sofre, suspira e se queixa sempre e arrebanha até as menores utilidades.

Despreza também toda a sabedoria que floresce na obscuridade, uma sabedoria de sombra noturna, como a que suspira sempre: "tudo é vão".

Não estima a medrosa desconfiança, nem aqueles que preferem juramentos em vez de olhares e mãos, tampouco a sabedoria desconfiada demais, porque tudo isto é próprio de almas covardes.

Ainda mais baixo lhe parece o obsequioso, o cão que se deita depois de costas, o humilde; e também há sabedoria humilde, piedosa e obsequiosa.

Odeia e tem asco àquele que nunca se quer defender, àquele que engole as salivas venenosas e os olhares de revés, ao pacientíssimo que tudo suporta e com tudo se contenta: porque isso é próprio da ralé servil.

Se há alguém que é servil ante os deuses e os pés divinos ou ante os homens e ante estúpidas opiniões de homens, a todo esse servilismo cospe na cara este bendito egoísmo.

Mau; assim chama a tudo o que é baixo, ruim e servil, aos olhos vesgos e submissos, aos corações contritos e essas criaturas falsas e rasteiras que beijam com lábios covardes.

E pseudossabedoria: chama assim às insulsas pretensões da gente servil, dos velhos e dos aborrecidos, e sobretudo à absurda loucura pedante dos sacerdotes.

Os falsos sábios, todos os sacerdotes, os enfastiados do mundo, a gente de alma efeminada e servil, ó! como tem conseguido o egoísmo com as suas manhas!

E propriamente devia ser virtude e chamar-se virtude o perseguir o egoísmo!

E todos esses covardes, e todas essas aranhas, cansadas de viver desejam eximir-se com boas razões de apego à própria pessoa!

Para todos eles, porém, chega agora a luz, a espada da justiça, o Grande Meio-Dia: manifestar-se-ão aqui muitas coisas!

E o que glorifica o eu e santifica o egoísmo esse, o adivinho, diz na verdade o que sabe: "vedes: vem aí, aproxima-se já o Grande Meio-dia!"

Assim falava Zaratustra.

Do espírito do pesadume

I

A minha boca é a do povo: falo grosseiro e singelamente demais para os hipócritas. A minha palavra, porém, ainda parece mais estranha aos escrevinhadores.

A minha mão é uma mão de louco: pobres de todas as mesas e de todas as paredes e de quanto ofereça espaço para rabiscos e borrões de louco!

O meu pé é casco de cavalo; com ele troto e galopo por montes e vales, de cá para lá, e no transporte de toda a carreira rápida, sou da pele do diabo.

Meu estômago talvez seja estômago de águia, pois a tudo prefere a carne de cordeiro; mas certamente é estômago de ave.

Sustentado com coisas inocentes e com pouco, pronto a voar e impaciente por tomar a voo: assim sou. De resto tenho o quer que seja de ave!

Eu sou como uma ave, sobretudo por ser inimigo do espírito do pesadume: inimigo deveras mortal, inimigo jurado, inimigo inato! Aonde não voou já a minha inimizade!

A este respeito poderia entoar um canto... e quero entoá-lo, conquanto esteja só numa casa vazia e tenha que o cantar aos meus próprios ouvidos.

Há também outros cantores que não têm a garganta expedita, a mão eloquente, expressivo o olhar e o coração desperto, senão quando têm a casa cheia: não me pareço com eles.

II

Aquele que um dia ensinar os homens a voar, destruirá todas as barreiras; para eles as próprias barreiras voarão pelos ares; batizará novamente a terra chamando-lhe "a leve".

O avestruz corre mais depressa que o mais veloz corcel; também enterra a cabeça na pesada terra; assim é o homem que ainda não sabe voar.

A terra e a vida parecem-lhe pesadas, e é isso o que quer o espírito do pesadume! Aquele que, porém, deseje ser leve como uma ave deve amar-se a si mesmo: assim predico eu.

Claro, não é amar-se com o amor dos enfermos e dos febricitantes; porque nestes até o amor-próprio cheira mal.

É preciso aprender a amar-se a si próprio com o amor são, a fim de aprender a suportar-se a si mesmo e a não rondar fora de si.

Tal ronda chama-se "amor ao próximo"; é com esta expressão que se tem mentido e fingido mais, especialmente por parte daqueles a quem todo o mundo suporta dificilmente.

E não é um mandamento para hoje nem para amanhã este de aprender a amar-se a si mesmo. É, pelo contrário, a mais sutil, a mais astuta, a última e a mais paciente de todas as artes.

Que toda a propriedade está oculta para o seu possuidor, e de todos os tesouros o que mais tarde se descobre é o que vos pertence em propriedades: é esta a obra do espírito do pesadume.

Quase no berço ainda nos dotam de pesadas palavras e pesados valores: "bem" e "mal" — assim se chama o patrimônio. — Por causa dele nos desculpam viver.

E se os homens deixam aproximar de si as crianças é para impedir a tempo que se armem a si próprias: tal é a obra do espírito do pesadume.

E nós... arrastamos fielmente aquilo com que nos carregam, sobre duros ombros e por áridos montes! Se suamos, dizem-nos:

"É verdade: a vida é uma carga pesada!"

A única coisa pesada, porém, para o homem levar é o próprio homem! É que arrasta aos ombros demasiadas coisas estranhas. Como o camelo, ajoelha-se e deixa-se carregar bem.

Mormente o homem forte, resistente, cheio de veneração: esse carrega aos ombros demasiadas palavras e valores estranhos e pesados; agora a vida parece-lhe um deserto.

E, na realidade, muitas coisas que nos são próprias são também pesadas de levar!

E o interior do homem parece-me muito com a ostra: repelente, viscosa e difícil de apanhar, de forma que uma nobre concha de nobres adornos se vê obrigada a interceder pelo resto, mas também se deve aprender essa arte: possuir casca, uma bela aparência e uma sábia cegueira.

Também nos enganamos muito acerca do homem, por haver muita casca pobre e triste de excessiva grossura. Há muita força e bondade ocultas que jamais se adivinharam: os manjares mais esquisitos não encontram afeiçoados.

As mais delicadas mulheres o sabem: um pouco mais um pouco menos de carnes, varia muitos destinos!

O homem é difícil de descobrir, e ainda mais para si mesmo; a inteligência mente amiúde acerca do coração. Eis a obra do espírito do pesadume.

Mas aquele que diz: este é o meu bem e o meu mal, esse descobriu-se a si mesmo. Com isso faz emudecer o míope e o anão que dizem: "Bem para todos, mal para todos."

Em verdade, também não me agradam aqueles para quem todas as coisas são boas, e que chamam a este mundo o melhor dos mundos. Chamo-lhes insatisfeitos.

A facilidade de gostar de tudo não é dos melhores gostos. Louvo as línguas delicadas e os estômagos escrupulosos que aprendem a dizer: "Eu" e "Sim" e "Não".

Mastigar e digerir tudo, porém... é fazer como os suínos. Dizer sempre Sim, isso só os asnos e os da sua espécie aprendem.

O que meu gosto deseja é o amarelo intenso e o roxo quente — mistura de sangue com todas as cores. — Mas aquele que caia de branco revela ter uma alma caiada de branco.

Uns, enamorados de música, outros de fantasmas e todos igualmente inimigos da carne e do sangue; como são todos contrários ao meu gosto. Que a mim agrada-me o sangue.

Eu não quero estar onde toda a gente escute: é este agora o meu gosto: preferia viver entre perjuros e ladrões. Ninguém tem ouro na boca.

Mas ainda me repugnam mais os engolidores de salivas; e ao animal mais repugnante que tenho visto entre os homens chamei-lhe de parasitas: não queria amar e queria viver do amor.

Chamo desgraçado a todos aqueles que só podem escolher entre duas coisas: tornarem-se animais ferozes ou ferozes domadores de animais; não queria erguer a minha tenda ao seu lado.

Chamo desgraçado também aos que têm que estar sempre à espera, são o contrário de mim, todos esses aduaneiros e tendeiros e reis e demais guardiães de países e de lojas.

Eu também aprendi profundamente a esperar, mas a esperar-me a mim. E aprendi sobretudo a ter-me de pé, a andar, a correr, a saltar, a trepar e a bailar.

Que a minha doutrina é esta: o que quer aprender a voar um dia deve desde logo aprender a ter-se de pé, a andar, a correr, a saltar, a trepar e a bailar; não se aprende a voar logo à primeira!

Com escadas de corda aprendi a escalar mais de uma janela; com pernas ágeis trepei a elevados mastros não me parecia pequena ventura encontrar-me no cimo dos altos mastros do conhecimento, oscilando como uma labaredazinha: uma luzinha tão só, mas um grande consolo todavia, para as embarcações encalhadas e para os náufragos.

Cheguei à minha verdade por muitos caminhos e de muitas maneiras; não subi por uma escada só à altura donde os meus olhos olham ao longe.

E nunca perguntei o caminho sem me contrariar. — Sempre fui contrário a isso. — Sempre preferi interrogar e submeter à prova os próprios caminhos.

Provando e interrogando foi assim que caminhei, e naturalmente é mister aprender também a responder a semelhantes perguntas.

Eis o meu gosto: não é um gosto bom nem mau; mas é o meu gosto, e não tenho que o ocultar nem que me envergonhe dele.

"Este é agora o meu caminho; onde está o vosso?" Era o que eu respondia aos que me perguntavam "o caminho". Que o caminho... o caminho não existe.

Assim falava Zaratustra.

Das antigas e das novas tábuas

I

Aqui aguardo sentado, rodeado de antigas tábuas quebradas, e também de tábuas novas meio escritas. Quando chegará a minha hora? A hora do meu descimento, da minha declinação: porque eu quero voltar outra vez para o lado dos homens.

Eis o que quero agora; hão de vir os sinais indicadores de que chegou a minha hora; o leão risonho com o bando de pombas.

Entretanto, como tenho tempo falo comigo mesmo. Ninguém me conta coisas novas; por conseguinte, narro-me eu a mim mesmo.

II

Quando vim para o lado dos homens, achei-os fortificados numa estranha presunção: todos julgavam saber há muito tempo o que é bem e mal para o homem.

Toda a discussão sobre a virtude lhes parecia coisa velha e cansada, e o que queria dormir tranquilamente até falava do "bem" e do "mal" antes de se ir deitar.

Eu sacudi o torpor desse sono quando ensinei: Ninguém sabe ainda o que é o bem e mal... a não ser o criador.

Só o que cria o fim dos homens e o que dá o sentido e futuro à terra, só esse cria o bem e o mal de todas as coisas.

E eu ordenei-lhes que derribassem as suas antigas cátedras, e onde quer que exista essa estranha presunção, mandei-os rir dos seus grandes mestres de virtude, dos seus santos, dos seus poetas e dos seus salvadores do mundo.

Mandei-os rir dos seus sábios austeros, e punha-os em guarda contra os negros espantalhos plantados na árvore da vida.

Sentei-me à beira da sua grande rua de sepulturas, até entre os abutres, e ri-me de todo o seu passado e do triste esplendor desse passado ruinoso.

À semelhança dos pregadores de Quaresma e dos loucos, fulminei anátemas contra as suas grandezas e pequenezas. — Como é pequeno o melhor deles! E igualmente pequeno o pior! — Assim me ria.

E frequentemente o meu desejo me levou muito longe, mais além, para o alto, por entre risos; eu então voava estremecendo como uma flecha através dos êxtases ébrios de sol: voava para remotos futuros que nenhum sonho viu, para meios-dias mais cálidos dos que jamais pôde sonhar a fantasia — para além onde os deuses se envergonham de todos os vestidos — a fim de falar em parábolas e balbuciar e coxear como os poetas, e na verdade, envergonho-me de ser ainda poeta!

Voava aonde todo acontecimento me parecia bailes e travessuras divinas, e o mundo só e desenfreado refugiando-se em si mesmo; como um eterno fugir e procurar muitos desses; como o bendito contradizer--se, rir-se e tornar a si de muitos deuses.

Aonde todo o tempo me parecia uma deliciosa zombaria dos instantes, aonde a necessidade era a mesma liberdade, que brincava satisfeita com o aguilhão dessa liberdade.

Aonde tornei a encontrar também o meu antigo demônio e inimigo inato, o espírito de pesadume e tudo o que ele criou: a coação, a lei, a necessidade, a consequência, o fim, a vontade, o bem e o mal.

Pois não é necessário haver coisas sobre as quais se possa dançar e passear dançando? Não é necessário que haja, por causa dos leves e dos mais leves, míopes e pesados anões?

III

Também além apanhei no meu caminho a palavra "Super-homem" e esta doutrina: o homem é uma coisa que deve ser superada; o homem há de ser uma ponte, e não um fim: satisfeito do seu meio-dia e da sua tarde. A palavra de Zaratustra sobre o grande Meio-dia, suspendi aos ombros como um segundo manto de púrpura.

Fiz-lhes também ver novas estrelas e novas noites, e sobre as nuvens e o dia e a noite estendi o riso como um verdadeiro tapete de variadas cores.

Ensinei-lhes todos os meus pensamentos e todas as minhas aspirações: a concentrar e a unir tudo o que no homem não é mais que fragmento e enigma e pavoroso azar.

Como poeta, como adivinho de enigmas, como redentor do azar, ensinei-os a serem criadores do futuro e a salvar criando tudo o que foi.

Salvar o passado no homem e transformar tudo "o que foi" até a vontade de dizer: "Mas eu queria que fosse assim! Assim o hei de querer!"

Eis o que chamei a sua salvação; só a isso os ensinei a chamar salvação.

Agora espero a minha para voltar pela última vez ao lado deles.

Que mais uma vez quero voltar para o lado dos homens: quero desaparecer entre eles, e oferecer-lhes, ao morrer, o mais rico dos dons.

Eis o que aprendi do sol, desse opulento sol de inesgotável riqueza que, ao pôr-se, derrama o seu ouro pelo mar; por isso, até os mais pobres pescadores remam com dourados remos! Vi isto uma vez, e enquanto o via, as minhas lágrimas não se cansavam de correr...

À maneira do solo, quer desaparecer também, Zaratustra: senta-se agora aqui a esperar, rodeado de antigas tábuas quebradas e de tábuas novas... meio escritas.

IV

Vede: tendes aqui uma nova tábua; mas onde estão os meus irmãos para a levarem comigo ao vale e aos corações de carne?

Assim o exige o meu grande amor aos mais afastados: não vejas pelo teu próximo! O homem é coisa que deve ser superada.

Pode uma pessoa chegar a superar-se por múltiplos meios e caminhos: isso é coisa tua. Só um jogral pensa: "Também se pode saltar por cima do homem."

Supera-te a ti mesmo, até no teu próximo, e não consintas te deem um direito que possas conquistar.

O que tu fazes ninguém te pode forçar a fazer. Fica sabendo: não há recompensa.

O que se não pode mandar a si mesmo deve obedecer.

E há quem saiba mandar, mas esteja ainda muito longe de saber obedecer."

V

Tal é a condição das almas nobres: nada querem ter gratuitamente, e menos que tudo, a vida.

O que forma parte da populaça quer viver gratuitamente; mas nós, a quem a vida se deu, pensamos sempre ao melhor que poderíamos dar em troca.

E na verdade é nobre a linguagem que diz: "O que a vida nos prometeu a nós, queremo-lo nós cumprir... à vida!"

Não se deve querer gozar onde se não é motivo de gozo. E... não se deve querer gozar!

Que o gozo e a inocência são as coisas mais pudicas: nenhuma delas quer ser procurada.

É preciso possuí-las; mas ainda vale mais procurar a culpa e a dor.

VI

Meus irmãos, aquele que é uma primícia há de ser sempre sacrificado; e nós agora somos primícias.

Todos sangramos no altar secreto dos sacrifícios, todos ardemos e nos assamos em honra dos velhos ídolos.

O melhor de nós é ainda novo: excita os paladares velhos. A nossa carne é tenra, a nossa pele não é mais do que uma pele de cordeiro: como não havemos de tentar velhos sacerdotes idólatras?

Em nós mesmos respira ainda o velho sacerdote idólatra que se prepara para celebrar um festim com o melhor que temos.

Ai, meus irmãos! como não hão de ser os precursores sacrificados!

Mas assim o quer a nossa condição, e eu amo os que se não querem conservar. Amo de todo o meu coração os que desaparecem, porque passam para o outro lado.

VII

Ser verídicos... poucos o sabem! E o que o sabe não o quer ser! E menos que ninguém, os bons.

Os tais bons. Os homens bons nunca dizem a verdade. Ser bom de tal maneira é uma enfermidade para o espírito.

Esses bons cedem, rendem-se; a sua memória repete como um eco e a sua razão obedece; não se ouve a si mesma!

Tudo quanto os bons chamam mau deve reunir-se para nascer uma verdade. Ó! meus irmãos! Sois bastante maus para essa verdade?

A audácia temerária, a prolongada desconfiança, o cruel. Não, a versão, a incisão no vivo... como é raro isto tudo reunir-se! De tais sementes nasce todavia... a verdade.

Ao lado da consciência réproba cresce todo o saber até hoje! Quebrai, quebrai as antigas tábuas, vós que aspirais ao conhecimento!

VIII

Quando há madeiras estendidas sobre a água, quando há pontes e parapeitos através do rio, não se dá crédito a ninguém que diga: "Tudo corre."

Pelo contrário: até os imbecis o contradizem. "Que! — exclamam. — Tudo corre? Então as madeiras e os parapeitos que estão sobre o rio?"

Por cima do rio tudo é sólido; todos os valores das coisas os conceitos, todo o "bem e mal", tudo isso é sólido.

E quando vem o cru inverno, o domador dos rios, os mais maliciosos aprendem a desconfiar; e não são só os imbecis que dizem então: "Não estaria tudo imóvel?" "No fundo tudo permanece imóvel": eis um verdadeiro ensinamento do inverno, uma boa coisa para os tempos estéreis, um bom consolo para o sono invernal e os sedentários.

"No fundo tudo permanece imóvel"; mas o vento do degelo protesta contra esta palavra.

O vento do degelo, um vento que não lavra, um touro furioso e destruidor que quebra o gelo, com hastes coléricas! O gelo, por sua parte quebra as pontes!

Ó! meus irmãos! Não corre agora tudo? Não caíram à água todos os parapeitos e todas as pontes? Quem esperaria ainda o bem e o mal?

Ai de nós! Glória a nós! Sopra o vento do degelo! Pregai isto através de todas as ruas, meus irmãos.

IX

Há uma estranha loucura que se chama o bem e o mal.

A roda dessa loucura girou até hoje em torno dos adivinhos e dos astrólogos.

Noutro tempo cria-se nos adivinhos e nos astrólogos, e por isso se cria: "Tudo é fatalidade: tu deves porque é necessário!"

Desconfiou-se depois de todos os adivinhos e de todos os astrólogos, e por isso se acreditou: "Tudo é liberdade: podes porque queres!"

Ó! meus irmãos! Sobre as estrelas e sobre o futuro não se tem feito até hoje senão conjeturar, sem se saber nunca; e por isso sobre o bem e o mal não se tem feito senão conjeturar, sem se saber nunca.

X

"Não roubarás! Não matarás!" Estas palavras chamavam-se santas noutro tempo; perante elas dobrava a gente os joelhos e a cabeça, e descalçava-se.

Eu pergunto-vos, porém: onde houve jamais no mundo melhores salteadores e assassinos que estas santas palavras? Não há na mesma vida roubo e assassínio? E ao santificar estas palavras, não se assassinou a própria verdade?

Ou seria predicar a morte, santificar tudo o que contradizia e desaconselhava a vida? Ó! Meus irmãos! Quebrai-me as antigas tábuas.

XI

Condoo-me do passado inteiro quando vejo o seu abandono à mercê do arbítrio, das disposições, dos desvarios de cada geração que chega e olha tudo o que existiu como ponto de si mesma.

Poderia vir um grande déspota, um gênio maléfico que violentasse arbitrariamente todo o passado, até chegar a ser para ele uma ponte, um prognóstico, um arauto e um canto de galo.

Mas eis aqui o outro perigo e a minha outra compaixão: os pensamentos do que forma parte da população remontam até o avô; mas com o avô acaba o tempo.

Por isso todo o passado fica ao abandono: porque um dia poderia suceder a populaça tornar-se senhor, e todo o tempo se afogasse em águas superficiais.

Por isso, meus irmãos, é preciso uma nova nobreza adversária de toda a populança e de todo o despotismo, e que escreva novamente, em novas tábuas, a palavra "nobre".

Que são necessários muitos nobres para haver nobreza! Ou como em tempo disse uma parábola: "A divindade consiste precisamente em haver deuses, mas não Deus!"

XII

Ó! Meus irmãos! Ao ensinar-vos que deveis ser para mim criadores e educadores — semeadores do futuro — invisto-vos de uma nova nobreza; não é, na verdade, nobreza que possais comprar como bufarinheiros, e com ouro de bufarinheiros, porque tudo quanto tem preço pouco valor tem. O que vos honrará para o futuro não será a origem donde vindes, mas o tempo para onde ides! A vossa vontade e o vosso passo que querem ir mais longe do que vós: cifre-se nisto a vossa nova honra!

Não em terdes servido um príncipe — que importam já os príncipes! — ou em vos terdes tornado muralha do existente para o existente ser mais sólido.

Não em ter-se a vossa linhagem feito cortesã na corte, e me terdes aprendido como o flamengo, a estar durante longas horas à beira do lago: porque saber estar de pé é um mérito nos cortesãos; e todos os cortesãos julgam que ter a autorização de se sentar faz parte da felicidade depois da morte.

Nem tampouco em que um espírito a que chamam santo conduziu os vossos ascendentes a terras prometidas, que eu não elogio; porque no país onde brotou a pior das árvores — a cruz — nada há a elogiar!

E na verdade, onde quer que esse "Espírito Santo" conduza os seus cavaleiros, tais cortejos são sempre... precedidos de cabras, gansos, loucos e tresloucados.

Ó! Meus irmãos! Não é para trás que a vossa nobreza deve olhar, mas para a frente! Deveis ser expulsos de todas as pátrias e de todos os países dos vossos ascendentes.

Deveis amar o país dos vossos filhos: seja este amor a vossa nobreza; o país inexplorado no meio de longínquos mares; é isto que eu digo às vossas velas que procurem e tornem a procurar!

Deveis redimir-vos em vossos filhos de serdes filhos de vossos pais: assim libertareis o passado todo! Ponho por cima de vós esta nova tábua.

XIII

"Para que viver? Tudo é vão! Viver... é trilhar palha; viver... é queimar-se sem se chegar a aquecer."

Estas velhas cantilenas passam ainda por "sabedoria"; são estranhas, transcendem a ranço; por isso são mais honradas. Também a podridão enobrece.

Crianças é que podiam falar assim porque temem o fogo que já as queimou. Há muita puerilidade nos antigos livros da sabedoria.

E o que trilha palha, como teria o direito de zombar quando se trilha o trigo?

Seria preciso amordaçar tais loucos!

Estes sentaram-se à mesa sem levar nada, nem sequer um bom apetite, e agora blasfemam: "Tudo é vão!"

Mas comer e beber bem, meus irmãos, não é na verdade uma arte vã. Quebrai, quebrai-me as tábuas dos eternamente descontentes!

XIV

"Para os puros tudo é puro." — Assim falava o povo. — Mas eu vos digo: para os porcos tudo é porco!

Por isso os fanáticos e os que curvam a cerviz, que também têm coração inclinado, predicam desta forma:

"O próprio mundo é um monstro lamacento!"

Porque todos esses têm o espírito sujo, especialmente os que se não dão paz nem sossego enquanto não vêm o mundo por detrás: são os crentes no mundo posterior!

A esses lhes digo eu na cara, conquanto não soe muito bem: o mundo parece-se com o homem por ter também traseiro: isto é muito verdade!

Há no mundo muita lama: isto é muita verdade! Mas nem por isso o mundo é um monstro lamacento!

É sensato haver no mundo muitas coisas que cheirem mal: o próprio asco cria asas e forças que pressentem mananciais!

Até nos melhores há qualquer coisa repugnante, até o melhor é coisa que se deve superar!

Ó! Meus irmãos! É sensato haver muita lama no mundo!"

XV

Tenho ouvido piedosos crentes em além-mundos dizerem à sua consciência palavras como estas, e de verdade, sem malícia nem zombaria, embora na terra nada haja mais falso nem pior:

"Deixai o mundo ser mundo! Não movais sequer um dedo contra ele!"

"Deixai as pessoas estrangularem-se, transpassarem-se, e pulverizarem-se; não movais sequer um dedo para vos opordes a isso. Assim aprenderão a renunciar ao mundo."

"E deveria abater e estrangular a sua própria razão, porque essa razão é deste mundo; assim aprenderás tu mesmo a renunciar ao mundo."

Quebrai, quebrai, meus irmãos essas velhas tábuas dos devotos! Aniquilai as palavras dos caluniadores do mundo!

XVI

"Aquele que aprende muito esquece todos os desejos violentos." Assim se murmura hoje em todas as ruas escuras.

"A sabedoria fatiga; nada vale a pena; não devo cobiçar." Também encontrei esta nova tábua suspensa nas praças públicas.

Quebrai, meus irmãos, quebrai também essa nova tábua! Penduraram--na os enfastiados do mundo, os predicadores da morte e os carcereiros: porque ela é também um apelo ao servilismo.

Eles têm aprendido mal, e não as coisas melhores, e tudo cedo e depressa demais: comeram mal e revolveu-se-lhes o estômago: que um estômago revolto é esse espírito que aconselha a morte! Porque o espírito, meus irmãos, é verdadeiramente um estômago.

A vida é uma fonte de alegria! Mas para aquele que deixa falar o estômago sobrecarregado de tristeza, todas as fontes estão envenenadas.

Conhecer é um gozo para quem tem vontade de leão. Mas o que se fatigou é tão somente "querido"; todas as ondas brincam com ele.

E assim fazem todos os fracos: perdem-se no caminho. E o seu cansaço acaba por perguntar a si mesmo: "Por que seguimos este caminho? Tudo é igual!"

É a eles que agrada ouvir pregar: "Nada vale a pena! Não deveis querer!" Mas, isso, todavia, é um apelo ao servilismo.

Ó! Meus irmãos! Zaratustra chega como uma rajada de vento fresco para todos os que estão cansados do seu caminho; ainda há de fazer espirrar muitos narizes!

O meu hálito livre sopra através das paredes, penetrando nas prisões e nos espíritos presos!

A vontade liberta, porque a liberdade é criadora: assim ensino eu. E só para criar precisais aprender!

E só de mim necessitais aprender; e aprender, aprender bem. Quem tiver ouvidos que ouça.

XVII

A barca está pronta; voga ali, além, talvez para o grande nada.

Quem quererá, porém, embarcar para esse "talvez?"

Nenhum de vós quer embarcar na barca da morte? Como quereis então estar cansados do mundo!

Cansados do mundo! E nem sequer estais desprendidos da terra! Eu sempre vos vi desejosos da terra, enamorados do vosso próprio cansaço da terra!

Não é em vão que tendes o lábio descaído: ainda nele pesa um desejo terrestre! E em vosso olhar não flutua uma nuvem de alegria terrestre que ainda não esquecestes?

Há na terra muitas boas invenções, umas úteis, outras agradáveis; por isso é preciso amar a terra.

E algumas invenções são tão boas que, como o seio da mulher, são úteis e agradáveis ao mesmo tempo.

A vós, porém, fatigados do mundo e preguiçosos, é preciso sacudir--vos com vergastas! É necessário aligeirar-vos as pernas com vergastadas!

Que, se não sois enfermos e seres gastos, de quem a terra está fatigada, sois preguiçosos ladinos ou gatos gulosos e casmurros que só buscam o seu prazer.

E se não quereis tornar a correr alegremente, o melhor é desaparecerdes.

Não há que ter empenho em ser médico dos incuráveis; assim ensina Zaratustra. Desaparecei, pois!

Mas é necessário mais valor para rematar do que para fazer um verso novo: isto sabem-no todos os médicos e todos os poetas."

XVIII

Ó! Meus irmãos! Há tábuas criadas pela fadiga e tábuas criadas pela preguiça: conquanto falem de igual modo querem ser ouvidas de maneira diferente.

Vede esse prostrado! Falta-lhe apenas um passo para chegar ao fim; mas, por causa da fadiga, o valente caiu irritado na areia.

Simplesmente rendido, boceja à vista do caminho, da terra, do seu fim e de si mesmo: não quer dar mais um passo, o valente!

O sol agora derrete-o, e os cães quereriam lamber-lhe o suor; mas para ali está caído pertinazmente e prefere consumir-se.

Consumir-se a um passo do seu fim! A semelhante herói o melhor é erguê-lo pelos cabelos até a sua reação!

Mais vale, em verdade, que o deixeis onde caiu até que lhe venha o sono, o sono consolador, com um rumor de chuva refrigerante.

Deixai-o deitado até despertar; até que repila todo o cansaço e tudo o que nele demonstrava cansaço.

O que haveis de fazer, meus irmãos, é afastar dele os cães, os preguiçosos casmurros e toda essa praga invasora.

Toda a praga invasora da gente "ilustrada" que se alimenta do suor dos heróis!

XIX

Eu traço em torno de mim círculos e santas fronteiras: cada vez são menos os que sobem comigo por montanhas mais elevadas; eu levanto uma cadeia de montes cada vez mais santos.

Mas onde quer que desejeis subir comigo, meus irmãos, olhai que não haja parasitas que subam convosco!

Um parasita é um verme rasteiro e insinuante que quer engordar com todas as vossas intimidades enfermas e feridas.

É esta a sua arte; adivinhar onde estão, fatigadas, as almas que sobem. Na vossa aflição, no vosso descontentamento, no vosso frágil pudor constrói o seu repugnante ninho.

Onde o forte é débil, onde o nobre é demasiado indulgente, é ali que constrói o seu repugnante ninho; o parasita habita onde o grande tem recantos doentes.

Qual é espécie de seres mais elevada, e qual a mais baixa?

O parasita é a espécie mais baixa, mas o da espécie mais alta é o que alimenta mais parasitas.

Como não há de a alma que tem a escala mais vasta descer mais baixo, transportar sobre si o maior número de parasitas?

A alma mais vasta que pode correr, extraviar-se e errar mais longe em si mesma; a mais necessária, que por prazer se precipita no azar.

A alma que é e se submerge na corrente do há de ser; a alma que possui e quer o querer e o desejo.

A alma que foge de si mesma, e que se alcança a si mesma no mais amplo círculo; a alma mais sensata a quem a loucura convida mais docemente.

A alma que ama mais a si mesma, na qual todas as coisas têm a sua ascensão e a sua descensão, o seu fluxo e o seu refluxo... Ó! como não havia a alma mais alta de ter os piores parasitas?

XX

Ó! Meus irmãos! Acaso serei cruel? Mas eu vos digo; ao que cai é ainda mister empurrá-lo!

Tudo o que é de hoje cai e se desconcerta; quem, pois, o quereria deter? Eu, pela minha parte, ainda quero empurrá-lo.

Conheceis a voluptuosidade que precipita as pedras em profundidades? Vede os homens de hoje: olhai como rondam pelas minhas profundidades!

Eu sou um prelúdio para melhores tangedores, meus irmãos! Um exemplo! Procedei segundo meu exemplo!

E a quem não ensinardes a voar, ensinai-o... a cair mais depressa!

XXI

Agradam-me os valentes, mas não basta ser uma boa espada; é preciso saber também a quem se fere!

E muitas vezes mais valentia em se abster e em passar adiante, a fim de se reservar para um inimigo mais digno.

Vós deveis ter somente inimigos dignos de ódio, mas não inimigos dignos de desprezo: é mister estardes orgulhosos do vosso inimigo; já uma vez vo-lo ensinei.

É mister reservardes-vos para o inimigo mais digno, meus amigos: por isso há muitos adiante dos quais deveis passar; sobretudo ante a canalha numerosa que vos apedreja os ouvidos, falando-vos do povo e das nações.

Livrai os vossos olhos do seu "pró" e do seu "contra"! Há ali muita justiça e injustiça: ver tal coisa revolta.

Vê-la e investir, é tudo a mesma coisa. Ide-vos, pois, ao bosque e dai paz à vossa espada!

Segui os vossos caminhos! E deixai os povos e nações seguir os seus! Caminhos escuros na verdade, onde já não brilha nenhuma esperança.

Reine o bufarinheiro onde tudo quanto brilha é só ouro de bufarinheiro! Já não é tempo de reis: o que hoje se chama povo merece rei.

Se não, olhai como as nações imitam agora os bufarinheiros: aproveitam as menores utilidades em todas as varreduras.

Espiam-se, espreitam-se; é a isso que chamam "boa vizinhança". Ditosos tempos aqueles em que um povo dizia:

"Sobre nações quero eu fazer-me senhor!"

Que, meus irmãos, o melhor deve reinar, o melhor quer também reinar. E onde se ouve outra doutrina, é que falta o melhor.

XXII

Se estes tivessem o pão de graça, atrás de quem andariam a gritar? Em que se ocupariam se não fosse da sua subsistência? E é necessário terem vida rigorosa!

São animais rapaces: no seu "trabalho" há também roubo; nos seus "lucros"... há também astúcia. Por isso devem ter vida rigorosa.

Devem, pois, tornar-se melhores animais rapaces, mais finos e astutos, animais mais semelhantes ao homem porque é o melhor animal rapace.

O homem arrebatou já as suas virtudes a todos os animais; por isso, de todos os animais é o homem que tem tido vida mais dura.

Só as aves estão acima dele. E se o homem aprendesse também a voar, ó! a que altura voaria a sua rapacidade!

XXIII

Eis como quero o homem e a mulher: um, apto para a guerra, a outra, apta para dar à luz; mas os dois aptos para dançar com cabeças e pernas.

E que todo o dia em que se não haja dançado, pelo menos uma vez, seja para nós perdido! E toda a verdade que não traga ao menos um riso nos pareça verdade falsa.

XXIV

Quanto à maneira por que "atais" os vossos matrimônios, cuidai não seja um mau nó.

Atastes com demasiada pressa? Pois disso se segue um rompimento, um adultério.

E ainda vale mais romper o vínculo do que sujeitar-se e mentir. Eis o que me disse uma mulher: "É verdade que quebrei os laços do matrimônio, mas os laços do matrimônio tinham-me quebrado a mim."

Sempre vi os mal-avindos sedentos da pior vingança: vingam-se em toda a gente de não poderem já andar separados.

Por isso quero que os que estão de boa-fé digam: "Nós não nos amamos: procuremos conservar o afeto!" Ou então: "Seria a nossa promessa um equívoco?"

"Dai-nos um prazo, uma breve união para vermos se somos capazes de uma longa união! Grave coisa é ser sempre dois!"

Assim aconselho a todos que estão de boa-fé; e a que se reduziria o meu amor ao Super-homem e a tudo o que deve vir, se aconselhasse e falasse doutro modo?

E não só vos deveis multiplicar, mas elevar. Ó! Meus irmãos, ajude--vos nisso o jardim do matrimônio.

XXV

Aquele que conhece a fundo as antigas origens acabará por procurar as fontes do futuro e novas origens.

Meus irmãos, já não passará muito tempo sem novos mananciais soarem em novas profundidades.

Que o terremoto funda muitas fontes e cria muita sede; eleva também à luz forças interiores e secretas.

O tremor de terra revela mananciais. Do cataclismo dos povos antigos surgem mananciais novos.

E se alguém exclama: "Olhai: aqui tendes uma fonte para muitos sedentos, um coração para muitos desmaiados, uma vontade para muitos instrumentos", em torno desse alguém se reúne o povo, quer dizer, muitos homens que tentam a prova.

O que ali se ensaia é quem sabe mandar e quem deve obedecer.

A sociedade humana é uma tentativa: eis o que eu ensino: uma longa investigação; mas procura o que mando.

"Uma tentativa, meus irmãos, e não um contrato." Rompei com tais palavras dos corações covardes e dos amigos de composições!

XXVI

Ó! Meus irmãos! Em quem se encontra o maior perigo do futuro humano? Não é nos bons e nos justos?

Nos que dizem e sentem no seu coração: "Nós sabemos já o que é bom e justo, e possuímo-lo: desgraçados dos que ainda querem procurar aqui!"

E por muito mal que os maus possam fazer, o que fazem os bons é o mais nocivo de tudo!

E por muito mal que os caluniadores do mundo possam fazer, o que fazem os bons é o mais nocivo de tudo!

Meus irmãos, alguém olhou uma vez o coração dos bons e dos justos, e disse: "São uns fariseus." Ninguém, porém, o entendeu.

Os bons e os justos mesmos não o deviam compreender: o espírito deles é um prisioneiro da sua consciência.

A verdade, porém, é esta: é forçoso os bons serem fariseus: não têm escolha!

É forçoso os bons crucificarem o que inventa a sua própria virtude! É esta a verdade!

Outro que descobriu o seu país — o país, o coração, e o terreno dos bons e dos justos — foi aquele que perguntou: "A quem odeiam mais?"

O criador é quem eles mais odeiam; aquele que quebrar tábuas e estranhos valores ao destruidor, a esse é que chamam criminoso.

Que os bons... não podem criar: são sempre o princípio do fim.

Crucificam aquele que escreve novos valores em tábuas novas; sacrificam para si o futuro; crucificam o futuro inteiro dos homens! Os bons são sempre o princípio do fim.

XXVII

Meus irmãos, compreendestes também estas palavras, e o que disse um dia o último homem?

Em quem se encontram os maiores perigos para o futuro dos homens? Não é nos bons e nos justos?

Acabai, acabai com os bons e os justos! Meus irmãos, compreendestes também esta palavra?

XXVIII

Fugis de mim? Assustai-vos? Tremeis ante esta palavra?

Meus irmãos, enquanto vos não disse que acabásseis com os bons e com as tábuas dos bons, não embarquei o homem no seu alto mar.

Só agora é que lhe sobrevêm o grande terror, o grande olhar inquieto, a grande enfermidade, a grande náusea, o grande enjoo.

Os bons ensinaram-vos coisas enganadoras e falsas seguranças: tínheis nascido entre as mentiras dos bons e havíeis-vos refugiado nelas.

Os bons falsearam e desnaturalizaram radicalmente as coisas.

Mas o que descobriu o país "homem" descobriu ao mesmo tempo o país "futuro dos homens", agora deveria ser para mim corajosos e pacientes marinheiros!

Caminhai direitos a tempo, meus irmãos! Aprendei a caminhar direitos! O mar está agitado; há muitos que necessitam de vós para se encaminharem.

O mar brama: tudo está no mar! Eia! Avante! velhos corações de marinheiros!

Que importa a pátria? Nós queremos governar lá embaixo onde está o país de nossos filhos! Além, ao longo, mais fogoso do que o mar, se desencadeia o nosso grande desejo.

XXIX

Por que serei tão duro? — disse um dia o diamante ao carvão comum. — Não somos parentes próximos?

Por que sois tão brandos? vos pergunto eu, meus irmãos: então não sois meus irmãos?

Por que sois tão brandos, tão pegajosos, tão frouxos? Por que há tanta renúncia, tanta abdicação em vossos corações? Tão pouco alvo no vosso olhar?

E se não quereis ser destinos, se não quereis ser inexoráveis, como podereis um dia vencer comigo?

E se a vossa dureza não quer cintilar e cortar e sachar, como poderíeis um dia criar comigo?

Que os criadores são duros. E deve-nos parecer beatitude imprimir a vossa mão em séculos como em cera branda, e escrever sobre a vontade de milenários como sobre bronze — mais duros que o bronze, mais nobres que o bronze. — E o mais duro é mais nobre.

Meus irmãos, eu coloco sobre vós esta nova tábua: Fazei-vos duros!

XXX

Ó! tu, vontade, necessidade minha, trégua de toda a miséria! Livra-me de todas as pequenas vitórias! Azar da minha alma a que chamo destino! Tu que estás em mim e sobre mim, livra-me e reserva-me para um grande destino!

E tu, última grandeza, vontade minha, conserva-a para um fim, para que sejas implacável na tua vitória! Ai! Quem não sucumbirá à tua vitória?

Ai! Que olhos se não têm turvado nessa embriaguez de crepúsculo? Que pé não tem tropeçado e perdido a sua firmeza na vitória?

A fim de estar preparado e maduro quando chegar o Grande Meio-Dia, preparado e maduro como o bronze reluzente, como a nuvem cheia de relâmpagos e o seio cheio de leite.

Preparado para mim mesmo e para a minha vontade mais oculta: um arco anelante da sua flecha, uma flecha anelante da sua estrela.

Uma estrela preparada e madura no seu meio-dia, ardente e trespassada, satisfeita da flecha celeste que a destrói.

Sol e implacável vontade de sol, pronta a destruir na vitória.

Ó! vontade, necessidade minha, trégua de toda a miséria! Reserva-me para uma grande vitória.

Assim falava Zaratustra.

O convalescente

I

Uma manhã, pouco tempo depois do regresso à sua caverna, Zaratustra saltou do leito como um louco: começou a gritar com voz terrível, gesticulando como se alguma pessoa deitada ainda se não quisesse levantar; e a voz de Zaratustra troava em termos tais que os seus animais se lhe aproximaram espantados e de todos os esconderijos próximos da caverna de Zaratustra todos os animais fugiram, voando, revoando, arrastando-se e saltando, consoante tinham patas ou asas. Zaratustra, porém, pronunciou estas palavras:

Sobe, pensamento vertiginoso, saí da minha profundidade! Eu sou o teu galo e o teu crepúsculo matutino, adormecido verme! Levanta-te! A minha voz acabará por te despertar!

Escuta! Que eu quero ouvir-te! Levanta-te!

Varre dos teus olhos o sono e tudo o que é míope e cego! Escuta-me também com os teus olhos: a minha voz é um remédio até para os cegos de nascença.

E quando chegares a acordar, acordado ficarás eternamente. Eu não costumo despertar dorminhocos para que tornem a adormecer.

Moves-te, e espreguiças-te? Levanta-te! Hás de me falar! É Zaratustra que te chama, Zaratustra, o ímpio!

Eu, Zaratustra, o afirmador da vida, o afirmador da dor, o afirmador do círculo, chamo-te a ti, o mais profundo dos meus pensamentos!

Ditoso de mim! Vens... ouço-te. O meu abismo fala. Tornei à luz a minha última profundidade!

Ditoso de mim! Vem! Dá-me a mão!... Deixa! Ah! Ali!... Horror! Horror!... Infeliz de mim!

II

Ditas estas palavras, Zaratustra caiu no chão como morto e assim permaneceu longo tempo. Ao tornar a si estava pálido e trêmulo, e continuou caído, sem querer comer nem beber durante muito tempo. Durou isto sete dias; mas os seus animais não o abandonaram nem de dia nem de noite, a não ser quando a águia percorria os ares em busca de alimento; e a ave depositava no leito de Zaratustra tudo o que encontrava e conseguia apanhar: de forma que Zaratustra acabou por estar deitado entre bagas amarelas e vermelhas, raízes, maçãs, ervas aromáticas e pinhas. A seus pés, contudo, estavam estendidas duas ovelhas que a águia roubara afanosamente aos seus pastores.

Ao fim de sete dias, Zaratustra reanimou-se, pegou uma pinha, pôs-se a cheirá-la e agradou-lhe o cheiro. Então os animais julgaram chegado o momento de lhe falar.

"Zaratustra — disseram eles — já há sete dias que estás aí estendido com os olhos pesados; não queres, enfim, pôr-te de pé?

Sai da caverna; o mundo aguarda-te como um vergel. O vento brinca com os fortes perfumes que querem vir ao teu encontro, e todos os regatos quereriam correr atrás de ti. Por ti suspiram todas as coisas, ao verem que ficaste sozinho durante sete dias. Sai da caverna! Todas as coisas querem ser teus médicos.

Surpreendeu-te alguma nova certeza, amarga e pesada? Caíste aí como uma massa que fermenta; a tua alma crescia e transbordava por todos os lados."

"Animais meus — respondeu Zaratustra —, prossegui falando assim e deixai-me escutar. A vossa palestra reanima-me: onde se fala, o mundo parece dilatar-te ante mim como um vergel.

Como é agradável ouvir palavras e sons! Não serão as palavras e os sons os arco-íris e as pontes ilusórias entre as coisas eternamente separadas?

A cada alma pertence um mundo diferente; para cada alma, toda outra alma é um além-mundo.

Entre as coisas mais semelhantes é onde é mais bela a ilusão: porque é sobre o abismo pequeno que se torna difícil lançar uma ponte.

Para mim... como poderia haver qualquer coisa fora de mim? Não há exterior! Todos os sons, porém, nos fazem esquecer isso. Como é agradável podermos esquecer! Não foram os nomes e os sons dados às coisas para o homem se recrear com elas? Falar é uma bela loucura; falando, baila o homem sobre todas as coisas.

Como toda a palavra é doce! Como pareceram doces todas as mentiras dos sons! Os sons fazem bailar o nosso amor em variado arco-íris."

Então os animais disseram: "Zaratustra, para os que pensam como nós, todas as coisas bailam; vão, dão-se as mãos, riem, fogem... e tornam.

Tudo vai, tudo torna; a roda da existência gira eternamente. Tudo morre; tudo torna a florescer; correm eternamente as estações da existência.

Tudo se destrói, tudo se reconstrói, eternamente se edifica a mesma casa da existência. Tudo se separa, tudo se saúda outra vez; o anel da existência conserva-se eternamente fiel a si mesmo.

A todos os momentos a existência principia; em torno de cada aqui, gira a bola acolá. O Centro está em toda a parte. A senda da eternidade é tortuosa."

"Ah! astutos órgãozinhos! — respondeu Zaratustra tornando a sorrir. — Como sabíeis bem o que se devia cumprir em sete dias!

E como aquele monstro se me introduziu na garganta a fim de me afogar! Mas de uma dentada cortei-lhe a cabeça e cuspi-a para longe de mim!

E vós já tínheis tirado disto um estribilho! Eu, contudo, estou aqui estendido, fatigado de ter mordido e cuspido, ainda doente da minha própria libertação.

E vós fostes espectadores de tudo isto! Ó! animais meus! Também vós sois cruéis?

Quisestes contemplar a minha grande dor como fazem os homens? Que o homem é o mais cruel de todos os animais.

Até agora quando se tem sentido mais satisfeito na terra, é assistindo a tragédias, a lides de touros e a crucificações; e quando inventou o inferno, foi esse o seu céu na terra.

Quando o grande homem clama, logo acorre o pequeno com a língua pendente de ânsia.

A isto, porém, chama ele, a sua "compaixão".

Vede o homem pequeno, especialmente o poeta... O ardor com que as suas palavras acusam a vida! Escutai-o, mas não vos esqueçais de ouvir o prazer que há em toda a acusação.

A estes acusadores da vida deixa a vida atados num abrir e fechar de olhos.

"Amas-me? — diz a impertinente.

Espera um bocado, ainda não tenho tempo para ti."

O homem é o animal mais cruel para consigo; e sempre que ouvirdes alguém chamar-se "pecador" ou "penitente", ou falar da "sua cruz", não vos esqueçais de ouvir a voluptuosidade que respiram essas queixas e essas acusações.

E até eu... acaso quererei ser com isto acusador do homem? Ai, animais meus! O maior mal é necessário para o maior bem do homem; é a única coisa que até agora tenho aprendido.

O maior mal é a melhor força do homem, a pedra mais dura para o mais alto criador; é mister que o homem se torne melhor e mais mau.

Eu não só me não vi cravado nesta cruz — saber que o homem é mau —, mas também gritei como ninguém gritou ainda:

"Ah! como é pequeno o pior dele! Ah! como é pequeno o melhor dele."

O que me afogava e se me atravessava na garganta era o grande tédio do homem; e também o que predissera o adivinho: "Tudo é igual; nada merece a pena; o saber asfixia."

Na minha frente arrastava-se um longo crepúsculo, uma mortal tristeza ébria e fatigada que falava bocejando.

"O homem de que estás enfastiado torna eternamente ao homem pequeno." Assim bocejava a minha tristeza, arrastando os pés sem poder adormecer.

A terra humana transformava-se para mim em caverna; o meu peito fundia-se; tudo quanto vivia era para mim podridão, ossos humanos e passado ruinoso.

Os meus suspiros repousavam em todas as sepulturas humanas, e não podiam tornar a erguer-se; os meus suspiros e as minhas perguntas gemiam, afogavam-se, consumiam-se e lamentavam-se noite e dia.

"Ai, o homem torna eternamente! O homem pequeno torna eternamente!"

Noutro tempo vi-os nus, o maior e o mais pequeno dos homens; demasiado parecidos um com o outro!... Demasiado humanos; mesmo o maior!

É demasiado pequeno, o maior! — Era este o meu tédio pelo homem! E o eterno regresso, é ainda do mais pequeno! — Isso então era o tédio da minha existência inteira!

"Ai! Tédio! tédio! tédio!" Assim falava Zaratustra, suspirando e estremecendo, porque se lembrava da sua doença. Os seus animais, porém, não o deixaram prosseguir.

"Não fales mais, convalescente! — lhe responderam. — Sai daqui; vem para onde o mundo te espera como um vergel.

Anda para o lado das roseiras, das abelhas e dos bandos de pombas! E especialmente para o lado das aves cantoras, para lhes aprenderes o canto!

Que o canto é o que convém a convalescentes: diga-o aquele que fruiu saúde. E se o que fruiu saúde quer cantos, hão de ser diferentes dos do convalescente."

"Ah astutos órgãozinhos, calai-vos! — respondeu Zaratustra, rindo-se dos seus animais. — Como conheceis bem o consolo que inventei em sete dias!

Ter que cantar de novo: é este o consolo que inventei para mim; eis a minha cura. Também quereis tirar disto um estribilho?"

"Cessa de falar — tornaram os animais —, prepara uma lira, convalescente, uma lira nova!

Olha, Zaratustra, para os teus novos cantos é preciso uma lira nova.

Canta e distrai-te, Zaratustra; cura a tua alma com cantos novos, para poderes sustentar o teu grande destino, que ainda não foi destino de ninguém.

Que os teus animais bem sabem quem és, Zaratustra, e o que deves chegar a ser: tu és o mestre do eterno regresso das coisas, é este agora o teu destino!

Que tu hás de ser o primeiro a ensinar esta doutrina: como não há de ser esse grande destino também o teu maior perigo e a tua enfermidade?!

Olha: nós sabemos o que ensinas; que todas as coisas tornam eternamente e nós com elas; que nós temos já existido uma infinidade de vezes, e todas as coisas conosco.

Ensinas que há um grande ano do acontecer (do sobrevir), um ano monstruoso que, à semelhança de um relógio de areia, tem sempre que se voltar novamente para correr e se esvaziar outra vez.

De forma que todos esses grandes anos são iguais a si mesmos, em ponto grande e pequeno; de forma que nós em todo o grande ano somos iguais a nós mesmos, em ponto grande e pequeno.

E se tu agora quisesses morrer, Zaratustra, também sabemos como falarias a ti mesmo; mas os teus animais te suplicam não morras ainda.

Falarias sem tremer, e antes respirarias alegria, porque tu, o mais paciente, te verias livre de um grande peso."

"Agora morro e desapareço — dirias — e daqui a um instante já nada serei. As almas são tão mortais como os corpos.

O nó das causas em que me encontro enlaçado torna... tornará a criar-me!

Eu próprio formo parte das causas do eterno regresso das coisas.

Regressarei como este sol, como esta terra, como esta águia, como esta serpente, não para uma vida nova ou para uma vida melhor ou análoga.

Tornarei eternamente para esta mesma vida, igual em ponto grande e também em pequeno, a fim de ensinar outra vez o eterno regresso das coisas, a fim de repetir mais uma vez as palavras do Grande Meio-Dia, da terra e dos homens, a fim de instruir novamente os homens sobre o Super-homem.

Disse a minha palavra, e por ela sucumbo.

Assim o quer o meu destino eterno: desapareço como anunciador!

Chegou a hora: a hora em que o que desaparece se abençoa a si mesmo.

Assim... acaba o "ocaso de Zaratustra".

Depois de pronunciarem estas palavras, os animais calaram-se, esperando que Zaratustra dissesse alguma coisa; mas Zaratustra não deu por isso. Estava deitado tranquilamente, com os olhos cerrados, como se dormisse; mas não dormia: conversava com a sua alma.

Vendo-o tão silencioso, a águia e a serpente respeitaram o grande silêncio que o rodeava, e retiraram-se com precaução.

Do grande anelo

Alma minha, ensinei-te a dizer "hoje", como "um dia" e "noutro tempo" e a passar dançando por cima de tudo aqui, acolá e além.

Alma minha, livrei-te de todos os recantos; afastei de ti o pó, as aranhas e a obscuridade.

Alma minha, lavei-te do mesquinho pudor e da virtude meticulosa, e habituei-te a estar nua ante os olhos do sol. Com a tempestade que se chama "espírito" soprei sobre o teu mar revolto e expulsei dele todas as nuvens e até estrangulei o estrangulador que se chama "pecado".

Alma minha, dei-te o direito de dizer "não" como a tempestade, e de dizer "sim" como o céu límpido: agora estás serena como a luz e passas através das tempestades.

Alma minha, restitui-te a liberdade sobre o que está criado e por criar; e quem como tu conhece a voluptuosidade do futuro?

Alma minha, ensinei-te o desprezo que não vem como o caruncho, o grande desprezo amante que onde mais despreza mais ama.

Alma minha, ensinei-te a persuadir de tal modo, que as próprias coisas se te rendem: tal como o sol que persuade o próprio mar a erguer-se à sua altura.

Alma minha, afastei de ti toda a obediência, toda a genuflexão e todo o servilismo; eu mesmo te dei o nome de "trégua de misérias" e de "destino".

Alma minha, dei-te nomes novos e vistosos brinquedos, chamei-te "destino" e "circunferência das circunferências", e "centro do tempo" e "abóbada cerúlea".

Alma minha, dei a beber ao teu domínio terrestre toda a sabedoria, já os vinhos novos, já os mais raros e fortes da sabedoria, os de tempo imemorial.

Alma minha, derramei em ti todo o sol e toda a noite, todos os silêncios e todos os anelos; cresceste então para mim como uma vida.

Alma minha, agora estás aí, repleta e pesada, como vide de cheios úberes, de dourados cachos exuberantes; exuberante e oprimida de ventura, esperando entre a abundância e envergonhada da sua expectação.

Alma minha, agora já não há em parte alguma alma mais amante, mais ampla e compreensiva! Onde estariam o futuro e o passado mais perto um do outro do que em ti?

Alma minha, dei-te tudo, por ti esvaziei as mãos... e agora! Agora dizes-me sorrindo, cheia de melancolia: "Qual de nós dois deve agradecer?"

Não é o doador que deve estar agradecido àquele que houve por bem aceitar?

Não será uma necessidade o dar? Não será... pena aceitar?

Alma minha, compreendo o sorriso da tua melancolia: à tua exuberância estende agora as mãos anelantes!

A tua plenitude dirige os seus olhares aos mares rugidores, busca e aguarda: o desejo infinito da plenitude lança um olhar através do céu sorridente dos teus olhos!

E na verdade, alma minha, quem te veria o sorriso sem se desfazer em lágrimas?

Os próprios anjos prorrompem em pranto vendo a excessiva bondade do teu sorriso.

A tua bondade, a tua bondade demasiado grande, não se quer lastimar nem chorar, e, contudo, alma minha, o teu sorriso deseja as lágrimas, e a tua trêmula boca os soluços.

“Não será todo o pranto uma queixa, e toda a queixa uma acusação?” Assim dizes contigo, e por isso preferes sorrir, alma minha, a derramar a tua pena, a derramar em torrentes de lágrimas toda a pena que te causa a tua plenitude e toda a ansiedade que faz com que a vinha suspire pelo vindimador e pelo podão do vindimador.

Se não queres chorar, porém, chorar até o fim a tua purpúrea melancolia, precisas cantar, alma minha. — Já vês: eu, que predico isto, eu mesmo sorrio. — Precisas cantar com voz dolente, até os mares ficarem silenciosos para escutar o teu grande anelo.

Até que em anelantes e silenciosos mares se balouce o barco, a dourada maravilha, em torno de cujo ouro se agitam todas as coisas boas, más e maravilhosas, e muitos animais grandes e pequenos, e tudo quanto possui pernas leves e maravilhosas para poder correr por caminhos de violetas até a áurea maravilha, até a barca voluntária e até o seu dono.

Ele é, porém, o grande vindimador que espera, com a sua podadeira de diamante, o teu grande libertador, alma minha, o inefável... para quem só os cantos do futuro sabem encontrar nomes. E na verdade, já o teu hálito tem o perfume dos cantos do futuro, já ardes e sonhas, já a tua sede bebe em todos os poços consoladores de graves ecos, já a tua melancolia descansa na beatitude dos cantos do futuro!

Alma minha, dei-te tudo, até o meu último bem, e as minhas mãos por ti se esvaziaram: ter-te dito que cantasses foi o meu último dom.

Disse-te que cantasses. Fala, portanto, fala: qual de nós dois deve agora agradecer? Mas não; canta para mim, canta, alma minha! E deixa-me agradecer-te!

Assim falava Zaratustra.

O outro canto do baile

I

Acabo de te olhar nos olhos, vida; vi reluzir outro nos teus olhos noturnos, e essa voluptuosidade paralisou-me o coração: vi brilhar uma barca dourada que se submergia em águas noturnas, uma barca dourada que se submergia e reaparecia fazendo sinais!

Tu dirigias um olhar aos meus pés, doidos por dançar, um olhar acariciador, terno, risonho e interrogador.

Duas vezes apenas agitaste com as mãos as tuas castanholas, e já os pés me pulavam, ébrios.

Os calcanhares erguiam-se; os dedos escutavam para te compreender; não tem o dançarino os ouvidos nos dedos dos pés?

Saltei ao teu encontro; tu retrocedeste ao meu impulso, e até mim serpeava a tua voadora e fugidia cabeleira.

Num pulo me afastei de ti e das tuas serpentes: já tu te erguias com os olhos cheios de desejos.

Com lânguidos olhares me mostras sendas tortuosas; por tortuosas sendas aprende astúcias o meu pé.

Receio-te quando te aproximas, amo-te quando estás longe; a tua fuga atrai-me; as tuas diligências detêm-me. Sofro; mas, por ti, que não sofreria eu?

Ó! tu, cuja frialdade incendeia, cujo ódio seduz, cuja fuga prende, cujos enganos comovem!

Quem te não odiará, grande carcereira, sedutora, esquadrinhadora e descobridora! Quem te não amará, inocente, impaciente, arrebatadora pecadora de olhos infantis!

Aonde me arrastas agora, indômito prodígio? E já me tornas a fugir, doce esquiva, doce ingrata!

Dançando sigo as tuas menores pisadas. Onde estás? Dá-me a mão! Ou um dedo sequer!

Há por aí cavernas e bosques; extraviar-nos-emos. Para! Detém-te! Não vês revoarem corujas e morcegos?

Eh! lá, coruja! Morcego! Quereis brincar comigo? Onde estamos? Com os cães aprendestes a uivar e a rosnar.

Mostravas-me graciosamente os brancos dentes, e os teus malvados olhos asseteavam-me por entre as frisadas madeixas.

Que correria por montes e vales! Eu sou o caçador; queres tu ser o meu cão?

Agora, a meu lado! e depressa, invejável solitária! Acima agora! Ó! Ao voltar, caí.

Olha como estou aqui estendido! Olha, altaneira, como imploro o teu socorro! Quereria continuar contigo... por caminhos mais agradáveis! Pelos caminhos do amor, através de esmaltados bosques! Ou pelos que marginam o lago, onde nadam e saltam dourados peixes!

Estás cansada, agora? Ali embaixo há ovelhas e vespertinos arrebóis. Não é tão bom adormecer ao som da flauta dos pastores?

Então, estás assim cansada? Vou-te levar lá; ao menos deixa pender os braços. E tens sede?... Poderia dar-te qualquer coisa… Mas a tua boca não quer beber.

Que maldita serpente esta! Feiticeira fugidia, veloz e ágil. Onde te meteste? Sinto na cara dois sinais da tua mão, doía sinais vermelhos!

Estou deveras farto de te seguir sempre como ingênuo cordeirinho! Feiticeira, até agora cantei para ti; agora, para mim deves tu… gritar!

Deves dançar e gritar ao compasso de meu látego!

Esquecê-lo-ia eu? Não!

II

Eis o que então respondeu a vida, tapando os delicados ouvidos:

"Ó! Zaratustra! Não vibres tão espantosamente o látego? Bem sabes que o ruído assassina os pensamentos... e assaltam-me agora pensamentos tão ternos!

Nós não somos bons nem maus para nada! Além do bem e do mal encontramos a nossa ilha e o nosso verde prado: só nos dois o encontramos! Por isso nos devemos amar um ao outro!

E conquanto nos não amemos de todo o coração, será caso para nos enfadarmos? Enfadam-se as pessoas por não se amarem de todo o coração?

E que eu te amo, te amo muitas vezes com excesso, sabê-lo demais, a razão é que estou ciosa da tua sabedoria. Ah! que velha louca é a sabedoria!

Se alguma vez a tua sabedoria te deixasse, também logo o meu amor te deixaria."

Então a vida olhou pensativa para trás e em torno de si, e disse em voz baixa. "Ó! Zaratustra, não me és bastante fiel!

Ainda falta muito para me teres o amor que dizes; sei que pensas deixar-me breve.

Há um velho bordão pesado, pesadíssimo, que ressoa de noite até lá acima, à tua caverna; quando ouves esse sino dar a meia-noite, pensas — bem o sei, Zaratustra — pensas deixar-me breve!"

"Assim é — respondi titubeando —; mas tu também sabes..." E disse-lhe uma coisa ao ouvido, colado à sua emaranhada cabeleira, às suas douradas e revoltas madeixas.

"Tu sabes isso, Zaratustra? Ninguém sabe isso..."

Olhamo-nos, e dirigimos o nosso olhar para o verde prado por onde corria a frescura da tarde, e choramos juntos. Mas então a vida era para mim mais cara do que jamais o foi toda a minha sabedoria.

Assim falava Zaratustra.

III

[Uma!]
Alerta, homem!
[Duas!]
Que diz a meia-noite profunda?
[Três!]
"Tenho dormido, tenho dormido...
[Quatro!]
"De um profundo sono despertei.
[Cinco!]
"O mundo é profundo...
[Seis!]
"E mais profundo do que o dia julgava.
[Sete!]
"Profunda é a sua dor...
[Oito!]
"E a alegria... mais profunda que a aflição.
[Nove!]
"A dor diz: Passa!
[Dez!]
"Mas toda alegria quer a eternidade...
[Onze!]
"Quer profunda eternidade!
[Doze]

Os sete selos

I

Se sou um adivinho, cheio desse espírito adivinhatório que caminha por uma alta crista entre dois mares, que caminha entre o passado e o futuro como uma densa nuvem inimiga de todos os lugares baixos, de tudo quanto está fatigado e não pode morrer nem viver; disposta a rasgar o seu obscuro seio, como o relâmpago, disposta a fulminar o raio de claridade redentora, cheia de relâmpagos que dizem sim! que riem sim! pronta a exalações adivinhadoras — mas, ditoso do que está assim cheio! e, na verdade, forçoso é cingir-se ao cume como pesada tormenta aquele que deve acender um dia a luz do futuro! — se eu sou assim, como não hei de estar anelante pela eternidade, anelante pelo nupcial anel dos anéis do regresso das coisas?

Ainda não encontrei mulher de quem quisesse ter filhos, senão esta mulher a quem amo: porque te amo, eternidade!

Porque te amo, eternidade!

II

Se alguma vez a minha cólera profanou sepulturas, removeu barreiras e precipitou velhas tábuas partidas em escarpadas profundezas;

se à minha zombaria varreu alguma vez as palavras apodrecidas; se fui como uma escova para as aranhas e um vento purificador para velhas e bolorentas cavernas sepulcrais;

se alguma vez estive sentado, cheio de alegria, no sítio onde jazem deuses antigos, abençoando e amando o mundo ao lado dos monumentos de antigos caluniadores do mundo — porque até as igrejas e os túmulos dos deuses eu amo, contanto que o céu espreite serenamente através das suas rendilhadas abóbadas; que eu gosto de repousar sobre as igrejas arruinadas, como a erva e as vermelhas papoulas — como não estaria anelante da eternidade, anelante do nupcial anel dos anéis, o anel do regresso?

Nunca encontrei mulher de quem quisesse ter filhos senão esta mulher que amo: porque te amo, eternidade!

Porque te amo, eternidade!

III

Se alguma vez chegou até mim um sopro do sopro criador e dessa necessidade divina que até os azares obriga a lançar as danças das estrelas;

se alguma vez me ri com o riso do relâmpago criador, ao qual se segue resmungando, mas obediente, o prolongado troar da ação;

se alguma vez joguei os dados com deuses, na mesa divina da terra, fazendo que a terra tremesse e se rasgasse, despedindo rios de chamas — porque a terra é uma mesa divina que treme com novas palavras criadoras e com um ruído de dados divinos — como não hei de eu estar anelante da eternidade, anelante do nupcial anel dos anéis, o anel do regresso?

Nunca encontrei mulher de quem quisesse ter filhos senão esta mulher que amo: porque te amo, eternidade!

Porque te amo, eternidade!

IV

Se alguma vez bebi um longo trago desse cântaro espumoso de espécies e misturas, onde estão bem-misturadas todas as coisas;

se a minha mão alguma vez misturou o mais remoto com o mais próximo e o fogo com o engenho, e a alegria com a pena e as coisas piores com as melhores;

se eu mesmo sou um grão desse sal redentor que faz que todas as coisas se misturem bem no cântaro das misturas — para que exista o bem e o mal, e até o pior é digno de servir de espécie e de fazer que transborde a espuma do cântaro — como não hei de estar anelante da eternidade, anelante do nupcial anel dos anéis, o anel do regresso?

Nunca encontrei mulher de quem quisesse ter filhos senão esta mulher que amo: porque te amo, eternidade!

Porque te amo, eternidade!

V

Se eu amo o mar, e tudo quanto ao mar se assemelha, e sobretudo quando me contradiz fogoso;

se existe em mim essa paixão investigadora que impele a vela para o desconhecido; se há na minha paixão um tanto da paixão do navegante;

se alguma vez exclamei com alegria: Se há na minha paixão um tanto da paixão do navegante; se alguma vez exclamei como medida: "Desapareceram as costas: caiu agora a minha última cadeia; em meu redor agita-se a imensidade sem limites; longe de mim cintilam o tempo e o espaço; vamos! A caminho, velho coração!"

Como não hei de estar anelante da eternidade, anelante do nupcial anel dos anéis, do anel do acontecer e do regresso?

Nunca encontrei mulher de quem quisesse ter filhos senão esta mulher que amo: porque te amo eternidade!

Porque te amo, eternidade?

VI

Se a minha virtude é virtude de bailarino, se muitas vezes pulei entre arroubamentos de ouro e de esmeralda;

se a minha maldade é uma maldade risonha que se acha em seu centro entre ramadas de rosas e sebes de açucenas, porque no riso se reúne tudo o que é mau, mas santificado e absolvido pela sua própria beatitude;

e se o meu alfa e ômega é tornar leve tudo quanto é pesado, todo o corpo dançarino, todo o espírito ave:

E, na verdade, assim é o meu alfa e ômega.

Como não hei de estar anelante pela eternidade, anelante pelo nupcial dos anéis, pelo anel do regresso das coisas?

Nunca encontrei mulher de quem quisesse ter filhos senão esta mulher que amo: porque te amo, eternidade!

Porque te amo, eternidade!

VII

Se alguma vez descobri céus tranquilos sobre mim voando com as minhas próprias asas no meu próprio céu;

se nadei, brincando, em profundos lagos de luz; se a alada sabedoria da minha liberdade me veio dizer: "Olha! Nem para cima, nem para baixo! Lança-te à roda, para diante, para trás, leve como és! Canta! Não fales mais! Não estão as palavras feitas para os que são pesados? Não mentem todas as palavras ao que é leve? Canta! não fales mais!"

Como não hei de estar anelante pela eternidade, anelante pelo nupcial anel dos anéis, pelo anel do sucesso e do regresso?

Nunca encontrei mulher de quem quisesse ter filhos senão esta mulher que amo: porque te amo, eternidade!

Porque te amo, eternidade!

QUARTA E ÚLTIMA PARTE

Assim falava Zaratustra

"Ai! Onde se fizeram mais loucuras
na terra do que entre os compassivos,
e que foi que mais prejuízo causou à
terra do que a loucura dos compassivos?
— Pobre dos que amam sem que a sua
alma esteja acima de sua piedade! Assim
me disse um dia o diabo: "Deus também
tem o seu inferno: é o seu amor
pelos homens."
— E, ultimamente, ouvi-lhe dizer estas
palavras: "Deus morreu; matou-o a sua
piedade pelos homens." (Dos compassivos.)

ZARATUSTRA

A OFERTA DO MEL

E tornaram a passar meses e anos pela alma de Zaratustra, sem ele dar por isso; mas os cabelos faziam-se-lhe brancos. Estando um dia sentado numa pedra diante da sua caverna, olhando para fora em silêncio, pois daquele ponto se via o mar até muito longe, para o outro lado dos abismos tortuosos, os seus animais, pensativos, andavam em torno dele e acabaram por se lhe pôr em frente.

"Zaratustra — lhe disseram —, procuras a tua felicidade com os olhos?" — "Que importa a felicidade? — respondeu ele. — Há muito tempo que não aspiro já à felicidade; aspiro à minha obra." — "Zaratustra — replicaram os animais —, dizes isso como quem está saturado de bem. Não estás deitado num lago azulado de ventura?": "Velhacos! — respondeu Zaratustra, sorrindo —, como escolhestes bem a parábola! Também sabeis, porém, que a minha felicidade é pesada, e que não é líquida como a onda: impele-me e não me quer deixar, aderindo-se-me como pez derretido."

Os animais tornaram a voltear em torno dele, pensativos, e novamente se lhe postaram defronte. "Zaratustra — disseram —, então é isso que explica por que estás tão sombrio e amareleces posto que os teus cabelos aparentam ser brancos? Consomes-te no teu pez!" "Que dizeis?

— exclamou Zaratustra rindo. — Fiz mal em me lembrar do pez (*pech*, desgraça em sentido figurado). — O que me sucedeu, sucede a todos os frutos que amadurecem. O mel que tenho nas veias é que torna mais espesso o meu sangue e torna mais silenciosa a minha alma." "Assim deve ser Zaratustra — afirmaram os animais, encostando-se a ele —, mas, não queres subir hoje a uma alta montanha? O ar é diáfano, e hoje vê-se o mundo melhor que nunca." — "Sim, animais meus — respondeu Zaratustra —, aconselhais à maravilha e conformemente ao meu desejo. Quero subir hoje a uma alta montanha! Procurai, porém, que haja mel ao meu alcance, mel de douradas colmeias, amarelo, branco e bom, de glacial frescura. Ficai sabendo que quero já em cima fazer a oferta do mel."

Quando Zaratustra chegou ao cume, despediu os animais que o haviam acompanhado, e viu que se encontrava só; riu-se então com toda a alma e olhou em redor, e disse assim:

"Falei de oferendas e de ofertas de mel; mas isto não passava de um ardil do meu discurso e uma útil loucura. Aqui em cima já posso falar mais livremente do que diante dos refúgios dos ermitões e dos animais domésticos dos ermitões.

E falava eu de oferendas e sacrifícios? Eu, que dissipo quando se me dá às mãos cheias, como me atreveria ainda a chamar a isso... sacrifício?!

E quando pedi mel o que pedia era uma isca, doce mucilagem de que são gulosos os ursos rosnadores e as aves prodigiosas e altivas.

A melhor isca como a necessitam caçadores e pescadores. Que se o mundo é um como sombrio bosque povoado de animais de delícias de todos os ferozes caçadores, ainda me parece assemelhar-se mais a um mar sem fundo, um mar cheio de peixes e caranguejos que os próprios deuses cobiçariam a ponto de se tornarem pescadores e lançarem suas redes: tão rico é o mundo em prodígios grandes e pequenos!

Principalmente o mundo dos homens; no mar dos homens: a ele lanço eu a minha dourada sedalha, dizendo: "Abre-te, abismo humano!

Abre-te e traz-me peixes e reluzentes caranguejos! Com a minha maior isca pesco hoje para mim os mais prodigiosos peixes humanos!"

Eu lanço ao longe a minha felicidade, arrojo-a a todas as paragens, entre o Oriente, o Meio-Dia e o Ocidente, a ver se não haverá muitos peixes humanos que aprendam a puxar por esta isca.

Até que, mordendo o meu agudo e oculto anzol, tenham que subir à minha altura, até o mais malicioso dos pescadores de homens, os mais vistosos gobios das profundidades.

Porque eu sou, originária e fundamentalmente, força que puxa, que atrai, que levanta, que eleva: uma guia, um corretor e educador que não foi em vão que disse a si próprio noutro tempo: "Mostra-te quem és!"

Por conseguinte, subam agora os homens ao meu lado; porque ainda espero os sinais que me digam ter chegado o momento do meu declinar; eu ainda não desapareço dentre os homens.

Por isso, astuto e zombeteiro, espero aqui nas altas montanhas, nem impaciente nem paciente, mas apenas como quem esqueceu a paciência... visto que já não "sofre!"

O meu destino dá-me tempo. Ter-me-á esquecido? Ou entretem-se a caçar moscas, sentado à sombra, por detrás de uma grande pedra?

E, na verdade, estou grato ao meu destino eterno, que me não fustiga nem empurra e me dá tempo para malícias; tanto que hoje trepei a esta alta montanha para apanhar peixes.

Acaso se viu já um homem pescando em altas montanhas? Mas ainda que o que eu quero lá em cima seja uma loucura, vale mais do que se lá embaixo me tornasse solene e me pusesse verde e amarelo à força de esperar; cheio de cólera à força de esperar uma santa tempestade rugidora que viesse da montanha, como um paciente que gritasse aos vales: "Ouvi, ou vos sacudo com o azorrague de Deus!"

Não é que a mim me irritem tais coléricos; unicamente, me fazem rir. Compreendo que estejam impacientes esses tambores ruidosos que hão de ter a palavra, hoje ou nunca!

Eu e o meu destino, porém, não falamos ao "hoje" e tampouco ao "nunca"; temos paciência para falar, e tempo, muito tempo para isso. Porque ele há de chegar um dia, e não de passagem.

Quem terá de vir um dia, e não de passagem? O nosso grande acaso: é esse o nosso grande e longínquo Reinado do Homem, o reinado de Zaratustra, que dura mil anos...

Se esse "hoje" está ainda longe, que me importa? Nem por isso é menos sólido para mim... Confiadamente me firmo com os dois pés nesta base: sobre uma base eterna, sobre duas rochas primitivas, sobre estes antigos montes, os mais altos e rijos, de que todos os ventos se aproximam como de um limite meteorológico para se informarem dos pontos de origem e destino.

Ri-te aqui, ri luminosa e saudável malícia minha! Atira das altas montanhas o teu cintilante riso trocista! Atrai com o teu cintilar os mais formosos peixes humanos!

E tudo o que pertencer a mim em todos os mares, tudo o que for meu em todas as coisas, pesca-o para mim, traz-mo aqui acima: é o que espera o pior de todos os pescadores.

Ao longe, ao longe, meu anzol!!... Desce, vai ao fundo, isca da minha ventura! Esparge o teu mais doce orvalho, mal do meu coração!!! Morde, anzol, no ventre de toda a negra aflição.

Ao longe, ao longe, olhos meus! Quantos mares em torno de mim, quanto futuro humano na aurora! E por cima de mim... que risonho silêncio! Que silêncio sem nuvens!

O grito de angústia

No dia seguinte estava Zaratustra sentado na sua pedra diante da caverna, enquanto os animais andavam à cata de alimento... e de novo mel; porque Zaratustra tinha dissipado até ao fim o mel antigo. Estando ali sentado com um pau na mão, seguindo o contorno da sombra que o seu corpo projetava no solo, meditando profundamente — mas não em si mesmo nem na sua sombra — estremeceu de repente e ficou sobressaltado de terror: porque vira outra sombra ao lado da sua. E levantando-se e voltando-se rapidamente, viu em pé a seu lado o adivinho, o mesmo a quem uma vez dera de comer e beber ã sua mesa, o proclamador do grande cansaço, que dizia: "Tudo é igual; nada merece a pena; o mundo não tem sentido; o saber asfixia."

O semblante, porém, transformara-se-lhe desde então; e Zaratustra atemorizou-se de novo, ao ver-lhe os olhos, a tal ponto se lhe lia neles funestas predições.

O adivinho, que logo compreendeu o que agitava a alma de Zaratustra, passou a mão pela face como se quisesse apagar o que havia nela. Zaratustra, por sua parte, fez o mesmo. Quando desta forma serenaram e cobraram ânimo, deram-se as mãos em sinal de que se queriam reconhecer.

"Sê bem-vindo, adivinho da grande lassidão — disse Zaratustra —, não foste em vão meu hóspede e comensal. Come e bebe hoje também na minha morada, e deixa que se sente à tua mesa um velho alegre." — "Um velho alegre? — respondeu o adivinho, meneando a cabeça. — Quem quer que sejas ou desejes ser, Zaratustra, já o não serás por muito tempo cá em cima; dentro em pouco a tua barca já não estará ao abrigo." "Acaso estou eu ao abrigo?" perguntou, rindo, Zaratustra. O adivinho respondeu: "Em torno da tua montanha sobem mais e mais as ondas da imensa miséria e da aflição: não tarda a erguer a tua barca e arrastar-te com ela." Zaratustra calou-se, admirado. — "Não ouves ainda? — continuou o adivinho. — Não sobe o abismo um zumbido, um rumor surdo?" Zaratustra permaneceu calado e escutou. Ouviu então um grito prolongado, soltado de uns para os outros abismos, pois nenhum deles o queria reter, tão funesto era o seu som.

"Sinistro agoureiro — disse afinal, Zaratustra — isto é um grito de angústia, e grito de um homem; provavelmente sai de um mar negro.

Que me importa, porém, a angústia dos homens! O último pecado que me está reservado... sabes como se chama?"

"Compaixão! — respondeu o adivinho, cujo coração transbordava, erguendo as mãos. — Ó! Zaratustra! Venho aqui fazer-te cometer o último pecado!"

Apenas pronunciadas estas palavras, tornou a ressoar o grito, mais prolongado e angustioso do que dantes, e já muito mais próximo. "Ouves, ouves, Zaratustra? — exclamou o adivinho. — A ti se dirige o grito, é por ti que chama: vem, vem, vem; já é tempo; não há um momento a perder!"

Zaratustra, entretanto, calava-se, perturbado e alterado. Por fim perguntou, como quem hesita interiormente: "E quem me chama lá de baixo?"

"Bem o sabes — respondeu vivamente o adivinho. — Por que te ocultas? É o homem superior que te chama em seu auxílio."

"O homem superior! — gritou Zaratustra, admirado. — E que quer ele? Que quer o homem superior? O que quer ele aqui?" E o corpo cobriu-se-lhe de suor.

O adivinho não respondeu à angústia de Zaratustra: escutava e tornava a escutar, inclinado para o abismo. Mas como o silêncio se prolongasse muito olhou para trás e viu Zaratustra de pé e a tremer.

"Zaratustra — começou a dizer em voz triste —, não aparentes brincar de alegria. Embora quisesses dançar diante de mim e dar todos os teus saltos, ninguém me poderia dizer: "Olha aí tens o baile do último homem alegre!"

Em vão subiria a esta altura quem procurasse aqui esse homem: encontraria cavernas e grutas, esconderijos para a gente que se precisa ocultar, mas não poços de felicidade nem tesouros, nem novos filões áureos de ventura.

Ventura! — como encontrá-la entre semelhantes sepultados, entre tais eremitas!

Hei de buscar ainda a última felicidade nas Ilhas Bem-Aventuradas e ao longe entre esquecidos mares?

Mas tudo é igual, nada merece a pena, são inúteis todas as pesquisas; também já não há Ilhas Bem-Aventuradas?"

Assim suspirou o adivinho, mas, ao ouvir o seu último suspiro, Zaratustra recuperou a serenidade e presença de espírito, como uma pessoa que regressa à luz saindo de um antro profundo. "Não! Não! Mil vezes não! — exclamou com voz firme, cofiando a barba.

"— Isso sei-o eu muito melhor que tu. Ainda há Ilhas Bem-Aventuradas! Não digas uma palavra, saco de tristezas!

Cessa de cair, nuvem chuvosa da manhã! Não me vês já molhado pela tua tristeza e orvalhado como um cão?

Agora sacudo-me e fujo para longe de ti, para me secar: não te admires!

Pareço-te indelicado? Mas a minha corte está aqui!

Pelo que respeita ao teu homem superior, seja! Vou a correr procurá-lo por esses bosques: foi donde partiu o seu grito. Talvez o ameace alguma fera.

Está no meu domínio; não quero que lhe suceda nenhuma desgraça. E, na verdade, no meu domínio há muitas feras!

Dito isto, Zaratustra, dispôs-se a partir. Então o adivinho exclamou: "És um velhaco, Zaratustra!

Bem sei: o que tu queres é livrar-te de mim! Preferes fugir para os bosques a perseguir animais monteses!

De que te servirá isso, porém? À noite tornarás a encontrar-me: estarei sentado na tua própria caverna, com a paciência e o peso de um madeiro: ali sentado, à tua espera."

"Pois seja! — exclamou Zaratustra, afastando-se. — E o que me pertence na caverna, pertence-te também a ti, que és meu hóspede.

Se ainda lá encontrares mel, lambe-o todo, urso rabugento, e adoça a tua alma. E à noite estaremos alegres: alegres e contentes por ter terminado este dia! E tu mesmo deves acompanhar os meus cantos com as tuas danças, como se fosse o meu urso amestrado.

Julgas que não? Meneias a cabeça? Vai-te daí, velho urso! Também eu sou adivinho!"

Assim falava Zaratustra.

Conversação com os reis

I

Quase uma hora decorrera desde que Zaratustra andava caminhando pelas suas montanhas e bosques, quando de súbito viu um singular cortejo. Ao centro do caminho que ele queria seguir, adiantavam-se dois reis adornados de coroas e de púrpuras multicores como flamengos; diante deles ia um jumento carregado. "Que querem estes reis no meu reino?" — disse assombrado Zaratustra, e escondeu-se logo atrás de uma moita. Quando os reis estavam muito perto dele, acrescentou a meia-voz como se falasse consigo mesmo: "Caso raro! raríssimo! Como compreender isto? Vejo dois reis... e um asno só!"

Nisto os dois reis pararam, sorriram e dirigiram o olhar para o lugar donde partira a voz; depois entreolharam-se: "Estas coisas — manifestou o rei da direita — também se pensam lá entre nós, mas não se dizem."

O rei da esquerda respondeu, encolhendo os ombros: "Deve ser algum cabreiro ou ermitão que tem vivido demais entre brenhas e árvores. Que a absoluta ausência da sociedade também prejudica os bons costumes."

"Os bons costumes! — replicou o outro rei com enfado e amargura. — Pois de que nos queremos nós livrar senão dos "bons costumes" da nossa "boa sociedade?"

Antes viver com ermitões e pastores do que com a nossa plebe dourada, falsa e polida, embora se lhe chame a "boa sociedade", embora se lhe chame "nobreza".

Ali tudo é falso e corrompido, a começar pelo sangue, graças a estranhas e malignas enfermidades e a piores curandeiros.

O melhor para mim, e o que hoje prefiro é um camponês sadio, tosco, astuto, tenaz e resistente: é hoje a espécie mais nobre.

O camponês é hoje o melhor; e a espécie camponesa devia ser soberana. Vivemos, porém, no reinado da populaça; já me não deixo ofuscar. Populaça quer dizer amontoado.

Amontoamento populaceiro. Ali tudo está misturado: o santo e o bandido, o fidalgo e o judeu e todos os animais da arca de Noé.

Os bons costumes! Entre nós tudo é falso e corrupto! Já ninguém sabe reverenciar. Disso, justamente, é que nos devemos livrar. São sabujos importunos: douram as palmas.

O desgosto que me sufoca é termo-nos nós mesmos, reis, tornado falsos, e cobrimo-nos e disfarçamo-nos com o passado fausto dos nossos ascendentes: sermos medalhas para os mais tolos e os mais astutos e para todos o que hoje traficam com o poder!

Nós não somos os primeiros e necessitamos aparentar que somos: por fim, cansamo-nos e fartamo-nos deste embuste.

Apartamo-nos da canalha, de todos esses moscões que vociferam e esperneiam, do cheiro dos mercieiros, da rixa, da ambição, e do hálito pestilento... Puf! nada de viver entre a canalha! nada de passar pelos primeiros entre a canalha!

Horror! horror! horror! Que valemos já nós outros, reis?"

"Torna a afligir-te a tua estranha dolência — disse neste ponto o rei da esquerda —; tornam as tuas repugnâncias, pobre irmão! Já sabes, contudo, que alguém nos escuta."

Imediatamente, Zaratustra, que fora todo olhos e ouvidos, se ergueu do esconderijo e dirigindo-se aos reis começou a dizer:

"Aquele que vos escuta, aquele que gosta de vos escutar, a vós, reis, chama-se Zaratustra.

Eu sou Zaratustra que um dia disse:

"Que importam já os reis?" Perdoai-me: mas rejubilei quando dissestes um para o outro: "Que valemos já nós outros, reis?"

Aqui, porém, estais no meu reino e sob o meu domínio: que podeis procurar no meu reino? Talvez, contudo encontrásseis no caminho o que eu procuro: eu procuro o homem superior."

Ao ouvir isto os reis bateram no peito e disseram ao mesmo tempo: "Conheceste-nos."

Com a espada dessa palavra cortas a mais profunda obscuridade dos nossos corações. Descobristes a nossa angustia; porque, olha, nós vamos em busca do homem superior — o homem superior a nós outros, conquanto sejamos reis. — Para ele trazemos este jumento. Que o homem mais alto deve ser também na terra o mais alto senhor.

Não há calamidade mais dura em todos os destinos humanos do que quando os poderosos da terra não são ao mesmo tempo os primeiros homens. Então tudo se torna falso e monstruoso, tudo anda ao invés.

E quando são os últimos, e antes animais do que homens, então sobe de preço a populaça, e pela continuação acaba por dizer: "Já vedes: só eu sou virtude!"

"— Que ouço?! — respondeu Zaratustra. — Que sabedoria em reis! Estou entusiasmado e já me apetece fazer sobre isto uns versos — talvez sejam uns versos que não possam servir para os ouvidos de toda a gente. — Já há muito que esqueci as considerações com as orelhas compridas. Vamos! Adiante!

(Mas nesse momento também o asno tomou a palavra: disse claramente e com mau intuito: I. A.)

"Noutros tempos — creio que no ano um — disse ébria a sibila (sem ter provado vinho):

"Ai isto vai mal!

"Decadência! Decadência! Nunca o mundo caiu tão baixo!

"Roma degenerou em rameira e habitação de rameiras.

"O César de Roma degenerou em besta; até Deus tornou-se judeu!"

II

Os reis deleitaram-se com os versos de Zaratustra, e o da direita disse: Zaratustra, como fizemos bem em nos pormos a caminho para te ver!

Que os teus inimigos mostraram-nos a tua imagem num espelho: vimos a estampa de um demônio de riso sarcástico: de forma que nos amedrontaste.

De que servia, porém? Sempre tornavas a penetrar com as tuas máximas nos nossos ouvidos e nos nossos corações. De forma que acabamos por dizer: que nos importa a cara dele?

É preciso ouvir aquele que ensina: "Deveis amar a paz como meios de novas guerras, e a breve paz mais do que a prolongada!"

Nunca ninguém pronunciou tão guerreiras palavras: "Que é que é bom? Bom é ser valente. A boa guerra santifica todas as coisas."

Ó! Zaratustra! A estas palavras ferveu nos nossos corpos o sangue dos nossos pais: foram como as palavras da primavera a tonéis de vinhos.

Quando as espadas se cruzavam como serpentes tintas de vermelho, os nossos pais amavam a vida; o sol da paz parecia-lhes brando e tíbio, mas a paz prolongada envergonhava-os.

Como os nossos pais suspiravam quando viam na parede espadas lustrosas e enxutas! Tinham sede de guerra, à semelhança dessas espadas. Que uma espada quer beber sangue e cintila com o seu ardente desejo."

Quando os reis falaram tão calorosamente da felicidade seus pais, Zaratustra sentiu grande tentação de zombar daquele ardor: porque evidentemente eram reis muito pacíficos os que via diante de si, com seus velhos e finos semblantes. Dominou-se, porém. "Vamos! A caminho! — disse. — Estais no caminho; lá em cima encontra-se a caverna de Zaratustra; e este dia deve ter uma grande tarde. Aflora, porém, chama-me para longe de vós um grito de angústia.

A minha caverna ficará honrada se nela se sentarem mil e se dignarem esperar; verdade é que tereis que esperar muito!

Que importa? Onde se aprende hoje a esperar melhor do que nas cortes? E toda a virtude dos reis, a única que conservaram, não se chama saber esperar?

Assim falava Zaratustra.

A sanguessuga

Zaratustra continuou pensativo o seu caminho, descendo cada vez mais, atravessando bosques e passando por diante de lagoas; mas, como sucede a todos que meditam em coisas difíceis, pisou por equívoco um homem. Logo troaram aos seus ouvidos um grito de dor, duas pragas, e vinte injúrias terríveis; assustado, ergueu o bordão e bateu outra vez na pessoa pisada. No mesmo instante, porém, caiu em si, e no seu íntimo pôs-se a rir da loucura que perpetrara.

"Desculpa-me — disse ao homem que havia pisado, o qual se acabava de erguer colérico, para se tornar a sentar em seguida —; desculpa-me e ouve primeiro uma parábola.

Assim como um viandante que sonha em coisas longínquas por um caminho solitário, tropeça por descuido com o cão que dormita, com um cão deitado ao sol, e ambos se erguem e se encaram repentinamente como mortais inimigos, mortalmente assustados, assim nos sucedeu a nós.

E, todavia... todavia... como faltou pouco para esse solitário e esse cão se afagarem! Não serão ambos solitários?"

"Quem quer que sejas — respondeu enfadado o pisado — ainda te aproximas muito de mim, não só com o pé, como com a tua parábola.

Olha para mim: acaso serei algum cão?" E dizendo isto ergueu-se, tirando do pântano o braço nu. Que a princípio estava caído ao comprido, oculto e impossível de conhecer, como quem espreita a caça dos pântanos.

"Mas que estás fazendo? — exclamava Zaratustra assustado, porque lhe via correr muito sangue do braço nu. — Que te sucedeu? Mordeu-te algum bicho ruim, infeliz?"

O que sangrava ria, ainda cheio de cólera. "Que tens que ver com isto? — exclamou, querendo prosseguir o caminho. — Estou aqui nos meus domínios. Interrogue-me quem quiser, pois a um néscio é que eu não responderei!"

"Enganas-te — disse Zaratustra, retendo-o, cheio de compaixão —, enganas-te: aqui não estás no teu reino, mas no meu, e aqui não deve suceder a ninguém desgraça alguma.

Chama-me sempre o que quiseres — eu sou o que devo ser. — A mim mesmo me chamo Zaratustra.

— Vamos! Lá em cima é o caminho que conduz à caverna de Zaratustra: não está muito longe.

Não queres vir ao meu albergue para curar as feridas?

Não foste feliz neste mundo, desditoso: primeiro, mordeu-te o bicho; depois... pisou-te o homem!"

Quando o homem ouviu, porém, o nome de Zaratustra, transformou-se. "Que me sucedeu? — exclamou. — Quem é que me preocupa ainda na vida senão este homem único, Zaratustra, é o único animal que bebe sangue, a sanguessuga.

Por causa da sanguessuga estava eu ali estendido, à beira do pântano, como um pescador; e já o meu braço estendido fora mordido dez vezes, quando se me pôs a morder o sangue outra sanguessuga mais bela, o próprio Zaratustra.

Ó! ventura! ó portento! Bendito seja este dia que me trouxe a este pântano! Bendita seja a melhor ventura, a mais forte que vivo hoje! Bendita seja a grande sanguessuga das consciências, Zaratustra!"

Assim falava o pisado, e Zaratustra rejubilou com as suas palavras e com a sua aparência fina e respeitosa. E estendendo-lhe a mão, perguntou: "Quem és? Entre nós ficam muitas coisas por esclarecer e desabafar, mas já me parece nascer um dia puro e luminoso."

"Eu sou o espírito consciencioso — respondeu o interrogado; e nas coisas do espírito é difícil alguém conduzir-se de forma mais rigorosa do que eu, exceto aquele de quem a aprendi, o próprio Zaratustra.

Antes não saber nada do que saber muitas coisas por metade! Antes ser louco por seu próprio critério, que sábio segundo a opinião dos outros! Eu por mim, vou ao fundo.

Que importa que seja pequeno ou grande, que se chame pântano ou céu? Um pedaço de terra do tamanho da mão me basta, contanto que seja verdadeiramente terra e solo! Num pedaço de terra do tamanho da mão, pode uma pessoa ter-se de pé. No verdadeiro saber consciencioso nada há grande nem pequeno."

"Então és talvez aquele que procura conhecer a sanguessuga? — perguntou Zaratustra.

Tu, o consciencioso, escutas a sanguessuga em busca dos seus últimos fundamentos?"

"Ó Zaratustra! — respondeu o pisado. — Isto seria uma monstruosidade! Como me atreveria a intentar semelhante coisa?

O que eu domino e conheço é o cérebro da sanguessuga: é esse o meu universo!

E é também um universo! Perdoe, porém, revelar-se-me aqui o orgulho, porque nesse domínio não tenho semelhante. Por isso disse:

"É este o meu domínio."

Há quanto tempo persigo esta coisa única, o cérebro da sanguessuga, para que me não escape mais a verdade fugidia. É este o meu reino!

Por isso pus de lado tudo o mais; por isso, tudo o mais se me tornou indiferente; e contígua à minha ciência estende-se a minha negra ignorância.

A minha consciência intelectual exige-me que saiba uma coisa e ignore o restante: estou farto de todas as meias inteligências, de todos os nebulosos, flutuantes e visionários.

Onde cessa a minha probidade sou cego e quero ser cego. Onde quero saber, todavia, também quero ser probo, isto é, duro, severo, estreito, cruel, implacável.

O que tu disseste um dia, Zaratustra, "que a inteligência é a vida que esclarece a própria vida" foi o que me conduziu e me atraiu à tua doutrina. E, na verdade, com o meu próprio sangue acrescentei a minha própria ciência." "Como salta à vista", interrompeu Zaratustra; e o sangue continuava a correr do braço nu do consciencioso, porque se lhe tinham agarrado dez sanguessugas.

"Singular personagem, que ensinamento me dá este espetáculo... quer dizer, tu mesmo!

Eu talvez me não atrevesse a insinuar tudo isso...

Vamos! Separemo-nos aqui! Agradar-me-ia, porém, tornar a encontrar-te. Ali em cima está o caminho que conduz à minha caverna.

Lá deves ser esta noite bem-vindo entre os meus hóspedes.

Quereria também reparar, no teu corpo, o haver sido pisado por Zaratustra; nisso penso. Chama-me, porém, para longe de ti um grito de angústia."

Assim falava Zaratustra.

O encantador

I

Na volta de umas penhas, Zaratustra viu perto de si e na parte baixa do caminho um homem que acenava como doido furioso e que acabou por se precipitar de bruços no solo. "Alto! — disse então Zaratustra consigo. — Deve ser este o homem superior; dele procedia aquele sinistro grito de angústia. Quero ver se o posso socorrer."

Quando chegou, porém, ao sítio em que o homem estava deitado, deparou com um velho trêmulo de olhar fixo; e apesar de todas as tentativas de Zaratustra para o levantar, foram vãos os seus esforços. O infeliz parecia não notar que estivesse alguém junto de si; pelo contrário, não cessava de olhar para um e outro lado, fazendo gestos comovedores, como quem se vê abandonado, e apartado do mundo inteiro. Afinal, depois de muitas tremuras, sobressaltos e contorções, começou a lamentar-se desta forma:

"Quem me dá calor? Quem me ama ainda? Vinde, mãos quentes! Vinde, corações ardentes!

"Caído, a tremer, como um moribundo cujos pés são aquecidos, estremecido, ai! por ignoradas febres, tiritando ante as aceradas flechas da geada, acossado por ti, pensamento! inefável! oculto! espantoso! caçador escondido por detrás das nuvens!

"Ferido por ti, olho zombeteiro que me contemplas na escuridão! — Assim jazo, me curvo, me contorço, atormentado por todos os mártires eternos, ferido por ti, crudelíssimo, caçador, Deus desconhecido...

"Fere mais profundamente! Fere outra vez! Trespassa, arranca este coração! Para que é este martírio com setas rebotadas? Que olhas ainda, não cansado de humanos tormentos, com esses olhos maliciosos de fulgores divinos?

"Não queres matar, mas martirizar, martirizar somente? Para que martirizar-me a mim, Deus maldoso, Deus incógnito?

"Ah! aproximas-te rastejando em semelhante noite? Que queres? Fala! Persegue-me e cercas-me. Aproxima-te demais! Ouves-me respirar, espreitas o meu coração, ciumento! Mas de quem tens ciúmes? Deixa-me, afasta-te daí! Para que é essa escada? Queres penetrar no meu coração, penetrar os meus mais secretos pensamentos! Insolente! Desconhecido! Ladrão! Que queres roubar? Que queres ouvir? Que te propões arrancar com as tuas torturas, Deus verdugo? Ou terei de me arrastar na tua presença como um cão, entregando-te o meu amor, acorrentado e fora de mim?

"Em vão! Punge de novo, crudelíssimo aguilhão?

"Eu não sou um cão! apenas sou tua presa, caçador cruel entre os cruéis! O teu mais altivo prisioneiro, salteador oculto atrás das nuvens!

"Fale de uma vez o que se esconde detrás dos relâmpagos! Fale o incógnito! Que queres de mim, postado aí à espreita no caminho?

"Quê? Um resgate? Que queres de resgate?

"Pede muito — assim o aconselha o meu orgulho! — E fala pouco — aconselha-to o meu outro orgulho!

"Ah! A mim mesmo é que tu queres? A mim? A mim todo?

"Ah! E martirizas-me, insensato! E torturas-me o orgulho? Dá-me o amor — quem me aquece ainda? Quem me tem amor ainda? Dá-me mãos quentes, dá-me corações ardentes, dá-te tu, crudelíssimo inimigo;

sim, entrega-te a mim, ao mais solitário, a quem o gelo faz suspirar sete vezes até pelos mesmos inimigos...

"Foi-se. Até ele fugiu, o meu único companheiro, o meu grande inimigo, o meu desconhecido, o meu Deus verdugo!

"Não! Torna! Torna com os teus suplícios!

"Torna ao último dos solitários! Todas as minhas lágrimas correm em tua procura! E por ti desperta a derradeira chama do meu coração! Ó! torna, Deus incógnito! Minha dor! Última ventura minha!"

II

Neste ponto, porém, Zaratustra não se pôde conter mais tempo, agarrou o bordão e deu com todas as forças no que se lastimava.

"Detém-te! — gritou-lhe com riso colérico. — Detém-te, histrião, falso moedeiro! Inveterado embusteiro! Bem te conheço!

Hei de te largar fogo às pernas, sinistro encantador; sei muito bem haver-me com os da tua ralé!"

"Para! — disse o velho, erguendo-se de repente. — Não me batas mais, Zaratustra!

Tudo isto não passou de um gracejo forte!

Estas coisas participam da minha arte: quis pôr-te à prova a ti mesmo, apresentando-te esta prova. E, verdade é que me penetraste bem os pensamentos!

Mas também... não é pequena a prova que te impuseste a ti mesmo. És rigoroso, sábio Zaratustra! Feres duramente com as tuas "verdades"; o teu nodoso bordão obriga-me a confessar... esta verdade!"

"Não me adules, histrião! — respondeu Zaratustra, sempre irritado e com semblante sombrio. — És falso; para que falas... de verdade?

Pavão, oceano de vaidade, que é que tu representavas diante de mim, sinistro encantador? Em quem devia eu crer quanto te lamentavas assim?"

"Eu representava o redentor do espírito — disse o velho: tu mesmo inventaste noutro tempo esta expressão: — o poeta e o encantador que acaba por tornar o espírito contra si mesmo, o transformado, aquele a quem gelam a sua falsa ciência e a sua má consciência.

E, confessa francamente, Zaratustra: demora-te a descobrir os meus artifícios e mentiras! Acreditavas na minha miséria, quando me amparavas a cabeça; ouvi-te gemer: "Amaram-no pouco, muito pouco!"

Haver-te enganado a tal ponto era o que intimamente me regozijava a maldade."

Zaratustra respondeu com dureza:

"A outros mais finos do que eu deves ter enganado. Eu não estou em guarda contra os enganadores; não tenho que tomar precauções: assim o quer a minha sorte.

Tu, porém... tens que enganar: conheço-te de sobra para o saber. As tuas palavras hão de ter sempre duplo, triplo, quádruplo sentido. O que me confessaste não era bastante verdadeiro nem bastante falso para mim.

Vil moedeiro falso, como havias de fazer outra coisa? Até a tua enfermidade encobririas, se te apresentasses nu ante o médico.

E acabavas de dourar a tua mentira diante de mim quando disseste: "Só o fiz por gracejo!" Também nisso havia seriedade; tu és até certo ponto como um redentor do espírito.

Sei perfeitamente calar-te: fizeste-te de encantador de toda a gente; mas, quanto a ti, já te não resta mentira nem astúcia; no que te diz respeito estás desencantado.

Alcançaste a desilusão como única verdade. Nenhuma palavra é já verdadeira em ti, a não ser a desilusão pegada à tua boca."

"Mas quem és tu? — exclamou o velho, já agora com voz altaneira. — Quem tem o direito de me falar assim, a mim, que sou o maior dos viventes de hoje?" E os olhos faiscaram-lhe ao encarar Zaratustra. — No mesmo instante, porém, se transformou e disse com tristeza:

"Zaratustra, estou farto; cansam-me as minhas artes; eu não sou grande! Para que fingir? Mas tu bem o sabes: procurei a grandeza.

Eu queria simular de grande homem, e a muita gente convenci; mas esta mentira foi superior às minhas forças.

Zaratustra, em mim tudo é mentira; mas que sucumbo... isto é positivo!"

"Honra-te — respondeu Zaratustra, sombrio e desviando o olhar para o chão —, honra-te o teres procurado a grandeza, mas deprime-te também. Tu não és grande.

Sinistro encantador, o melhor e mais honroso para ti é teres-te enfastiado de ti mesmo e haveres exclamado: "Não sou grande."

Em atenção a isso, honro-te como um redentor do espírito: conquanto fosse por um instante, nesse instante foste verídico.

Diz-me, porém; que procuras tu aqui no meu bosque: e entre as minhas brenhas? E se te havias atravessado no meu caminho para me espreitar, que prova querias de mim?

Em que me querias tentar?"

Assim falava Zaratustra, e os olhos faiscavam-lhe. O velho encantador fez uma pausa e disse depois: "Acaso te tentei? Eu não faço mais do que... procurar.

Zaratustra, eu procuro alguém que seja sincero, reto, simples, alheio ao fingimento, um homem de toda a probidade, um vaso de sabedoria, um santo de conhecimento, um grande homem!

Porventura o ignoras, Zaratustra? Procuro Zaratustra!"

Então fez-se um silêncio entre os dois. Zaratustra, concentrando-se profundamente, cerrou os olhos; depois, virando-se para o encantador pegou-lhe na mão, disse-lhe delicada e astuciosamente:

"Está bem! Ali em cima encontra-se o caminho que conduz à caverna de Zaratustra. Na minha caverna podes procurar o que desejas encontrar.

E aconselha-te com os meus animais, a minha águia e a minha serpente: eles te ajudarão a procurar. A minha caverna é grande, contudo.

Verdade é que eu próprio... ainda não vi nenhum grande homem. Para o grande, ainda o olho do melhor lince é demasiado grosseiro. Este é o reinado da populaça.

Já tenho visto tantos esticarem e inflarem enquanto o povo gritava: "Vede: este é um grande homem!" Mas para que servem os foles? Deles apenas sai vento.

O sapo que incha demasiado acaba rebentando. Furar o ventre de um inchado é uma honesta distração. Ouvi isto, meu filho!

O nosso hoje pertence à populaça: quem pode saber ainda o que é grande ou pequeno?

Quem procuraria ainda com êxito a grandeza? Um louco, quando muito; e os loucos são afortunados.

Procuras os grandes homens, estranho louco! Quem te ensinou tal coisa? Será hoje tempo oportuno para isso? Ó! malicioso investigador! Porque me tentas?"

Assim falava Zaratustra, com o coração consolado; e rindo, prosseguiu o seu caminho.

FORA DE SERVIÇO

Pouco depois de se livrar do encantador, Zaratustra viu outra pessoa sentada à beira do caminho que ele seguia, um homem alto e escuro, de semblante pálido e afilado; este contrariou-se extraordinariamente. "Mal vai! — disse consigo — vejo aflição mascarada, que parece coisa de sacerdotes. Que querem estes no meu reino?

Quê! Mal me livrei daquele encantador e já passa pelo caminho outro nigromante, um mago que impõe as mãos, um sombrio milagreiro por amor de Deus, um compungido difamador do mundo: leve-o o demônio!

O demônio, porém, nunca se acha onde deve; sempre chega tarde esse maldito anão, esse pateta!"

Assim praguejava Zaratustra, impaciente e pensando na maneira de passar diante do homem negro olhando para outro lado. As coisas, porém, sucederam doutra forma: porque no mesmo instante o viu aquele que estava sentado; e como quem tem uma sorte inesperada, pôs-se de pé de um salto e encaminhou-se para Zaratustra.

"Quem quer que sejas — disse — viajante errante, auxilia extraviado a quem poderia suceder alguma desgraça!

Isto aqui é para mim um mundo estranho e longínquo; também ouvi rugidos de feras; e quem poderia dar-me guarida já não existe.

Procurei o último homem piedoso, um santo e um ermitão, único que no seu bosque ainda não ouvira dizer o que toda a gente hoje sabe".

"Que é que toda a gente sabe hoje? — perguntou Zaratustra. — Talvez já não esteja vivo o Deus antigo, o Deus em quem dantes acreditava toda a gente?"

"Assim o dizes — respondeu tristemente o velho. — E eu servi esse Deus antigo até a sua última hora.

Agora, porém, estou fora de serviço; encontro-me sem amo, e apesar disso, não sou livre; por isso só me comprazo nas minhas recordações.

Por isso subi a estas montanhas, para tornar a celebrar aqui uma festa, como convém a um antigo papa e padre da Igreja — porque fica sabendo que sou o último papa! — uma festa e piedosa lembrança e culto a Deus.

Mas agora morreu o mais piedoso dos homens, esse santo do bosque que continuamente louvava Deus com cantos e preces.

Já o não encontrei quando descobri a choça; mas vi lá dois lobos que uivavam por causa da sua morte — porque todos os animais o queriam. — Ao ver aquilo fugi.

Vim, depois, debalde a estes bosques e a estas montanhas! Por consequência o meu coração decidiu-se a procurar outro, o mais piedoso de todos os que não acreditam em Deus: Zaratustra!"

Assim falou o velho, e fixou um olhar penetrante no que estava de pé diante dele. Zaratustra pegou na mão do antigo papa e contemplou-a largo tempo com admiração.

"Olha, então, venerando — disse-lhe logo. — Que mão estendida tão bela! É a mão de quem deu sempre a bênção. Agora, porém, estreita daquele a quem tu procuras, a mim, Zaratustra.

Eu sou Zaratustra, o ímpio, que diz: "Quem há mais ímpio do que eu, para me regozijar com o seu ensinamento?"

Assim falava Zaratustra, penetrando com o seu olhar nos pensamentos mais íntimos do velho papa. Por fim ele principiou a dizer:

"Aquele que mais o amava e o possuía foi também o que mais o perdeu.

Olha: creio que agora o mais ímpio de nós sou eu. Mas quem se poderia regozijar disso?"

"Serviste-o até o fim? — perguntou Zaratustra pensativo, depois de longo e profundo silêncio.

Sabes como morreu? É certo o que se diz, que o asfixiou a compaixão? O ver o homem suspenso na cruz e não poder suportar que o amor pelos homens viesse a ser o seu inferno e afinal a sua morte?"

O antigo papa não respondeu, mas olhou de soslaio com espanto e expressão dolorosa e sombria.

"Deixa-o ir — acrescentou Zaratustra depois de longa reflexão, cravando sempre os seus olhos nos do velho.

"Deixa-o ir — findou. E embora te honre dizer só bem desse morto, tu sabes como eu quem ele era, e que seguia caminhos singulares."

"Aqui — de três olhos — disse tranquilizado o papa, que de um olho era cego — estou mais ao corrente das coisas de Deus que o próprio Zaratustra, e tenho direito de o estar.

Longos anos o serviu o meu amor, a minha vontade seguia a sua por toda parte. Um bom servidor, porém, sabe tudo e até certas coisas que o seu senhor oculta a si mesmo.

Era um Deus oculto, cheio de mistérios. Nem sequer alcançou um filho, senão por caminhos escusados. As portas da sua crença encontra-se o adultério.

O que o louva como Deus do amor não forma juízo bastante elevado do amor em si.

Esse Deus não queria ser juiz também? Pois o que ama ama acima do castigo e da recompensa.

Quando moço, esse Deus do Oriente era ríspido e estava sedento de vingança: criou um inferno para deleite dos seus prediletos.

Por fim fez-se velho e brando e terno e compassivo, assemelhando-se mais a um avô do que a um pai, e até mais a uma avó decrépita.

Para ali estava murcho, sentado ao calor do lume, preocupado com a fraqueza das pernas, cansado do mundo, cansado de querer, e um dia acabou por se afogar em excessiva piedade."

Antigo papa — interrompeu Zaratustra —, viste isso com os teus próprios olhos? Pode muito bem ter sido assim; assim e também doutra maneira. Quando os deuses morrem, é sempre de várias espécies de mortes.

Mas desta ou doutra maneira, desta ou daquela, já não existe! Era contrário ao gosto dos meus olhos e dos meus ouvidos: eu nada pior queria imputar-lhe.

A mim agrada-me tudo o que tem o olhar claro e fala francamente. Ele, porém, bem o sabes antigo sacerdote, tinha qualquer coisa da tua raça, dos sacerdotes: era contraditório.

Também era confuso. Quanto nos não lançou em cara esse colérico, por má compreensão!

Mas por que não falava ele mais claro?

E se a culpa era de nossos ouvidos, para que nos deu ouvidos que o ouvissem mal? Se nos nossos ouvidos havia lama, quem no-lo pôs lá?

Saíram mal demasiadas coisas a esse oleiro que não concluíra a aprendizagem. Mas vingar-se nos seus cacos e nas suas vasilhas porque lhe tinham saído más foi um pecado contra o bom gosto.

Também há um bom gosto na piedade; esse bom gosto acabou por dizer: "Levai-nos tal deus! Vale mais não ter nenhum, vale cada qual criar os destinos ao seu capricho, vale mais ser doido, vale mais ser deus uma pessoa mesma!"

"Que ouço? — disse neste ponto o papa, apurando o ouvido. — Zaratustra, com essa incredulidade és mais piedoso do que julgas. Deve ter havido algum deus que te converteu à tua impiedade.

Não é a tua própria impiedade que te impede de crer em um Deus? E a tua excessiva lealdade ainda te há de conduzir mais além do bem e do mal.

Vês o que te está reservado! Tens olhos, mão e boca que estão predestinados a abençoar toda a eternidade. Não se abençoa só com a mão.

A teu lado, embora queiras ser o mais ímpio, percebe-se um secreto aroma de dilatadas bênçãos, um odor benéfico e ao mesmo tempo doloroso para mim.

Permite-me ser teu hóspede uma só noite, Zaratustra! Em nenhuma parte da terra me sentirei melhor que a teu lado!"

"Amém! — Assim seja! — exclamou Zaratustra, admiradíssimo. — Ali em cima está o caminho que conduz à caverna de Zaratustra.

Venerando, de boa vontade te levaria eu mesmo porque estimo todos os homens piedosos. Agora, porém, chama-me para longe de ti um grito de angústia.

Nos meus domínios não deve suceder nada mau a ninguém: a minha caverna é um bom porto. E eu quereria, sobretudo, pôr em terra firme e com o pé direito todos os tristes.

Quem poderá, contudo, arrancar-te dos ombros essa melancolia? Eu sou demasiado débil para isso. Na verdade muito teríamos que esperar para que alguém ressuscitasse o teu deus.

Que esse Deus antigo já não é vivo; está morto e bem morto.

Assim falava Zaratustra.

O homem mais feio

E Zaratustra continuou a correr pelas montanhas e pelas selvas, e os seus olhos esquadrinhavam sem cessar; mas em nenhuma parte via aquele que queria ver, o que clamava por socorro, atormentado por profunda angústia. Caminhava, todavia, muito satisfeito e cheio de gratidão.

"Que boas coisas — disse — este dia me tem dado, para me indenizar de o ter começado tão mal! Que singulares interlocutores encontrei!

Hei de ruminar muito tempo as suas palavras como se fossem bons grãos; os meus dentes devem triturá-las e moê-las muitas vezes, até me correrem pela alma como leite."

Mas quando deu volta a outro penhasco do caminho, mudou de súbito a paisagem, e Zaratustra entrou no reino da Morte. Surgiam ali negros e vermelhos penhascos, e não havia erva, árvores, nem canto de pássaros. Que era um vale que todos os animais desprezavam, até as feras; só uma espécie muito feia de grandes cobras verdes ia ali morar, quando envelhecia. Por isso os pastores chamavam aquele vale "Morte das serpentes".

Zaratustra abismou-se em negras recordações, porque lhe parecia ter-se já encontrado naquele vale. E preocuparam-lhe o espírito coisas tão pesadas que foi demorando, demorando o passo até que acabou por parar e fechar os olhos.

Quando os abriu, viu qualquer coisa sentada à beira do caminho, qualquer coisa onde com muito trabalho se reconheceria a forma de um homem, qualquer coisa inexprimível. E Zaratustra sentiu enorme vergonha de seus olhos terem visto semelhante coisa. Ruborizando-se até a raiz dos cabelos, afastou os olhos e ergueu o pé para se retirar daquele sítio nefasto. Mas então se povoou de ruídos o tétrico deserto: porque se elevou do solo um gorgolejo como o que faz a água de noite em campos tapados; esse ruído acabou por se tornar voz humana e humana palavra. A voz dizia:

"Zaratustra! Zaratustra! Adivinha o meu enigma! Fala! Qual é a vingança contra a testemunha?

Eu atraio-te para trás; aqui há gelo resvaladiço. Cuidado, cuidado, não se te quebrem as pernas de orgulho!

Julgas-te sábio, orgulhoso Zaratustra!

Pois adivinha o enigma, adivinha o enigma que eu sou. Fala pois: quem sou eu?"

Mas quando Zaratustra ouviu estas palavras que pensais se lhe passou na alma?

Viu-se dominado pela compaixão, e abateu-se de súbito como um carvalho que depois de resistir muito tempo aos lenhadores, cai de repente e pesadamente com espanto dos próprios que queriam abatê-lo. Logo, porém, se ergueu do solo e o semblante tornou-se-lhe duro.

"Conheço-te bem — disse com voz de bronze —, és o assassino de Deus. Deixa-me ir embora.

Não suportaste aquele que te via sempre e até ao mais íntimo teu, mais feio dos homens! Vingaste-te dessa testemunha!"

Assim falava Zaratustra, e quis ir-se embora; mas o inexprimível segurou-o pela roupa e começou a gorgolejar de novo e a procurar as suas expressões: "Detém-te!" disse por fim.

"Detém-te! não passes de largo! Compreendi qual foi o machado que te derrubou!

Glória a ti, Zaratustra, que estas outra vez de pé!

Adivinhaste — sei-o perfeitamente — quais eram os sentimentos do que matou Deus — do assassino de Deus. — Fica. Senta-te aqui ao meu lado; não será em vão.

A quem queria eu encontrar senão a ti? Fica e senta-te. Mas não olhes para mim. Respeita assim... a minha fealdade!

Perseguem-me: agora tu és o meu último refúgio. Não é que me persigam com o seu ódio ou seus esbirros. Ó! Zombaria então de tais perseguições! Estaria orgulhoso e satisfeito.

Todo o triunfo não tem sido até aqui dos que foram bem perseguidos?

E o que persegue bem facilmente aprende a seguir — não vai já... atrás?

Trata-se, porém, da sua compaixão...

Da compaixão deles é que eu fujo ao vir-me refugiar em ti. Defende-me, Zaratustra, último refúgio meu, único ser que me adivinhou.

Adivinhaste os sentimentos daquele que matou Deus.

Fica! E se és tão impaciente que te queiras ir embora, não tomes o caminho por onde eu vim. Esse caminho é mau.

Tens-me rancor porque há muito tempo que te falo imprudentemente? Porque te dou conselhos? Fica sabendo que eu, o mais feio dos homens, sou também o que tem o pé maior e mais pesado. Todo o caminho que pisei se tornou mau. Eu esmago e destruo os caminhos todos.

Bem vi, porém, que passavas por diante de mim em silêncio, e que te envergonhavas: nisso conheci Zaratustra.

Outro qualquer atirar-me-ia uma esmola, a sua compaixão com o olhar e a palavra. Eu, porém, não sou bastante mendigo para isso: adivinhaste.

Eu sou demasiado rico para isso, rico em coisas grandes e formidáveis, as mais feias e inexprimíveis! A tua vergonha honra-me, Zaratustra!

Difícil me foi sair da multidão dos compassivos para encontrar o único que ensina hoje que "a compaixão é importuna" — para te encontrar a ti, Zaratustra.

Seja piedade de um Deus ou piedade dos homens, a compaixão é contrária ao pudor. E não querer auxiliar pode ser mais nobre do que essa virtude que assalta pressurosa e solícita.

Mas a isso mesmo é que toda a gente pequena chama hoje virtude: a compaixão; tal gente não guarda respeito à grande desgraça, nem à grande felicidade, nem à grande queda.

Deito o meu olhar por cima dos pequenos, como o de um cão, por cima dos buliçosos rebanhos de ovelhas. É gentinha de boa vontade, parda e peluda.

Tempo demais se deu razão a essa gentinha, e assim se acabou por se lhes dar igualmente o poder. Agora pregam: "Só o que a gentinha acha bom é que é bom."

E hoje chama-se "verdade" ao que dizia o pregador que saiu das fileiras dessa gente, aquele santo raro, aquele advogado dos pequenos que afirmava por si só "eu sou a verdade".

E aquele homem imodesto que ao dizer "eu sou a verdade" pregou um erro mais que mediano, foi a causa de se pavonearem há muito as pessoas pequeninas.

Acaso se respondeu alguma vez mais cortesmente a uma pessoa falha de modéstia?

E tu, Zaratustra, todavia, passaste por diante dele dizendo: "Não! Não! Mil vezes não!"

Tu deste a voz de alarme contra o seu erro; foste o primeiro a dar a voz de alarma contra a compaixão; não a todos, nem a nenhum, mas a ti e à tua espécie.

Envergonhas-te da vergonha dos grandes sofrimentos: e quando dizes: "Da compaixão vem uma grande nuvem, alerta, humanos." E quando ensinas: "Todos os criadores são duros, todo o grande amor está por cima da sua compaixão", parece-me conheceres bem os sinais do tempo, Zaratustra!

Mas tu mesmo... livra-te também da tua própria piedade. Que há muitos que se encaminham para ti, muitos dos que sofrem, dos que duvidam, dos que desesperam, dos que se afogam e gelam...

Ponho-te também em guarda contra mim. Adivinhas o meu melhor e o meu pior enigma, adivinhaste-me a mim mesmo e o que tenho feito. Conheço o machado que te derruba.

Foi preciso, contudo, ele morrer: via com olhos que tudo viam; via as profundidades e os abismos do homem, toda a sua oculta ignomínia e fealdade.

A sua compaixão não conhecia a vergonha; introduzia-se-me nos mais sórdidos recantos. Foi mister morrer o mais curioso, o mais importuno, o mais compassivo.

Sempre me via; quis vingar-me de tal testemunha ou deixar de viver.

O Deus que via tudo, até o homem, esse Deus devia morrer! O homem não suporta a vida de semelhante testemunha."

Assim falava o homem mais feio. E Zaratustra levantou-se e dispôs-se a partir, porque estava gelado até a medula, e disse:

"Tu, inexprimível, puseste-me em guarda contra o teu caminho. Para te recompensar recomendo-te o meu. Olha: ali em cima fica a caverna de Zaratustra.

A minha caverna é grande e profunda e tem muitos recantos; o mais escondido encontra lá o seu esconderijo. E perto há cem rodeios e cem fugas para os animais que se arrastam, revolteiam e saltam.

Tu, que te vês repelido e que te repeliste a ti mesmo, não queres viver mais entre os homens e da compaixão dos homens? Pois bem! Faz como eu! Assim aprenderas também comigo, só o que procede aprende.

E fala logo e em primeiro lugar aos meus animais! Sejam para nós dois os verdadeiros conselheiros: o animal mais ativo e o animal mais astuto!"

Assim falou Zaratustra, e prosseguiu o seu caminho ainda mais meditabundo e vagaroso do que dantes, porque se interrogava sobre muitas coisas a que lhe era difícil responder.

"Como o homem é mesquinho! — pensava interiormente. — Que feio, que agonizante e quão cheio de oculta vergonha!

Dizem que o homem se ama a si mesmo! Ai! Como deve ser grande esse amor próprio!

Quanto desprezo tem contra si!

Também aquele se ama desprezando-se: é para mim um grande enamorado e um grande desprezador.

Nunca tropecei com ninguém que se desprezasse mais profundamente. Isto também é elevação. Ó! infortúnio! Talvez fosse aquele o homem superior cujo grito ouvi!

Eu amo os grandes desprezadores. Mas o homem é uma coisa que deve ser superada."

Assim falava Zaratustra.

O MENDIGO VOLUNTÁRIO

Quando Zaratustra se apartou do mais feio dos homens teve frio, sentiu-se só: tantas coisas geladas e solitárias lhe cruzaram o espírito que até os membros se lhe arrefeceram.

Subindo, porém, cada vez mais por montes e vales, e ao atravessar áridos pedregais, que provavelmente tinham sido noutras épocas leito de um rio impetuoso, sentiu-se de repente mais vivo e animado.

"Que me sucedeu? — perguntou a si mesmo.

— O que quer que seja cálido e vivo me reconforta; deve andar próximo de mim.

Já estou menos só; companheiros e irmãos rondam inconscientemente em torno de mim; o seu quente hálito agita a minha alma."

Mas quando olhou em roda procurando os consoladores da sua soledade, viu que eram vacas, que estavam umas ao lado das outras numa elevação; fora a proximidade e o bafo desses animais que lhe haviam reanimado o coração. As vacas, entretanto, parecia escutarem atentamente alguém que falasse, e não faziam caso de quem se aproximava.

Já muito perto delas, Zaratustra ouviu sair do centro claramente uma voz de homem, e era visível, pois todas viravam a cabeça para o seu interlocutor.

Então Zaratustra correu para o montículo e dispersou os animais, porque receava houvesse sucedido alguma desgraça a alguém, coisa que dificilmente poderia remediar a compaixão das vacas. Enganava-se, porém; o que viu foi um homem sentado no solo, que parecia exortar os animais a não terem medo dele. Era um homem agradável; um pregador das montanhas, cujos olhos predicavam a própria bondade. "Que procuras aqui?" — exclamou Zaratustra, admirado.

"Que procuro aqui! — respondeu o homem. — O mesmo que tu, curioso! Isto é: a felicidade na terra.

Por isso queria aprender com estas vacas. Que, fica sabendo, há meia manhã que lhes estou falando, e iam-me responder. Por que as espantaste?

Se não tornarmos para trás e não fizermos como as vacas, não poderemos entrar no reino dos céus. Que há uma coisa que deveríamos aprender delas: é ruminar.

E, claro, de que serviria o homem alcançar o mundo inteiro, se não aprendesse uma coisa, se não aprendesse a ruminar?

Não perderia a sua grande aflição.

Essa grande aflição que hoje se chama tédio. Quem não terá hoje o coração, a boca e os olhos cheios de tédio? Também tu. Também tu. Mas olha para estas vacas!"

Assim falou o pregador da montanha; depois virou os olhos para Zaratustra — porque até então os fixara amorosamente nos animais.

Logo se transformou, porém: — "Com quem estou falando? — exclamou, assustado, saltando do solo.

Este é o homem sem tédio, Zaratustra em pessoa, o que triunfou do grande tédio; são os seus olhos, a sua boca, e o próprio coração de Zaratustra."

E assim falando beijou as mãos daquele a quem falava, com olhar afetuoso, e em tudo se comportava como uma pessoa a quem cai do céu inopinadamente um precioso dom ou algum tesouro. Entretanto as vacas contemplavam tudo aquilo com admiração.

"Não fales de mim, homem singular e atraente! — respondeu Zaratustra, esquivando-se aos afagos. — Primeiro que tudo fala-me de ti. Não serás tu o mendigo voluntário que noutro tempo repudiou uma grande riqueza?

Não serás aquele que, envergonhado da riqueza e dos ricos, fugiu para junto dos mais pobres a dar-lhes a sua abundância e o seu coração? Mas eles nada disso te aceitaram?"

"Não me aceitaram — disse o mendigo voluntário; já o sabes. Por isso acabei por vir ter com os animais e com estas vacas."

"Assim aprendeste — interrompeu Zaratustra — que é muito mais difícil dar bem do que aceitar bem; que dar bem é uma arte, é a última e a mais astuta mestria da bondade."

"Especialmente em nossos dias — respondeu o mendigo voluntário —; especialmente hoje, que tudo quanto é baixo se ergue altivamente orgulhoso da sua raça; a raça plebeia.

Já deves saber que chegou a hora da grande insurreição da populaça e dos escravos, a funesta insurreição, vasta e lenta, que cresce continuamente.

Agora os pequenos revoltam-se contra todos os benefícios e os dons mesquinhos; acautelam-se os que são demasiado ricos!

Há frascos bojudos que gotejam pouco por estreitos gargalos... a frascos assim é que se quer hoje cortar a cabeça.

Cobiça ansiosa, inveja acerba, vingança reconcentrada, orgulho plebeu; tudo isso me saltou à cara. Não é já verdade os pobres serem bem-aventurados. O reino do céu está entre as vacas."

"E por que não entre ricos?" — perguntou tentadoramente Zaratustra, impedindo que as vacas acariciassem com o seu hálito o homem agradável.

"Por que me tentas? — respondeu este. — Tu mesmo o sabes muito melhor que eu. Que foi que me impeliu para os mais pobres, Zaratustra? Não era a aversão que sentia pelos mais ricos dos nossos? pelos forçados da riqueza que aproveitam os seus lucros em todas as varreduras, com olhos frios e olhares concupiscentes? por essa chusma que exala mau cheiro até o céu? por essa dourada e falsa populaça, cujos ascendentes eram gente de unhas compridas, aves carnívoras, ou trapaceiros, com mulheres complacentes, lascivas e esquecediças, pouco diferentes de rameiras?

Populaça acima! Populaça abaixo! Que significam já hoje os "pobres", os "ricos"! Eu esqueci essa diferença e acabei por fugir para longe, cada vez mais longe, até vir ter com estas vacas."

Assim falou o homem agradável, e ao pronunciar aquelas palavras respirava ruidosamente, banhado em suor: tanto que as vacas tornaram a admirar-se. Zaratustra, porém, enquanto o homem falava assim duramente, fitava nele os olhos, sorrindo e movendo silenciosamente a cabeça.

"Pregador da montanha, estás-te violentando ao empregar expressões tão duras. A tua boca e os teus olhos não nasceram para tais durezas.

E o teu estômago tampouco, segundo me parece, resistem-lhe essa cólera, esse ódio e essa efervescência. O teu estômago precisa coisas mais brandas: não és carnívoro.

Antes me pareces herbívoro. Talvez mastigues grãos. Em todo caso não és feito para os gozos carnívoros, e agrada-te o mel."

"Adivinhaste-me perfeitamente — respondeu o mendigo voluntário, com o coração aliviado. — Agrada-me o mel e também moo grãos, porque procurei o que tem bom gosto e purifica o hálito; também uma tarefa diária e uma ocupação para a boca.

Estas vacas decerto foram muito mais longe: inventaram o ruminar e cair no contrário. Assim se livram de todos os pensamentos pesados que incham as entranhas."

Zaratustra disse: "Pois então deverias ver também os meus animais, a minha águia e a minha serpente que não têm rival na terra.

Olha: aquele é o caminho que conduz à minha caverna: sê seu hóspede por esta noite. E fala com os meus animais da felicidade dos animais... até que eu regresse.

Agora, porém, chama-me apressado para longe de ti um grito de angústia. Também hás de encontrar na minha morada mel fresco, favos de dourado mel de glacial frescura: come-o!

Agora despede-te pressuroso das tuas vacas, homem singular e atraente, embora te custe; pois são os teus melhores amigos e mestres!"

"À exceção de um só, a quem prefiro — respondeu o mendigo voluntário. — Tu és bom, e ainda, melhor que uma vaca, Zaratustra!"

"Foge daqui! Vil adulador! — exclamou, colérico, Zaratustra. — Por que me lisonjeias com tal mel de elogios e de lisonjas?

Foge, foge para longe de mim!" gritou outra vez, brandindo o bordão na direção do mendigo adulador. Este, porém, fugiu com presteza.

A sombra

Apenas o mendigo voluntário fugira, Zaratustra, outra vez consigo mesmo ouviu uma voz desconhecida gritar: "Para, Zaratustra! Espera! Sou eu, Zaratustra; eu, a tua sombra!" Zaratustra, porém, não esperou, porque o invadiu um grande desgosto ao ver a multidão que se amontoava nas montanhas. "Que foi feito da minha soledade? — disse.

É demais; estas montanhas formigam; o meu reino já não é deste mundo; preciso de novas montanhas.

Chama-me a minha sombra? Que me importa a minha sombra? Corra atrás de mim... e eu adiante dela!"

Assim dizia consigo Zaratustra, fugindo; mas o que estava atrás dele seguia-o, de forma que eram três a correr um atrás do outro: primeiro, o mendigo voluntário, a seguir Zaratustra, e em último lugar a sua sombra.

Não corriam há muito ainda quando Zaratustra caiu em si, reparou na sua loucura, e de uma sacudidela expulsou para longe de si todo o despeito e aborrecimento.

"Quê! — exclamou. — Não têm acontecido sempre entre nós outros, santos e eremitas, as coisas mais risíveis?

Na verdade a minha loucura cresceu nas montanhas! Agora ouço soar, umas atrás das outras, seis velhas pernas de loucos!

Terá Zaratustra o direito de se assustar com uma sombra? E acabo por acreditar que ela tem as pernas mais compridas que as minhas."

Assim falava Zaratustra rindo com vontade.

Deteve-se, virou repentinamente e quase atirou ao chão a sombra que o perseguia: tão agarrada ia aos seus tacões e tão fraca era. Ao examiná-la admirou-se como se de repente lhe houvesse aparecido um fantasma: tão fraco, negro e não era o seu perseguidor, e tão arruinado lhe parecia.

"Quem és? — perguntou impetuosamente Zaratustra. — Que fazes aqui? E por que te chamas minha sombra? Não me agradas."

"Perdoa-me — respondeu a sombra — ser eu, e não te agradar, felizmente, Zaratustra! Isso diz muito em teu abono e a favor do teu bom gosto.

Eu sou um viajante que já há muito tempo te segue as pegadas: sempre a caminhar, mas sem destino nem lugar; de forma que pouco me falta para ser judeu errante, salvo não ser judeu nem eterno.

Quê? hei de caminhar sempre? Hei de me ver arrastado sem trégua pelo remoinho de todos os ventos? Ó! terra, tornaste-te demasiado redonda!

Já me coloquei em todas as superfícies; à semelhança do cansado pó; adormeci nos espelhos e nas vidraças. Tudo recebe de mim; ninguém me dá; eu diminuo, quase pareço uma sombra. Mas a quem tenho seguido e perseguido mais tempo tem sido a ti, Zaratustra; e conquanto me tenha ocultado de ti, fui, todavia, a tua melhor sombra; onde quer que parasses, parava eu também.

Contigo vaguei pelos mais longínquos e frios mundos, como um fantasma que se compraz em correr por caminhos invernais e de gelo.

Contigo aspirei a todo o proibido, a todo o pior e mais longínquo; e se alguma virtude há em mim, é não temer nenhuma proibição.

Contigo aniquilei quanto o meu coração adorou, derribei todas as barreiras e todas as imagens, correndo após os mais perigosos desejos: realmente, passei uma vez por todos os crimes.

Contigo esqueci a fé nas palavras, os valores, e os grandes nomes. Quando o demônio muda de pele, não muda ao mesmo tempo de nome? Que esse nome é apenas pele. Talvez mesmo o demônio não seja mais... que uma pele.

Nada é verdade; tudo é permitido; assim me consolei a mim mesmo. Lancei-me nas águas mais frias, de coração e de cabeça. Ai! Quantas vezes me vi nu e encarnado em caranguejo!

Ai! Para onde foi tudo o que é bom, e toda a fé nos bons? Ai! para onde fugiu aquela inocência enganadora que dantes possuía a inocência dos bons e das suas nobres mentiras?

Com demasiada frequência pisei a verdade, e ela então saltou-me ao rosto. Às vezes julgava mentir, e o caso é que só então aflorava a verdade.

Demasiadas coisas se me tornaram claras; agora já me não importam. Já nada vive do que eu amo. Como poderia amar-me ainda a mim mesmo?

Viver como me agrade, ou não viver de modo nenhum, eis o que quero, eis o que quer também o mais santo.

Mas ó! desventura! Como poderia eu satisfazer-me ainda?

Acaso tenho... um fim? Um porto para onde encaminhe a minha vela?

Um bom vento? Ai! Só o que sabe aonde vai sabe também qual é o seu vento, qual é o seu vento próspero.

Que me resta? Um coração fatigado e impertinente, uma vontade instável, asas trêmulas, uma espinha quebrada. Esse afã de correr em busca da minha morada, sabes Zaratustra? esse afã foi a minha obsessão: devora-me.

Onde está... a minha morada? Eis o que pergunto, o que procuro, o que procurei e não encontrei.

Ó! eterno "em toda parte"! Ó! eterno em "parte nenhuma". Ó! eterno... "em vão"!

Assim falava a sombra, e o semblante de Zaratustra dilatava-se ao ouvi-la. "És a minha sombra! — disse afinal, com tristeza.

Não é pequeno o teu perigo, espírito livre e vagabundo! Tiveste mau dia: cuidado não se lhe siga uma noite pior.

Vagabundos como tu acabam por se encontrar bem até num cárcere. Já alguma vez viste como dormem os criminosos presos? Dormem tranquilamente: fruem nova segurança.

Olha não acabe por se apoderar de ti uma fé acanhada, uma ilusão dura e severa! Que atualmente tenta e te reduz o que é estreito e sólido.

Perdeste o alvo, desgraçado! Como te poderias consolar dessa perda? Por isso perdeste também o caminho!

Pobre vagabundo, espírito volúvel, mariposa fatigada! Queres ter esta noite descanso e asilo? Vai para a minha caverna!

Por ali acima é o caminho que conduz à minha caverna. E agora quero tornar a fugir de ti. Já pesa sobre mim uma como sombra.

Quero correr sozinho para tudo aclarar em torno de mim. Por isso tenho ainda que mover alegremente as pernas durante muito tempo. Esta noite... com certeza... há de haver baile na minha habitação!"

Assim falava Zaratustra.

Ao meio-dia

E Zaratustra correu e correu sem parar, mas não tropeçou com pessoa nenhuma. Ia só, tornando a encontrar-se sempre consigo mesmo, gozando a sua soledade e pensando em boas coisas durante horas inteiras. Ao meio-dia, contudo, quando o sol se encontrava exatamente sobre a sua cabeça, Zaratustra passou por diante de uma idosa árvore retorcida e nodosa, tão envolvida pelo rico amor de uma vinha que de todo a ocultava: dessa árvore caiam, abundantes, maduros cachos que convidavam o viandante. Zaratustra teve desejos de acalmar a sede que sentia, arrancando um cacho de uvas, e já estendia a mão para isso, quando o acometeu outro desejo ainda mais violento: o desejo de se deitar ao pé da árvore, em pleno meio-dia, para dormir.

E assim fez; e enquanto esteve estendido no meio do silêncio e do mistério da esmaltada erva, esqueceu a sede e adormeceu. Que, como diz o provérbio de Zaratustra, vasa maior tira menor. Os olhos, contudo, conservavam-se-lhe abertos; é que se não cansavam de olhar e gabar a árvore e o amor da vinha. Entre os seus devaneios, Zaratustra falou assim ao seu coração.

"Silêncio! Silêncio! Não acaba de se consumar o mundo? Que é que me sucede?

Como um vento delicioso passa invisível sobre a superfície do mar, tão leve, tão ligeiro como uma pena, assim o sono passa por mim.

Não me cerra os olhos, deixa a minha alma acordada. Na verdade, é leve, leve como uma pena.

Persuade-me, não sei como: afaga-me interiormente com mão carinhosa; domina-me. Sim; domina-me a ponto da alma se me dilatar.

Como se deita ao comprido a minha alma singular!

Chegaria para ela, em plena metade do dia, a noite de um sétimo dia? Vagueou já, feliz, demasiado tempo pelas coisas boas e maduras?

Deita-se ao comprido, mas cada vez mais ao comprido. Está tranquilamente deitada a minha alma singular. Já saboreou demasiadas coisas boas, esta dourada tristeza oprime-a.

Como barca que entrou na sua mais serena baía, se encosta agora à terra, fatigada das longas viagens e dos mares incertos. Não é a terra mais fiel?

Como uma barca se encosta e arrima a terra basta então que uma aranha estenda o seu fio da terra até ela. Não é preciso cabo mais forte.

Como uma dessas barcas fatigadas, na mais tranquila baía assim agora eu repouso também perto da terra, fiel, confiado, esperando, preso à terra pelos mais tênues fios.

Ó ventura! Ó ventura! Queres cantar, minha alma?

Está deitada na erva. Esta, porém, é a hora secreta e solene em que nenhum pastor sopra flauta.

Acautela-te! O calor do meio-dia repousa nos prados. Não cantes! Silêncio! O mundo consumou-se.

Não cantes, aves dos prados, minha alma! Nem sequer murmures! Olha bem... Silêncio! O velho dormita; mexe a boca: não beberá neste instante uma gota de felicidade? Uma rasa gota de felicidade dourada, de dourado vinho? A felicidade desliza por ele e sorri.

Assim sorri um deus! Silêncio!

"Como é preciso pouco para a felicidade!" — assim dizia eu noutras épocas, julgando-me sábio. — Era, porém, uma blasfêmia: isto foi o que aprendi agora. Os doidos sábios dizem coisas melhores.

O mínimo, precisamente, o mais tênue, o mais leve, um roçar de lagarto, um sopro, um cht!, um abrir e fechar de olhos, o pouco é o característico da melhor felicidade. Silêncio!

Que me sucede? Escuta. Acaso me feriu o tempo? Não cairei... não caí — escuta! — no poço da eternidade?

— Que me sucede? Silêncio. Estou ferido — desditoso de mim! — no coração? No coração! Ó! solta-te, meu coração, depois de tal felicidade, depois de semelhante ferida!

Que! Não se acabará do consumar o mundo redondo e sazonado? Ó! redonda e dourada maturação! Aonde voará? Correrei em seu seguimento? Cht!

"Silêncio!..." Neste ponto, Zaratustra estirou-se e sentiu que dormia.

"Levanta-te, dorminhoco, preguiçoso! — disse consigo mesmo. — Vamos, velhas pernas! É tempo e mais que tempo: ainda nos falta andar uma boa parte do caminho.

Entregaste-te ao sono. Durante quanto tempo? Meia eternidade! Vamos, levanta-te tu, agora, velho coração. Depois de tal sono, quanto tempo precisará para despertar?

(Já outra vez, porém, adormecia, e a alma resistia-lhe e defendia-se e tornava a deitar-se ao comprido.) Deixa-me! Silêncio! Não se acabou de consumar o mundo? Ó! essa bola "redonda e dourada!"

"Levanta-te, preguiçosa! — disse Zaratustra. — Que é isso de estares sempre a esticar-te, bocejando, suspirando, caindo no fundo dos poços profundos?

Quem és tu, então? Ó! alma minha!

E nesse momento assustou-se porque do céu lhe caía um raio de sol sobre o semblante.

"Ó! céu! — disse com um suspiro tornando a si. — Contemplas-me? Escutas a minha alma singular?

Poço da eternidade, alegre abismo do meio-dia que faz estremecer... quando absorverás em ti a minha alma?"

Assim falava Zaratustra ao pé da árvore, e ergueu-se como se saísse de estranha embriaguez; entretanto o sol achava-se exatamente por cima da cabeça dele, do que se podia inferir com razão que Zaratustra pouco dormira.

A saudação

Ia já a tarde muito alta quando Zaratustra, depois de inúteis correrias tornou à sua caverna. No momento, porém, em que apenas se encontrava a vinte passos da entrada sucedeu o que menos se podia esperar: tornou a ouvir o grande grito de angústia. E, coisa assombrosa, naquele instante o grito saía mesmo da sua caverna; mas era um grito prolongado, estranho e múltiplo, e Zaratustra distinguia nele perfeitamente muitas vozes, conquanto a distância parecesse provir de uma só boca.

Zaratustra precipitou-se para a caverna. Que espetáculo o esperava a seguir aquele concerto! Estavam ali reunidos todos os que encontrara durante o dia: o rei da direita e o rei da esquerda, o velho encantador, o papa, o mendigo voluntário, a sombra, o consciencioso, o lúgubre adivinho e o jumento; o homem mais feio colocara uma coroa e cingira duas faixas de púrpura — porque gostava de se disfarçar e adornar como todos os feios. — No meio daquela triste reunião, a águia de Zaratustra estava de pé inquieta e com as penas eriçadas, porque tinha de responder a demasiadas coisas para que o seu orgulho não tinha resposta; e a astuta serpente enroscara-se-lhe em torno do pescoço.

Zaratustra olhou tudo aquilo com grande assombro; depois examinou cada um dos hóspedes de per si, com benévola curiosidade, lendo nas suas almas e tornando a assombrar-se. Enquanto ele assim fazia, os que estavam reunidos levantaram-se, aguardando respeitosamente que Zaratustra tomasse a palavra.

E Zaratustra falou assim:

"Homens singulares que desesperais! Foi pois o vosso grito de angústia que ouvi? E sei agora aonde hei de ir buscar o que hoje procurei em vão, o homem superior.

Está sentado na minha própria caverna! Para que me hei de admirar? Fui eu mesmo que o atraí com os meus oferecimentos de mel e com a maliciosa tentação da minha felicidade.

Mas vós proferis gritos de angústia, parece-me que andais muito em desacordo; os vossos corações entristecem-se uns aos outros ao ver-vos aqui reunidos. Primeiro de tudo devia ter estado aqui alguém: que vos fizesse rir outra vez, um chistoso, um dançarino, um cata-vento, uma ventoinha, algum velho louco: que vos parece isto?

Perdoem-me os que desesperam empregar eu tão frívolas palavras, indignas, na verdade, de tais hóspedes! Mas não adivinhais o que me enche de petulância o coração.

Desculpai-me! Sois vós mesmos, e o espetáculo que me ofereceis. Que todo o que contempla um desesperado cobra ânimo. Para consolar um desesperado... qualquer se julga forte bastante.

A mim destes-me vós essa força — um dom precioso, hóspedes ilustres, um verdadeiro presente de hóspedes! — Pois bem; não vos enfadeis se por minha vez vos ofereço o meu.

Este é o meu reino e o meu domínio; mas o que me pertence deve ser vosso durante esta tarde e esta noite. Sirvam-vos os meus animais, e seja a minha caverna o vosso lugar de repouso!

Aqui albergados, nenhum de vós deve desesperar; eu protejo toda a gente contra os animais selvagens dos meus domínios. Segurança: eis a primeira coisa que vos ofereço!

A segunda é o meu dedo mínimo. E se vos dou o dedo mínimo, tomareis a mão inteira e o coração ao mesmo tempo. Sede bem-vindos aqui; saúde, hóspedes meus!"

Assim falava Zaratustra, com amável e malicioso sorriso. Depois daquela saudação os hóspedes tornaram a inclinar-se guardando respeitoso silêncio; mas o rei da direita respondeu em nome de todos:

"Na maneira de nos ofereceres a mão, e na tua saudação, Zaratustra, conhecemos quem és: Curvaste-te ante nós.

Mas quem, como tu, saberia curvar-se com tal orgulho? Isto ergue-nos a nós, reconfortando-nos.

Só para contemplar tal coisa subiríamos de bom grado as montanhas mais altas do que esta. Porque viemos ávidos do espetáculo: queríamos ver o que aclara olhos turvos.

E agora acabaram-se todos os nossos gritos de angústia. Já estão abertos e extasiados os nossos sentidos e os nossos corações. Um pouco mais, e o nosso ânimo brilhará desenfadado.

Zaratustra, na terra nada cresce mais satisfatório do que uma elevada e firme vontade. Uma elevada e firme vontade é a planta mais bela da terra. Semelhante árvore anima uma paisagem inteira.

Eu comparo a um pinheiro, Zaratustra, aquele que, como tu, cresce esbelto, silencioso, duro, solitário, feito da maneira mais flexível, soberbo, querendo enfim tocar o seu senhorio com verdes e vigorosos ramos, dirigindo enérgicas perguntas aos ventos, às tempestades, a tudo quanto é familiar às alturas, e respondendo mais energicamente ainda imperativo e vitorioso. Ah! Quem não subiria às alturas para contemplar semelhantes plantas?

A vista da tua árvore, Zaratustra, anima o triste e abatido e também serena o inquieto e cura o seu coração.

E, certamente, para a tua montanha e para a tua árvore dirigem-se hoje muitos olhares; há muitos que aprenderam a perguntar: "Quem é Zaratustra?"

E todos aqueles em cujos ouvidos chegaste a destilar o teu mel e as tuas canções, todos os ocultos, todos os solitários disseram de repente ao seu coração:

"Ainda vive Zaratustra? Já não vale a pena viver; tudo é igual, tudo é vão, se não vivemos com Zaratustra!"

"Porque não chega o que se anunciou há tanto tempo? — assim pergunta um grande número — devorá-lo-ia a soledade? Ou nós é que teremos que o ir buscar?"

Agora até a própria soledade abranda e se quebra, como túmulo que se abre e já não pode reter os seus mortos. Por toda parte se veem ressuscitados.

Agora as ondas sobem cada vez mais em torno da tua montanha, Zaratustra. E apesar da elevação da tua altura, é mister que muitas subam até ti; a tua barca já não deve permanecer muito tempo abrigada.

E termos vindo à tua caverna, nós, os que desesperamos, e já não desesperamos, não é senão um sinal e um presságio de que vêm a caminho outros melhores do que nós.

Porque a caminho para ti se encontra também o último resto de Deus entre os homens; quer dizer, todos os homens de grande anelo, do grande tédio, da grande sociedade. Todos os que não querem viver sem poder aprender a esperar novamente; a aprender contigo, Zaratustra, a grande esperança!"

Assim falou o rei da direita e pegou na mão de Zaratustra para lhe beijar, mas Zaratustra subtraiu-se à sua veneração e retrocedeu assombrado, silencioso e sumindo-se de repente, como muito ao longe. Passados instantes, todavia, voltou para o pé dos seus hóspedes, e olhando-os com olhos límpidos e perscrutadores, disse:

"Hóspedes meus, homens superiores, quero-vos falar em alemão e claramente; não era a vós que eu esperava nas montanhas."

"Em alemão e claramente? Deus nos acuda! — disse então à parte o rei da esquerda. — Bem se vê que este sábio do Oriente não conhece estes bons alemães! Quererá dizer "em alemão e barbaramente". Bom! Hoje ainda não é este o pior dos gostos!"

Zaratustra continuou:

Pode ser que todos vós sejais superiores, mas para mim não sois bastante altos nem bastante fortes.

"Para mim" significa o implacável que reside em mim, mas que não residirá sempre. E se me pertenceis, não é, todavia como meu braço direito.

Que o que anda com pernas doentes e fracas, como vós, primeiro que tudo quer — conscientemente ou não — que o contemplem.

Eu, porém, não guardo contemplações com os meus braços e as minhas pernas, eu não guardo contemplações com os meus guerreiros.

Como poderíeis ser bons para a minha guerra?

Convosco perderia todas as vitórias, e há alguns de vós que cairiam só ao ouvir o rufar dos meus tambores.

Também para mim não sois bastante belos nem bem-nascidos. Para as minhas doutrinas preciso espelhos límpidos e polidos; na vossa superfície desnaturar-se-ia a minha própria imagem.

Sobre os vossos ombros pesam muitas cargas, muitas recordações; nos vossos recônditos estão sentados muitos anões maldosos. Também em vós há populaça escondida.

E embora sejais elevados e de espécie superior, em vós encerram-se muitas coisas torcidas e disformes. Não há ferreiro no mundo capaz de vos reformar e endireitar.

Apenas sois pontes; passe sobre vós para o outro lado gente mais elevada! Representais degraus; não vos enfadeis, portanto, com aquele que suba por cima de vós até a sua altura.

Talvez da vossa semente nasça um dia para mim um verdadeiro filho, um herdeiro completo; mas esse ainda está afastado.

Vós, porém, não sois os seres a quem pertencem o meu nome e os meus bens deste mundo.

Não é a vós que espero nestas montanhas, não é convosco que tenho o direito de descer pela última vez.

Vós apenas sois sinais precursores, anúncios de que se encaminham para mim outros mais elevados; e não os homens do grande anelo, do grande tédio, da grande sociedade e aquilo a que chamastes "resto de Deus sobre a terra".

Não, não! Mil vezes não! A outros espero nestas montanhas e sem eles não me arredo daqui; espero outros mais altos, mais fortes, mais vitoriosos, mais alegres, retangulares de corpo e alma. É preciso chegarem os leões risonhos!

Hóspedes meus, homens singulares, ainda não ouvistes falar dos meus filhos? Não ouvistes dizer que se encaminham para aqui?

Falai dos meus jardins, das minhas Ilhas Bem-Aventuradas, da minha bela e nova espécie. Por que não me falais disso?

Da vossa estima imploro esta fineza: falai-me de meus filhos. Para isso sou rico, para isso me empobreci. Quanto dei!

E quanto daria para ter uma coisa: esses filhos, essas plantações vivas, essas árvores da vida da minha vontade e da minha mais alta esperança!

Assim falava Zaratustra, mas interrompeu de súbito o discurso porque o assaltou o seu grande desejo, e cerrou os olhos e a boca, tal era a agitação do seu peito.

E todos os hóspedes guardaram silêncio também e permaneceram imóveis e confusos, a não ser o velho feiticeiro, que acenava com as mãos e contraía o semblante.

A ceia

Que neste ponto o feiticeiro interrompeu a saudação de Zaratustra e dos hóspedes, adiantou-se pressuroso como quem não tem tempo a perder, pegou na mão de Zaratustra e exclamou: "Mas Zaratustra! Umas coisas são mais necessárias do que outras, segundo tu mesmo dizes. Pois bem! Agora há uma coisa que para mim é mais necessária do que todas as outras.

O prometido é devido; não me convidaste para uma refeição? Estão aqui muitos que deram longas caminhadas, e é de supor que os não queiras satisfazer com palavras.

Já a todos falaste demasiado de morrer de frio, de se afogarem, de se asfixiarem e de outras fraquezas do corpo; mas ainda ninguém se lembrou da minha fraqueza: o receio de morrer de fome."

Assim falou o adivinho; mas ao ouvir estas palavras, os animais de Zaratustra fugiram espantados, pois viram que o que tinham trazido durante o dia não chegava nem para o adivinho só.

"Ninguém se lembra do receio de morrer de fome — prosseguiu o adivinho. — E conquanto ouça correr a água abundante e infatigavelmente, como os discursos da sabedoria, eu, pela minha parte, quero vinho!

Nem todos são, como Zaratustra, bebedores natos de água, a água também não é boa para gente cansada e prostrada; nós precisamos de vinho, só o vinho cura rapidamente e dá saúde repentina!"

Neste somenos, enquanto o adivinho pedia vinho, o rei da esquerda, o silencioso, tomou também a palavra dizendo: "Do vinho nos encarregaremos nós, eu e o meu irmão, o rei da direita; vinho temos bastante — uma carga completa de burro. — Não falta, portanto, senão pão."

"Pão — exclamou Zaratustra, rindo. — Pão, positivamente, não têm os solitários. Mas o homem não se alimenta só de pão, mas também de boa carne de carneiros, e eu tenho dois.

É esquartejá-los depressa e aromatizá-los com sálvia, que é assim que me agrada a carne de cordeiro. E não nos faltam raízes nem frutos que até contentariam gastrônomos e paladares delicados, nem nozes e outros enigmas que partir.

Vamos, pois, fazer já boa refeição. Mas quem quiser comer conosco tem que deitar mãos à obra, inclusive os reis.

Que nos domínios de Zaratustra até um rei pode ser cozinheiro."

A proposta agradava a todos; o mendigo voluntário era o único que se opunha à carne, ao vinho e às espécies.

"Olhem o glutão do Zaratustra! — disse em ar de zombaria. — Vêm-se então para as cavernas e para as altas montanhas a fim de celebrar semelhantes festins?

Agora compreendo o que ele nos predicou noutra ocasião: "Bendita seja a pequena pobreza!" É porque quer suprimir os mendigos."

"Tem bom humor como eu — respondeu Zaratustra. — Conserva os teus hábitos, bom homem! — Mastiga o teu grão, bebe a tua água, gaba a tua cozinha, de forma que te contentes.

Eu apenas sou lei para os meus, não sou uma lei para toda gente. Mas aquele que pertencer ao número dos meus têm que ter ossos fortes e pernas ágeis; há de ser animado para "as guerras e festins; nem sombrio nem sonhador; disposto para as coisas mais difíceis como para uma festa; são e robusto.

O melhor que existe pertence-nos, a mim e aos meus, e se não no-lo derem, tomamo-lo: o melhor alimento, o céu mais puro, os pensamentos mais fortes, as mulheres mais formosas!"

Assim falava Zaratustra; e o rei da direita respondeu: "É singular! Nunca se ouviram coisas tão judiciosas na boca de um sábio.

E ainda mais singular por se tratar de um sábio que é, todavia, inteligente, nada tem de asno."

Assim falou admirado o rei da direita, e o jumento concluiu maliciosamente com um I-A.

E foi este o princípio da longa refeição que se chama "a ceia" nos livros de histórias. Durante essa refeição só se falou do homem superior.

O homem superior

I

Quando pela primeira vez estive com os homens cometi a loucura do solitário, a grande loucura: fui para a praça pública.

E como falava a todos, não falava a ninguém: e de noite tinha por companheiros volatins e cadáveres; eu próprio era quase um cadáver!

A nova manhã trouxe-me uma nova verdade; aprendi então a dizer: "Que me importam a praça pública e a populaça e as orelhas compridas da populaça?"

Homens superiores, aprendei isto comigo: na praça pública ninguém acredita no homem superior. E se teimais em falar lá, a populaça diz: "Todos somos iguais."

"Homens superiores — assim diz a populaça: — não há homens superiores: todos somos iguais; perante Deus um homem não é mais do que outro: todos somos iguais!"

Perante Deus! Mas agora esse Deus morreu; e perante a populaça nós não queremos ser iguais. Homens superiores, fugi da praça pública!

II

Perante Deus! Mas agora esse Deus morreu! Homens superiores, esse Deus foi o vosso maior perigo.

Ressuscitastes desde que ele jaz na sepultura. Só agora torna o Grande Meio-Dia; agora torna-se senhor o homem superior.

Compreendeis esta palavra, meus irmãos? Assustai-vos: apodera-se--vos do coração a vertigem? Abre-se aqui para vós o abismo? Ladra-vos o cão do inferno?

Homens superiores! Só agora vai dar à luz a montanha do futuro humano. Deus morreu: agora nós queremos que viva o Super-homem.

III

Os mais preocupados perguntam hoje: "Como se conserva o homem? Mas Zaratustra pergunta — e é o primeiro e único a fazê-lo: — Como será o homem superado?"

O Super-homem é que me preocupa; para mim é ele o primeiro e o único, e não o homem: não o próximo, o mais pobre, nem o mais aflito, nem o melhor.

Meus irmãos, o que eu posso amar no homem é ele ser uma transição e um fim. E em vós também há muitas coisas que me fazem amar e esperar.

Desprezastes, homens superiores: é isso que me faz esperar: porque os grandes desprezadores são também os grandes reverenciadores.

Desesperastes, coisa que merece grande respeito; porque não aprendestes a render-vos, nem aprendeste a ser prudentes.

Hoje, os pequenos tornaram-se senhores: todos pregam a resignação e a modéstia e a prudência, e a aplicação, e as considerações, e as virtudes pacatas.

O que é que de espécie feminil, o que procede de servil condição, e mormente a turba plebeia, é o que quer agora assenhorear-se do destino humano. Horror! Horror! Horror!

Esse pergunta uma e outra vez, sem se cansar: "Como se conservará o homem melhor, mais tempo e mais agradavelmente? "Assim são hoje os senhores."

Ó! meus irmãos! Subjugai-me esses senhores atuais, subjugai-me essa gentinha: é o maior perigo do Super-homem.

Homens superiores, dominai as virtudes enganosas, as considerações com os grãos de areia, o bulício de formigas, a ruim complacência, a "felicidade dos outros!"

A ter que vos renderdes preferi desesperar.

Amo-vos deveras, homens superiores, porque hoje não sabeis viver! Pois assim viveis... melhor!

IV

Tendes valor, meus irmãos? Estais decididos? Não falo de valor, perante testemunhas, mas de valor, de solitários, valor de águias, do que não tem por espectador nenhum deus.

As almas frias, os cegos, os bêbados, não têm o que eu chamo coração. Coração tem aquele que conhece o medo, mas domina o medo; o que vê o abismo, mas com arrogância.

O que vê o abismo, mas com olhos de águia; o que se prende ao abismo com garras de águia: é este o valoroso.

V

"O homem é mau." Assim falavam os outros sábios para consolo meu. Ai! Se isto fosse verdade ainda hoje! Que o mal é a melhor força do homem.

"O homem deve-se fazer melhor e pior" é isso o que eu predico, pela minha parte! O maior mal é necessário para o maior bem do Super-homem.

Padecer pelos pecados dos homens podia ser bom para o tal pregador dos humildes.

Eu, porém, rejubilo com o grande pecado como minha maior consolação.

Estas coisas não são ditas para as orelhas compridas; e nem toda a palavra convém a toda a boca. Isto são coisas sutis e afastadas: não as devem apanhar patas de carneiros.

VI

Homens superiores: acreditais que estou aqui para fazer bem ao que vós fizestes mal?

Ou que quero daqui por diante deitar mais comodamente os que sofrem? Ou ensinar-vos, a vós, que andais errantes e extraviados e perdidos na montanha, caminhos mais fáceis?

Não! Não! Mil vezes não! É preciso que morram cada vez mais e os melhores da vossa espécie: porque é preciso que o vosso destino seja cada vez mais rigoroso. Só assim...

Só assim cresce o homem até a altura em que o raio o fere e aniquila! Há suficiente altura para o raio!

A minha inteligência e o meu anelo tendem para o raio, para o durável, para o afastado: que me importaria a vossa mesquinha, comum e breve fraqueza?

Para mim ainda não sofreis bastante. Pois sofreis por vós; ainda não sofrestes pelo homem. Mentiríeis se dissésseis o contrário! Vós não sofreis pelo que eu sofri.

VII

Não me basta que o raio já não prejudique.

Não quero desviá-lo; quero que aprenda a trabalhar para mim.

A minha sabedoria acumula-se há muito tempo como uma tempestade; cada vez se torna mais tranquila e sombria. Assim faz toda a sabedoria que há de chegar a engendrar o raio.

Para estes homens de hoje não quero ser nem chamar-me luz. A estes... quero cegá-los. Raio da minha sabedoria, cega-os!

VIII

Nada quereis superior às vossas forças; adoecem de deplorável hipocrisia os que querem coisas superiores às suas forças.

Mormente quando querem grandes coisas! Que esses moedeiros falsos, esses cômicos sutis despertam a desconfiança pelas grandes coisas, e acabam por serem falsos consigo mesmos, gente de olhar de revés, entes retrógrados, disfarçados com palavras solenes, de virtudes aparatosas, de obras vistosas.

Muito cuidado com eles, homens superiores!

Para mim nada é hoje mais precioso e raro do que a probidade.

Não pertence isto hoje à populaça? Pois a populaça não sabe o que é grande, o que é pequeno, o que é reto nem o que é honrado: é inocentemente tortuosa; mente sempre.

IX

Homens superiores! Homens animosos! Homens francos! Abri hoje uma salutar desconfiança! E conservai secretas as vossas razões; porque isto hoje pertence à populaça.

O que a populaça aprendeu a crer sem razão quem o poderia derrubar à sua vista com razão?

Na praça pública convence-se com gestos. As razões inspiram desconfiança à populaça.

E se alguma vez triunfa lá a verdade, perguntai a vós mesmos com salutar desconfiança? "Que grande erro lutaria em prol dela?"

Livrai-vos também dos doutos! Odeiam-vos porque são estéreis! Têm olhos frios e secos, aos quais todo o pássaro parece depenado.

Gabam-se de não mentir; mas a incapacidade de mentir está ainda muito longe do amor à verdade. Acautelai-vos!

A ausência de ardor difere muito do conhecimento. Eu não creio nos espíritos frios. O que pode mentir ignora o que é a verdade.

X

Se quereis subir, servi-vos das vossas pernas! Não vos deixeis levar ao alto, não vos senteis nas costas nem na cabeça de outrem!

Montastes a cavalo! Galopas agora em bom passo até o fim? Bem, meu amigo! Mas o teu pé coxo vai também a cavalo!

Quando chegares ao teu fim, quando desceres do cavalo, homem superior, tropeçarás precisamente na tua altura.

XI

Homens superiores, homens que criais! Não se concebe senão ao teu próprio filho.

Não vos deixeis induzir em erro! Quem é pois, o vosso próximo? E também fazeis as coisas "pelo próximo"! Não crieis, contudo, por ele.

Esquecei esse "por" vós todos que criais: a vossa virtude quer justamente que nada façais "por" nem "devido a" nem "porquê".

Precisais cerrar os ouvidos a essas palavras falsas.

O "pelo próximo" não passa de virtude dos pequenos, dos que dizem "assim como fizeres assim acharás" e "uma mão lava a outra": tal gente não tem o direito nem a força do vosso egoísmo.

No vosso egoísmo, criadores, há a previsão e a precaução da mulher prenhe! O que ainda ninguém viu com os olhos, o fruto, é isso que o vosso amor protege, conserva e alimenta.

Onde está todo o vosso amor, no vosso filho, está também toda a vossa virtude! A vossa obra, a vossa vontade, eis o vosso "próximo": não vos deixeis induzir a falsos valores!

XII

Homens superiores, homens que criais! Quem quer que há de dar à luz está enfermo; mas o que deu à luz acha-se impuro.

Perguntais às mulheres: não se dá à luz por gosto. A dor faz cacarejar as galinhas e os poetas.

Em vós, que criais, há muitas impurezas. É que tivestes que ser mães.

Um novo filho: ó! Quantas impurezas vieram ao mundo! Afastai-vos! O que dá à luz deve purificar a alma.

XIII

Não queirais ser mais virtuosos do que vo-lo consentem as próprias forças. E não exijais de vós coisa que seja inverossímil.

Segui as pisadas que deixou já a virtude de vossos pais. Como quereis subir tanto, se a virtude de vossos pais não subir convosco?

Mas aquele que quiser ser o primeiro, livre-se bem de não ser o último. E não coloqueis a santidade onde estejam os vícios de vossos pais.

Que sucederia se aquele cujos progenitores foram afeiçoados às mulheres, aos vinhos fortes e aos javalis, exigisse de si castidade?

Seria loucura! Muito me parece isso para semelhante homem, se é homem de uma só mulher, ou de duas ou de três.

E se fundasse conventos, eu diria da mesma maneira: Para quê? É uma nova loucura.

Fundou para si mesmo uma casa de correção e um refúgio. Bom proveito! Eu, porém, não acredito nisso.

Na soledade cresce o que cada qual leva consigo, inclusive a besta inferior. Por isso a muitos é preciso afastá-los da soledade.

Terá havido até hoje na terra coisa mais impura do que um santo desterro?

XIV

Tímidos, envergonhados, encolhidos, como o tigre que falha uma investida, assim vos vi fugir amiúde, homens superiores. Erraste uma partida.

Mas isso que vos importa, jogadores de dados? Não aprendestes a jogar e a lograr-vos como se deve jogar e lograr? Não estamos sempre sentados a uma grande mesa de logro e de jogo?

E por se vos haverem malogrado grandes coisas, haveis de ser entes malogrados? E por vós o serdes, sê-lo-á por isso o homem?

Mas se o homem é um ser malogrado, então que importa?

XV

Quanto mais elevada no seu gênero é uma coisa, mais raro é o seu logro. Vós, homens superiores, que vos encontrais aqui, não sois todos seres malogrados?

Coragem! Isso que importa? Quantas coisas são ainda possíveis! Aprendei a rir-vos de vós mesmos; é mister rir!

Que se em muito que falais não acertardes mais que em metade, pois estais meio truncados, nem por isso deixa de se agitar a resolver em vós outros o futuro do homem.

O mais remoto e profundo que há no homem, a sua altura estelar e a sua força imensa, todas estas coisas se chocam umas com as outras na vossa marmita em ebulição.

E muito mais de uma marmita rebenta! Aprendei a rir-vos de vós mesmos, como é preciso rir! Ó! homens superiores! Quantas coisas são ainda possíveis!

E realmente, quantas coisas se alcançaram já!

Como esta terra é rica de coisas boas e perfeitas e afortunadas!

Rodeai-vos de coisas boas e perfeitas, homens superiores.

A sua dourada madureza cura o coração. As coisas perfeitas ensinam-nos a esperar.

XVI

Qual tem sido hoje, na terra, o maior pecado? Não foi a palavra daquele que disse: Pobres dos que riem aqui...?

Seria porque não encontrava na terra nenhum motivo de riso? Então procurou mal.

Até uma criança encontra aqui motivos.

Esse... não amava bastante, senão amar-nos-ia também a nós, risonhos! Mas anatematizava-nos e odiava-nos, prometendo-nos gemidos e ranger de dentes.

Por se não amar é logo maldizer? Isso é coisa de mau gosto. E foi o que fez aquele intolerante. Saíra da populaça.

Ele é que não amava bastante; senão irritar-se-ia menos por não ser amado.

O grande amor não quer amor: quer mais.

Afastai-vos do caminho de todos esses intolerantes! É gente pobre, enferma, plebeia; olha esta vida malignamente, dão mau-olhado à terra.

Afastai-vos do caminho de todos esses intolerantes! Pesam-lhes os pés e o coração; não sabem dançar. Como a terra há de ser leve para tal gente.

XVII

Todas as coisas boas se aproximam do seu fim por maneira tortuosa. Como os gatos, arqueiam o lombo e rosnam interiormente, recreando-se com a sua próxima felicidade; todas as coisas boas riem.

O modo de andar de uma pessoa revela o seu caminho. Vede-me andar a mim! Aquele que se aproxima do seu fim, dança.

E eu certamente não me converti em estátua nem me encontro postado como uma coluna, rígido, entumecido, petrificado; gosto da carreira veloz.

E embora haja na terra atoleiros e denso nevoeiro, aquele que tem os pés leves corre e dança por cima da lama como sobre gelo liso.

Elevai; elevai cada vez mais os vossos corações, meus irmãos! E não vos esqueçais das pernas também. Alçai também as pernas, bons bailarinos, e erguei também a cabeça!

XVIII

Esta coroa do risonho, esta coroa de rosas, eu mesmo a cingi, eu próprio canonizei o meu riso.

Ainda não encontrei ninguém capaz de fazer outro tanto.

Eu, Zaratustra, o dançarino, Zaratustra, o leve, o que agita as suas asas pronto a voar, acenando a todas as aves, ligeiro e ágil, divinamente leve e ágil; eu, Zaratustra, o adivinho, Zaratustra, o risonho, nem impaciente, nem intolerante, afeiçoado aos saltos eu mesmo cingi esta coroa.

XIX

Elevai, elevai cada vez mais os vossos corações, meus irmãos! E não vos esqueçais também das pernas! Alçai as pernas, bons bailarinos, e suster-vos-eis até a cabeça.

Também animais pesados conhecem a ventura; há cambaios de nascimento que forcejam singularmente à maneira de um elefante que tentasse suster-se de cabeça.

Mas vale mais estar doido de alegria do que de tristeza; vale mais dançar pesadamente do que andar claudicando. Aprendei, pois comigo a sabedoria: até a pior das coisas tem dois reversos, até a pior das coisas tem pernas para bailar; aprendei, pois, vós, homens superiores, a afirmar-vos sobre boas pernas.

Esquecei a melancolia e todas as tristezas da populaça. Como hoje me parecem tristes os arlequins plebeus. Mas isto hoje pertence à populaça.

XX

Fazei como o vento quando se precipita das cavernas montanhosas; quer dançar à sua vontade. Os mares tremem e saltam à sua passagem.

Louvado seja aquele que dá asas aos burros, e ordenha as leoas, esse espírito bom e indômito que chega como um furacão para tudo o que é de hoje, para toda a populaça!

Louvado seja o inimigo de todas as folhas murchas; esse espírito de tempestade, esse espírito selvagem, bom e livre que dança nos atoleiros como no meio de prados!

Bendito seja o que odeia os cães da populaça e a toda essa relé malograda e sombria! Bendito seja esse espírito de todos os espíritos livres, a tempestade risonha que sopra o pó nos olhos de todos que veem negro e estão ulcerados.

Homens superiores, o pior que tendes é não haver aprendido a dançar como é preciso dançar; a dançar por cima das vossas cabeças! Que importa não terdes sido felizes?

Quantas coisas são ainda possíveis!

Aprendei, pois, a rir por cima de vós.

Elevai, elevai cada vez mais os vossos corações, bons bailarinos! E não esqueçais também o belo riso!

Esta coroa do risonho, esta coroa de rosas, lanço-vo-la eu, meus irmãos! Canoniza o riso; aprendei, pois, a rir, homens superiores!

O canto da melancolia

I

Quando Zaratustra pronunciou estes discursos, encontrava-se junto da entrada da sua caverna; mas às últimas palavras desapareceu diante dos hóspedes e fugiu um instante para o ar livre.

— Ó! aromas puros! — exclamou.

Ó! tranquilidade benéfica! Mas onde estão os meus animais? Vinde, vinde, águia e serpente minhas!

Dizei-me, todos aqueles homens superiores... cheiram bem?

Ó! aromas puros! Só agora sei e sinto quanto vos amo, animais meus!

E Zaratustra tornou a dizer "Quanto vos amo, animais meus!" A águia e a serpente, por seu turno, juntaram-se-lhe quando ele pronunciou estas palavras, e lá puseram-se a olhá-lo. Ali fora era melhor o ar do que onde estavam os homens superiores.

II

Apenas Zaratustra saiu da caverna, o velho feiticeiro ergueu-se, e, olhando maliciosamente, disse:

Foi-se. E já, homens superiores — permiti-vos envaideça com este nome de elogio e lisonja como ele o fez, — já de mim se apodera o espírito maligno e falaz, o meu espírito feiticeiro, o demônio da melancolia, que é o adversário de Zaratustra: desculpai-o! Quer agora realizar os seus encantamentos na vossa presença; é positivamente a sua hora. Em vão luto com este espírito mau.

A todos vós, sejam os que querem as honras que vos pretendem adjudicar com palavras — ora vos chameis "os espíritos livres", ora "os verídicos", já "os redentores do espírito, já os "libertos" ou então "os do grande anelo —; a todos os que, como eu estão atacados pelo "grande tédio", para os quais morreu o antigo deus e para quem não existe ainda no berço envolto em faixas, nenhum deus novo; a todos vós é propício o meu espírito maligno, o meu demônio encantador.

Conheço-vos, homens superiores, e conheço também este duende que estimo a meu pesar, este Zaratustra. A maioria das vezes parece-me uma larva de santo.

Parece-me um como novo e estranho artifício, em que se compraz o meu espírito maligno, o demônio da melancolia; amiúde suponho amar Zaratustra por causa do meu espírito maligno.

Mas já se apodera de mim e me domina esse espírito maligno, esse espírito de melancolia, esse demônio do crepúsculo; e ainda o tenta...

Abri, os olhos, homens superiores!... Dá-lhe tentações de vir, nu, não sei, como homem ou mulher, mas vem, domina-me, infeliz de mim! abri os vossos sentidos!

Extingue-se o dia para todas as coisas, mesmo para as melhores; chega o crepúsculo! Ouvi e vede, homens superiores, que demônio, homem ou mulher é este espírito da melancolia do crepúsculo!

Assim falou o velho feiticeiro; depois olhou maliciosamente ao derredor e pegou na harpa.

III

Na serena atmosfera, quando já o consolo do rocio desce à terra, invisível e silencioso — porque o rocio consolador veste delicadamente como todos os meigos consoladores, — então recordas tu, coração ardente, como estavas sedento de lágrimas divinas e gotas de orvalho, quando te sentias abrasado e fatigado, porque nos ervosos caminhos amarelos corriam em torno de ti através das escuras árvores, maliciosos raios de sol poente, ardentes olhares de sol, deslumbrantes e malévolos.

"Pretendente da verdade! tu? — Assim chasqueavam. — Não. Simples poeta. Um animal astuto e rasteiro que mente deliberadamente; um animal ansioso de presa, mascarado de cores vivas, máscara para si próprio, presa para si mesmo. Isto... pretendente da verdade?... Um pobre louco! um simples poeta! um palrador pitoresco que perora por detrás de uma máscara de demente que anda vagueando por enganosas pontes de palavras, por ilusórios arco-íris; que anda errante e bamboleante de cá para lá em ilusórios zelos! Um louco, nada mais!

Isto... é que é ser pretendente da verdade?... Não! Nem silencioso, rígido e frio como uma imagem, como uma estátua divina; nem postado em frente dos templos como guarda dos umbrais de um deus, não! Inimigo destes monumentos de virtude, mais harmonizado com os desertos do que com os templos, cheios de arteirices felinas, saltas por todas as janelas para te lançares em todas as aventuras, farejas todos os bosques virgens, e entre as carapintadas feras, rapace, astuto, embusteiro, corres com lábios sensuais fresco, corado e belo como o pecado, soberanamente chasqueador, soberanamente infernal, soberanamente cruel.

Ou és como a águia que olha e torna a olhar fixamente o abismo, o seu abismo... Ó! como desce, como cai, como se some, girando em profundidades cada vez mais fundas! E depois que maneira de se precipitar de súbito, faminta, ansiosa de cordeiros, cheia de furibunda aversão por tudo quanto tem aparências virtuosas, cortesia, humilde, pelo encrespado e aspecto sereno, como a meiga benevolência do cordeiro!

São assim as ânsias do poeta: como de pantera, como de águia. Assim são os teus anelos sob os teus artifícios, louco! poeta!

Tu, que és um homem, viste um Deus como um cordeiro... Separar o Deus do homem como o cordeiro do homem, e rir-se ao separá-lo; esta é que a tua felicidade! A felicidade de uma pantera e de uma águia, a felicidade de um poeta e um louco!

Assim como na serena atmosfera, quando já a meia-luz, inimiga do dia, desliza invejosa verdejante entre rubores purpurinos, empalidecem à sua passagem as rosas celestes até caírem e sumirem-se na noite: assim caí eu mesmo, noutro tempo, da minha loucura de verdade, dos meus anelos do dia, fatigado do dia, enfermo de luz; assim caí para o caos, para as sombras... abrasado pela sede de uma verdade. Recordas-te, coração ardente, como então estavas sedento? Esteja eu desterrado de toda a verdade! Mais do que um louco, não! Tanto como um poeta!"

Da ciência

Assim cantava o feiticeiro, e todos os que estavam ali reunidos caíram como pássaros na rede da sua astuta e melancólica voluptuosidade. O único que se não deixou apanhar foi o consciencioso que, arrebatando--lhe a harpa das mãos, gritou:

"Deixa entrar o ar puro! Mandai entrar Zaratustra! Infeccionas esta caverna e tornas a atmosfera sufocante, maligno feiticeiro!

Homem falso e ardiloso, a tua sedução conduz a desejos e a desertos desconhecidos! E, ai de nós, se homens como tu dão em falar da verdade com ares importantes!

Ai de todos os espíritos livres que não estejam precavidos contra semelhantes feiticeiros! Podem despedir-se da sua liberdade, porque tu predicas o regresso às prisões e a elas conduzes!

No teu lamento, demônio melancólico, percebe-se um reclamo: pareces-te com aqueles cujo elogio da castidade impele secretamente à voluptuosidade!"

Assim falou o consciencioso, mas o velho feiticeiro olhava em seu derredor, gozando a sua vitória, e devido a isso suportava a cólera do consciencioso.

"Cala-te — disse com voz modesta. — As boas canções requerem bons ecos; depois de boas canções é preciso haver silêncio durante um bom espaço de tempo.

Assim fazem todos os homens superiores.

Tu, porém, pouco compreendeste do meu canto, provavelmente! Tens pouco espírito encantador."

— "Honras-me — tornou o consciencioso — distinguindo-me assim. Mas que vejo? — Vós ainda continuais aí assentados com olhares ansiosos? Ó! almas livres! que foi feito então da vossa liberdade?

Creio que vos deveis parecer com aqueles que por muito tempo veem bailar raparigas nuas — até as vossas próprias almas se põem a bailar!

Deve haver em vós, homens superiores, muito mais do que aquilo a que o feiticeiro chama o seu maligno espírito de encantamento e de fraude; decerto somos diferentes.

E na verdade, antes de Zaratustra tornar à sua caverna, falamos e pensamos juntos o suficiente para eu saber que somos diferentes.

Vós e eu buscamos também aqui em cima coisas diferentes. Pois eu procuro mais certeza: por isso me acerquei de Zaratustra, que é a torre e a vontade mais firme, hoje que tudo vacila e treme na terra.

Quanto a vós, porém, basta-me ver os olhos que fazeis para apostar que procurais antes incertezas, estremecimentos, perigos, tremores de terra.

Parece-me — desculpai-me a presunção, homens superiores —, parece-me que desejais a vida mais lastimável e perigosa, a que a mim me inspira temor: a vida dos animais selvagens, os bosques, as cavernas, as montanhas abrutas e os labirintos.

E os que mais vos agradam não são os que conduzem para fora do perigo; mas os que levam para fora de todos os caminhos, os sedutoras. Mas se tais anelos são verdadeiros em vós outros, a mim parecem-me de toda a maneira impossíveis.

Que o sentimento inato e primordial é o temor; pelo temor se explica tudo; o pecado original e a virtude original.

A minha própria virtude nasceu do temor; chama-se ciência.

E o temor que mais tem logrado no homem é o temor aos animais selvagens, incluso o animal que o homem oculta e receia em si, aquele a que Zaratustra chama "a besta interior".

Este estranho temor, por fim requintado e espiritualizado, parece--me que hoje se chama ciência."

Assim falava o consciencioso; mas Zaratustra, que nesse mesmo instante tornava à caverna, e que ouvira e adivinhara a última parte do discurso, atirou ao consciencioso um punhado de rosas, rindo-se das suas "verdades". — "Quê? — exclamou — que acabo de ouvir? Parece--me que, estás louco deveras, ou então que o estou eu; vou já virar a tua verdade, de cima para baixo.

Que o temor é a nossa exceção.

Em compensação, o valor e a paixão pelas aventuras, pelo incerto, pelas coisas ainda não apontadas: o valor parece-me toda a história primitiva do homem.

Invejou e arrebatou aos animais mais selvagens e valorosos todas as suas virtudes: só assim se fez homem.

Esse valor, apurado e espiritualizado por fim, esse valor humano com asas de águia e astúcia de serpente, parece-me chamar-se hoje..."

"Zaratustra!" — exclamaram simultaneamente todos os ali reunidos, soltando uma gargalhada; mas qualquer coisa se elevou deles que se assemelhava a uma nuvem negra. Também o feiticeiro se pôs a rir e disse maliciosamente: Arre! Foi-se-me o espírito maligno!

Eu preveni-vos contra ele, quando vos dizia que era um impostor, um espírito mentiroso e fraudulento.

Sobretudo quando se mostra a nu. Que posso eu fazer, porém, contra seus ardis? Acaso fui eu que o criei e quem criou o mundo?

Vamos! Tornemos a ser bons e joviais! E conquanto Zaratustra franza o sobrolho — olhem-no! tem-me aversão! — antes de chegar a noite aprenderá outra vez amar-me e a elogiar-me: não pode estar muito tempo sem fazer doidices destas...

Este ama os seus inimigos: dos que tenho encontrado é quem melhor conhece tal arte. Mas vinga-se deles nos amigos!

Assim falou o velho feiticeiro, e os homens superiores, aclamaram-no; de forma que Zaratustra, rodeando, foi estreitando maliciosa e amoravelmente as mãos dos seus amigos, como quem tem de que se desculpar; mas quando chegou à porta da caverna tornou a ansiar pelo ar puro de fora e a companhia dos seus animais, e quis sair.

Entre as filhas do deserto

I

Não te retires — disse então o viandante que se dizia a sombra de Zaratustra. — Fica ao pé de nós, quando não, poderia tornar a invadir-nos a antiga e esmagadora aflição.

Já o velho feiticeiro nos prodigalizou o melhor da sua colheita; e olha: o papa, tão piedoso, tem os olhos inundados de lágrimas, e tornou a embarcar no mar da melancolia.

Estes reis ainda podiam mostrar boa cara diante de nós todos; porque são os que melhor aprenderam essa arte. Aposso que, se não tivessem testemunhas, também lhes chegaria a má peça, a má peça das nuvens passageiras, da úmida melancolia, do céu nublado, dos sóis roubados, dos ventos de outono que zumbem: a má peça do nosso alarido e dos nossos gritos de angústia. Zaratustra, deixa-te estar conosco! Há aqui muita miséria oculta, muita noite, muitas nuvens, muito ar pesado!

Nutriste-nos de fortes alimentos viris e de máximas fortificantes; não permitas que para conclusão nos surpreendam novamente os espíritos da frouxidão, os espíritos efeminados!

Só tu sabes fortificar e purificar o ambiente que te rodeia! Acaso já encontrei na terra ar tão puro como na tua caverna e nos teus domínios.

E contudo, tenho visto muitos países; as minhas narinas aprenderam a examinar e a apreciar ares múltiplos; mas onde elas experimentam o seu maior deleite é a teu lado.

A não ser... a não ser... Ó! Perdoe-me uma antiga recordação! Perdoe-me um antigo canto de sobremesa que compus em tempos às filhas do deserto.

Que lá também havia ar puro e límpido de Oriente; foi onde estive mais longe da velha Europa, nebulosa, úmida e melancólica.

Então amava eu as filhas do Oriente e doutros reinos do céu azulado onde se não chocam nuvens nem pensamentos.

Nem imagina as feiticeiras que lá se encontravam sentadas, quando não dançavam, profundas, mas sem pensamentos, como segredos, como enigmas engalanados, como nozes de sobremesa, coloridas e verdadeiramente singulares, mas sem nuvens: enigmas que se deixam adivinhar. Em honra dessas donzelas inventei então um salmo de sobremesa.

Assim falou o viandante que se dizia sombra de Zaratustra; e antes que alguém lho pudesse impedir, pegou na harpa do velho feiticeiro, cruzou as pernas e olhou tranquilamente à sua roda, aspirando o ar pelo nariz com expressão interrogadora, como quem aprecia ar novo em novos países. Depois principiou a cantar com uma voz que parecia um rugido.

II

O deserto cresce, ai daquele que oculta desertos!

Solene! Digno princípio! Princípio de solenidade africana! Digno de um leão ou de um bramador moral... mas não de vós, arrebatadoras amigas, a cujos pés me é dado a mim, europeu, sentar-me entre palmeiras.

Maravilhoso! Eis-me agora aqui, próximo do deserto, e já outra vez tão longe do deserto, absorto por este pequenino oásis; porque mesmo agora abriu ele a boca bocejando, a mais perfumada de todas as bocas, e eu lhe cai dentro, profundamente, entre vós, arrebatadoras amigas.

Bendita, bendita aquela baleia, que tão bondosa quis ser para o seu hóspede! Compreendeis a minha douta alusão?... Bendito o seu ventre, se foi tão grato vento de oásis como este! Coisa de que duvido, no entanto; porque venho da Europa, que é a mais incrédula de todas as esposas.

Deus a melhore! Amém!

Eis-me aqui, pois, agora, neste pequenino oásis, como uma tâmara, madura, açucarada, de áureo suco, ansiosa por boca redonda de donzela, mas ainda mais por virginais dentes incisivos acerados, frios como o gelo e brancos como neve, que por eles pena o ardente coração de todas as tâmaras.

Semelhante a esses frutos do Meio-dia, aqui estou cercado de alados insetos que dançam e folgam à roda de mim, assim como os desejos e pensamentos mais pequeninos, mais loucos e ainda mais maliciosos; aqui estou, bichinhas donzelas mudas e cheias de pressentimentos. Duda e Zuleika, assediado por vós — esfingezado, para condensar numa palavra muitas significações (Perdoe-me Deus este pecado linguístico!...); aqui estou aspirando o melhor dos ares, verdadeiro ar de paraíso, ar diáfano e tênue, raiado de ouro, ar tão bom como jamais caiu outro da lua. Seria casualidade ou presunção, como contam os antigos poetas? Eu, porém, cético, duvido, porque venho da Europa, que é a mais incrédula de todas as esposas. Deus a melhore. Amém.

Saboreando este belo ar, com as narinas dilatadas, sem futuro, sem recordação assim estou aqui, arrebatadoras amigas, e vejo a palmeira arquear-se, dobrar-se e vergar-se — o que qualquer faz quando a contempla longo tempo — como uma bailarina que, a meu ver, se susteve já muito, muito, com perigosa insistência, sobre uma perna. Ao que parece, esqueceu a outra. Eu, pelo menos, debalde procurei a gêmea alfaia — quero dizer, a outra perna — nas santas imediações das suas graciosas e arrebatadoras saias, das suas saias enfeitadas, ondulantes como leques. É verdade, belas amigas, perdeu-a... Adeus! Foi-se, foi-se para sempre a outra perna. Ó! pobre perna! Aonde parará, abandonada e triste, essa perna solitária? Talvez prostrada por feroz leão monstruoso de ruivas guedelhas? E já roída, horror! horror! Miseravelmente dilacerada!

Ó! Não me choreis, ternos corações! Não me choreis, corações de tâmaras, seios de leite! Sê homem, Zuleika! Valor! Valor! Não chores mais, pálida Duda.

Ó! ergue-te, dignidade! Sopra, sopra, outra vez, fole da verdade! É bramar ainda, bramar moralmente, bramar como leão moral ante as filhas do deserto! Que os alaridos da virtude, arrebatadoras jovens, são, principalmente, a paixão ardente, a fome voraz do europeu. E vede já em mim o europeu: não posso remediá-lo. Deus me valha! Amém!

O deserto cresce. Ai daquele que oculta desertos!"

O despertar

I

Depois do canto do viandante e da sombra, a caverna encheu-se subitamente de risos e ruídos; e como todos os hóspedes falavam ao mesmo tempo e até o próprio jumento com tal animação não podia estar quieto, Zaratustra experimentou certo enfado e certo prurido zombeteiro contra as suas visitas, embora tal regozijo o satisfizesse por julgá-lo um sinal de cura. Escapou-se pois, para o exterior, para o ar livre, e falou aos seus animais:

"Para onde iria parar agora a tua angústia? — disse, e já se lhe dissipava o enfado. Parece terem esquecido na minha moradia os seus gritos de angústia, conquanto, desgraçadamente, não perdessem o costume de gritar."

E Zaratustra tapou os ouvidos, porque nesse momento os I-A do jumento e a algazarra dos homens superiores formavam um estranho concerto.

"Estão alegres — prosseguiu — e, quem sabe? talvez à custa do seu hóspede; conquanto aprendessem a rir de mim, não foi o meu riso, todavia, que eles aprenderam.

Mas que importa? São velhos; curam-se à sua maneira, riem a seu modo; os meus ouvidos já suportaram coisas piores.

Este dia foi uma vitória. Já retrocede, já foge o espírito do pesadume, meu antigo inimigo mortal. Como quer acabar bem este dia que tão mal e tão maliciosamente principiou!

E quer acabar. Chega o crepúsculo; atravessa a cavalo no mar, o bom corcel. Como se meneia o bem-aventurado, que torna na sua sela de púrpura.

O céu olha sereno; o mundo dilata-se profundamente; homens singulares, que vos aproximastes de mim, vale a pena viver ao pé de mim!"

Assim falava Zaratustra. E nesse somenos tornaram a sair da caverna os gritos e as risadas dos homens superiores. Então Zaratustra continuou:

"Excitam-se; o meu cevo faz o seu efeito; também deles foge o inimigo, o espírito do pesadume. Já aprendem a rir de si mesmos: ouvirei bem?

As minhas saborosas e rigorosas máximas surtem efeito; e, na verdade, não os alimentei com legumes que incham, mas com um alimento de guerreiros, com um alimento de conquistadores: despertei novos desejos.

As suas pernas e os seus braços revelam novas esperanças; o coração dilata-se-lhes. Encontram novas palavras; breve o seu espírito respirará desenfadado.

Compreendo que este alimento não seja para crianças, nem para mulheres lânguidas. São precisos outros meios para lhes convencer as entranhas: deles não sou médico nem mestre.

Foge o tédio desses homens superiores: eis a minha vitória. Sentem-se seguros no meu reino, perdem a imbecil vergonha, espraiam-se.

Espraiam os corações; para eles tornam os bons momentos; divertem-se e ruminam: tornam-se agradecidos.

Isso é que eu tenho como melhor sinal; tornam-se agradecidos. Não passará muito tempo que não inventem festas e erijam monumentos comemorativos às suas antigas alegrias. São convalescentes!"

Assim falava Zaratustra com íntimo júbilo e olhando para fora. Os animais encostaram-se a ele, honrando-lhe a felicidade e o silêncio.

II

De súbito, porém, sobressaltou-se o ouvido de Zaratustra, porque a caverna, até ali animada pela bulha e o riso, ficou de repente num silêncio sepulcral. Às narinas de Zaratustra chegou um odor agradável de fumo e de incenso, como se tivessem posto pinhas ao lume.

"Que sucedera? Que estarão a fazer?" — perguntou a si mesmo, aproximando-se da entrada para ver os convidados sem ser visto. Mas ó! maravilha das maravilhas! Que viram então os seus olhos?

Tornaram-se todos religiosos! rezam! estão doidos! — disse numa admiração sem limites.

E efetivamente, todos aqueles homens superiores — os dois reis, e o papa, o sinistro feiticeiro, o mendigo voluntário, o viandante e a sombra, o velho adivinho, o consciencioso, o homem mais feio — estavam prostrados de joelhos, como velhas beatas: estavam de joelhos a adorar o jumento!

E o mais feio dos homens começava a soprar, como se dele quisesse sair qualquer coisa inexprimível; mas, quando afinal se pôs a falar, salmodiava uma piedosa e singular ladainha em louvor do adorado e incensado burro. Eis qual era essa ladainha:

"Amém! E honra e estima e gratidão e louvores e forças sejam com o nosso deus, de eternidade em eternidade."

E o burro zurrava: I-A.

"Ele leva as nossas cargas; é pacífico e nunca diz não. E o ama o seu deus; castiga-o.

E o burro zurrava: I-A.

"Não fala senão para dizer sim ao mundo que criou: assim canta louvores ao seu mundo. A sua astúcia não fala; por isso mesmo rara vez erra."

E o burro zurrava: I-A.

"Ignorado passa pelo mundo. A cor do seu corpo, como que envolve a sua virtude, é parda. Se tem talento oculta-o; mas todos lhe veem as compridas orelhas."

E o burro zurrava: I-A.

"Que recôndita sabedoria é ter orelhas compridas e dizer sempre sim e nunca não. Não criou ele o mundo à sua imagem? Isto é, o mais burro possível?"

E o burro zurrava: I-A.

"Tu segues caminhos direitos e caminhos tortuosos; aquele a que os homens chamam direito ou torto, pouco te importa. O teu reino encontra-se além do bem e do mal. A tua inocência é não saber o que se chama inocência."

E o burro zurrava: I-A.

"Vê como tu não repeles ninguém, nem os mendigos, nem os reis. Deixas vir a ti as criancinhas, e se os velhacos te querem tentar, dizes simplesmente: I-A."

E o burro zurrava: I-A.

"Gostas das burras e dos figos frescos, e não és exigente com a comida. Um caldo te satisfaz as entranhas quando tens fome. Nisso reside a sabedoria de um deus.

E o burro zurrava: I-A.

A festa do burro

I

Neste ponto da ladainha, porém, Zaratustra não se pôde conter mais. Gritou por sua vez I-A com voz ainda mais roufenha do que a do jumento, e de um salto postou-se no centro dos seus enlouquecidos hóspedes.

"Mas que estais aí fazendo, filhos dos homens? — exclamou, erguendo do solo os que rezavam. — Pobres de vós, se outro que não fosse Zaratustra vos visse!

Todos acreditariam que com a vossa nova fé, vos havíeis tornado piores blasfemos, ou as mais insensatas velhas.

E tu, antigo papa, como podes estar de acordo contigo mesmo, adorando assim um burro como se fosse um deus?"

"Perdoa, Zaratustra — respondeu o papa —; mas das coisas de Deus ainda eu entendo mais do que tu.

Antes adorar a Deus sob esta forma do que o não adorar de forma nenhuma! Reflete nestas palavras, eminente amigo; breve compreenderás que contêm sabedoria.

Aquele que diz: "Deus é espírito" foi o que até hoje deu na terra o passo, o salto maior para a incredulidade! Tais palavras não são fáceis de reparar na terra!

O meu velho coração salta e rejubila ao ver que ainda há o que adorar na terra.

Perdoe, Zaratustra, o velho coração de um papa religioso!"

"E tu — disse Zaratustra ao viandante e à sombra —, dizes-te e imaginas ser um espírito livre? E entregas-te a semelhantes idolatrias e momices?

Antes adorar a Deus sob esta forma do que o não.

Na verdade, fazes ainda aqui coisas piores do que as que fazias ao lado das raparigas morenas e maliciosas, novo e malicioso crente."

Respondeu o viandante e a sombra: "Tens razão; mas que havia eu de fazer? Digas o que disseres, Zaratustra, o Deus antigo revive.

A causa de tudo isto é o mais feio dos homens: foi ele que o ressuscitou. E se diz que em tempos o matou, a morte entre os deuses é tão só um prejuízo."

"— E tu maligno velho encantador, que fizeste? — prosseguiu Zaratustra. — Quem há de crer em ti nestes tempos de liberdade, quando tu crês em tais burricadas divinas?

Como tu, tão astuto, pudeste cometer semelhante sandice!"

"Tens razão, Zaratustra — respondeu o astuto encantador —, foi uma sandice e bem cara me custou."

"E tu também — disse Zaratustra ao consciencioso, — reflete e põe o dedo no nariz! Nada vês nisto que te perturbe a consciência? Não será o teu espírito demasiado limpo para tais adorações e para a presunção de semelhantes boatos?"

"Há neste espetáculo — responde o consciencioso levando o dedo ao nariz —, há neste espetáculo qualquer coisa que faz bem à minha consciência.

Talvez eu não tenha o direito de crer em Deus; mas o certo é que, sob esta forma, Deus ainda me parece altamente digno de fé.

Deus deve ser eterno, segundo o testemunho dos mais piedosos: quem tanto tempo tem tempo toma. De forma que com toda a lentidão e estupidez que queira, pode ir verdadeiramente longe.

E quem tenha inteligência demais podia muito bem suspirar pela estupidez e pela loucura. Quando não, pensa em ti mesmo, Zaratustra!

Tu mesmo, na verdade, te poderias muito bem tornar burro à força de sabedoria.

Um sábio perfeito não gosta de seguir os caminhos mais tortuosos? A aparência o diz, Zaratustra: di-lo a tua aparência!"

"E tu, afinal — disse Zaratustra dirigindo-se ao mais feio dos homens, que caminhava no chão estendendo os braços até ao burro para lhe dar vinho a beber —, fala, inexprimível: que foi que fizeste?

Dize: que fizeste?

É verdade que o ressuscitaste, como estes dizem? E por quê? Não estava morto com razão?

Como te converteste? Fala inexprimível!"

"Ó! Zaratustra — respondeu o mais feio dos homens. — És um brejeiro!

Se ele ainda vive, ou se revive, ou se morreu completamente, qual de nós o sabe melhor?

Sei, porém, de uma coisa — e contigo a aprendi em tempos, Zaratustra —: aquele que quer matar mais completamente põe-se a rir.

"Não é com a cólera, mas com o riso que se mata." Assim falavas tu noutro tempo. — Ó! Zaratustra! tu que permaneces oculto destruidor sem cólera, santo perigoso, és um brejeiro!

II

Então Zaratustra, pasmado de tantos sofismas, tornou a correr para a porta da caverna, e dirigindo-se a todos os convidados começou a gritar com voz forte.

"Refinados loucos, truões! Para que dissimular e ocultar-vos diante de mim!

Como folgava, contudo, de alegria e malícia o vosso coração, porque afinal tornastes a ser como crianças — isto é, religiosos —, porque afinal tornastes a rezar, a juntar as mãos e a dizer "amado Deus!"

Mas agora saí deste quarto de crianças, desta minha caverna onde hoje estão como em sua casa todas as infantilidades.

Refrescai lá fora os vossos ardores infantis e apaziguai o tumulto do vosso coração!

É verdade que se não tornais a ser como crianças, não podereis entrar no tal reino dos céus — e Zaratustra ergueu as mãos para o ar.

— Nós, porém, não queremos entrar no reino dos céus; tornamo-nos homens: por isso mesmo queremos o reino da terra."

III

E tornando a usar da palavra, Zaratustra disse:

"Ó, meus novos amigos! Homens singulares! homens superiores! como me agradais desde que vos tornastes alegres!

Estais em pleno florescimento, e parece-me que para flores como vós, são precisas festas novas, uma boa loucura, um culto e uma festa do burro, um velho tresloucado e alegre à maneira de Zaratustra, um turbilhão, que com o seu sopro vos varra a alma.

Não esqueçais esta noite e esta festa do burro, homens superiores! Foi o que inventastes na minha mansão, e para mim, isso é um bom sinal; não há como convalescentes para inventarem tais coisas!

E se tornardes a celebrar esta festa do burro, fazei-a por amor a vós e por amor a mim. E fazei-a em minha lembrança."

Assim falava Zaratustra.

O canto de embriaguez

I

Entretanto, todos haviam saído um após outro, e se encontravam ao ar livre no seio da noite fresca e silenciosa; e Zaratustra pegou na mão do mais feio dos homens, para lhe mostrar o seu mundo noturno, a grande lua redonda e as cascatas prateadas junto da caverna. Por fim, todos aqueles velhos de coração consolado e valoroso se detiveram, admirando-se intimamente de se sentirem tão bem na terra; a placidez da noite penetrava-lhes nos corações, cada vez mais profundamente. E Zaratustra pensava de novo consigo: "Ó! como me agradam agora estes homens superiores!" — mas não lhes disse, porque lhes respeitava a felicidade e o silêncio.

Então surgiu o mais surpreendente de quanto surpreendente acontecera naquele dia. O mais feio dos homens começou por derradeira vez a resfolegar, e quando conseguiu falar, saiu-lhe dos lábios uma pergunta profunda e clara que agitou o coração de quantos a ouviram.

"Meus amigos, todos que estais aqui presentes — disse o mais feio dos homens — que vos parece? Graças a este, estou pela primeira vez satisfeito de ter vivido a vida inteira.

E ainda não me basta fazer tal declaração.

Vale a pena viver na terra: um dia, uma festa em companhia de Zaratustra me ensinaram a amar a terra.

"Era isto a vida? — direi à morte.

Pois bem: repita-se!"

Assim falava o mais feio dos homens, perto da meia-noite. E que julgais sucedeu nesse momento? Enquanto os homens superiores ouviam a pergunta, repararam na sua transformação e cura, e em quem lhas proporcionara; por isso se precipitaram para Zaratustra beijando-lhe a mão e testemunhando-lhe a sua gratidão, cada qual a seu modo: de forma que uns riam e outros choravam. O velho encantador dançava de prazer; e se, como creem certos narradores, estava então cheio de vinho doce, mais cheio estava certamente de vida doce, e despedira-se de toda a melancolia. Há ainda quem conte que o burro também se pusera a dançar porque não fora debalde que o homem mais feio lhe dera vinho. Fosse isso verdade ou não, pouco importa, e se o burro não bailou nessa noite, sucederam, contudo, coisas maiores e mais singulares do que a de um burro bailar.

Em suma, como diz o provérbio de Zaratustra:

"Que importa!"

II

Quando tal se passou com o mais feio dos homens, Zaratustra ficou como tonto: toldava-se-lhe o olhar, a sua língua tartamudeava e os pés vacilavam-lhe. Quem poderia adivinhar os pensamentos que naquele instante atravessaram a alma de Zaratustra? Era visível, porém, que o seu espírito vagueava para trás e para diante, e passava muito alto, como "sobre elevada cordilheira (conforme está escrito) que, interposta entre dois mares caminha entre o passado e o futuro como pesada nuvem".

Nisto, enquanto os homens superiores o amparavam nos braços, tornou a si pouco a pouco, afastando com o gesto os seus assustados veneradores: mas não falava. Súbito voltou a cabeça, porque lhe parecia ouvir qualquer coisa; então pôs o dedo na boca e disse: "Vinde!"

E imediatamente tudo ficou tranquilo e em silêncio em torno dele; mas das profundidades subia lentamente o som de um sino. Zaratustra aplicou o ouvido, assim como os homens superiores; depois tornou a pôr o dedo na boca e disse outra vez: "Vinde! Vinde! Aproxima-se a meia-noite! "E a voz transformara-se-lhe; mas ele continuava imóvel no mesmo sítio. Então reinou um silêncio ainda maior e uma quietação ainda mais profunda, e toda a gente escutava, até o burro e os animais de Zaratustra, a águia e a serpente, e também a caserna e a fria lua e a própria noite.

Mas Zaratustra ergueu-se pela terceira vez, levou a mão aos lábios e disse:

"Vinde! Vinde! Vamos! É a hora: caminhemos para a noite!"

III

Homens superiores, aproxima-se a meia-noite: quero-vos dizer uma coisa ao ouvido, como mo disse ao ouvido aquele velho sino: com o mesmo segredo, espanto e cordialidade com que me falou esse sino da meia-noite, que tem vivido mais do que um só homem que já cantou as palpitações dolorosas dos corações de vossos pais.

Como suspira! Como ri em sonhos a venerável e profunda, profundíssima meia-noite.

Silêncio! Silêncio! Ouvem-se muitas coisas que se não atrevem a erguer a voz durante o dia: mas agora que o ar é puro e se calou também o ruído dos nossos corações, agora as coisas falam e ouvem-se, agora introduzem-se nas almas noturnas e despertas. Como suspira! Como ri em sonhos!

Não ouves como te fala a ti secretamente, com espanto e cordialidade, a venerável e profunda, profundíssima meia-noite?

Ó! Homem! Excita o cérebro!

IV

"Ai de mim! Que foi do tempo? não caiu em profundos poços? O mundo dorme.

O cão uiva; brilha a lua. Antes de morrer devo dizer-vos o que pensa agora o meu coração de meia-noite!

Estou morto. Tudo findou, aranha: por que teces a tua teia, à minha roda? Queres sangue! Cai o orvalho, chega a hora em que gelo, a hora que pergunta e torna a perguntar incessante: "Quem tem valor para tanto? Quem há de ser o dono da terra? Quem quer dizer: tendes de correr assim, rios grandes e pequenos?"

Aproxima-se a hora! Excita o cérebro, homem superior! Este discurso é para ouvidos, finos, para os tens ouvidos. Que diz a profunda meia-noite?"

V

"Vejo-me arrebatado; a minha alma salta. Cotidiana tarefa! Cotidiana tarefa! Quem deve ser o dono do mundo?

A lua é fresca; o vento emudece. Ai! Ai! Já voastes a bastante altura? Dançaste? Mas uma perna não é uma asa.

Bons dançarinos, agora passou a alegria toda: o vinho converteu-se em fezes; as sepulturas balbuciam.

Não voastes a bastante altura; agora as sepulturas balbuciam: "Mas salvai os mortos! Por que é noite há tanto tempo? Não vos embriaga a lua?"

Salvai as sepulturas, homens superiores! Despertai os cadáveres! Ai! Por que é que o verme ainda rói? Aproxima-se a hora, aproxima-se; soa o sino; ainda o coração anela; o verme, o verme do coração ainda rói.

VI

Maviosa lira! Maviosa lira! Adoro o teu som, o teu encantador som de sapo!

Há que tempos e que de longe — dos tanques do amor — chega a mim esse som!

Velho sino! Maviosa lira! Todas as dores te têm desfibrado o coração: a dor de pai, a dor dos antepassados, a dor dos primeiros pais; o teu discurso alcança já a maturação como o dourado outono e a tarde, como o meu coração de solitário, agora fala: o próprio mundo amadureceu; a uva enegrece; agora quer morrer, morrer de felicidade. Não o conjeturais, homens superiores?

Secretamente sobe um perfume e um odor de eternidade, um aroma — como de dourado vinho delicioso — de rara ventura.

Ventura inebriante de morrer, ventura de meia-noite, que canta: "O fundo é profundo e mais profundo do que o dia."

VII

"Deixa-me! Deixa-me! Sou puro demais para ti. Não me toques! Não se acaba de consumar o meu mundo?

A minha pele é demasiado pura para as tuas mãos? Deixa-me, triste e sombrio dia! Não é mais clara a meia-noite?

Donos da terra devem ser os mais fortes, as almas da meia-noite, que são mais claras e profundas que todos os dias.

Ó dia! Andas às cegas atrás de mim? Exploras a minha felicidade? Serei para ti, rico, solitário, um tesouro oculto, uma arca de ouro?

Ó mundo! Serei o que queres? Serei espiritual para ti? Serei divino para ti? Dia e mundo são demasiado tristes, tendes mãos mais aptas; colhei uma felicidade mais profunda, um infortúnio mais profundo;

colhei um deus qualquer; não me prendais a mim. A minha desdita e a minha dita são profundas, dia singular; mas não sou um deus, nem o inferno de um deus: Profunda é a sua dor."

VIII

A dor de Deus é mais profunda, mundo singular! Procura a dor de Deus; não me procures a mim! Quem sou eu? Maviosa lira cheia de embriaguez; uma lira de meia-noite, um sino plangente que deve falar diante dos surdos, homens superiores. Que vós outros não me compreendeis!

Isto é fato! Isto é fato! Ó mocidade! Ó meio-dia! Ó tarde! Chegou agora o crepúsculo e a noite e a meia-noite; uiva o cão, o vento — não será também o vento um cão? — geme, ladra, uiva. Como suspira, como se ri e geme à meia-noite!

Como agora fala sobriamente esta ébria poetisa! Passar-lhe-ia a embriaguez? Tresnoitaria? Rumina?

A velha e profunda meia-noite rumina em sonhos a sua dor e ainda mais a sua alegria: pois se a dor é profunda, a alegria é mais profunda do que o sofrimento.

IX

Por que me elogias, vinha? Eu, todavia, podei-te. Sou cruel, sangras; que quer o teu louvor da minha sombria crueldade?

"Tudo quanto está sazonado quer morrer!" Assim falas tu. Bendita seja a poda do vindimador! Tudo que não está maduro quer, porém, viver! Ó desventura!

A dor diz: "Passa! Vai-te, dor!" Mas tudo que sofre quer viver para amadurecer, regozijar-se e anelar, anelar o mais longínquo, o mais alto, o mais luminoso. Quero herdeiros (assim fala todo aquele que sofre), quero filhos: não me quero a mim.

A alegria, contudo, não quer herdeiros nem filhos; alegria quer-se a si mesma, quer a eternidade, quer o regresso, quer tudo igual a si eternamente.

A dor diz: "Desfibrai-vos, sangrai, coração! Caminhai, pernas! Asas, voai! Então, vamos, meu velho coração! A dor diz: Passa!"

X

"Que vos parece, homens superiores? Serei um adivinho? Um sonhador? Um bêbado? Um intérprete de sonhos? Um sino da meia-noite? Uma gota de orvalho? Um vapor e um perfume da eternidade? Não ouvis? Não percebeis? O meu mundo acaba de se consumar; a meia-noite é também meio-dia; a dor é também uma alegria; a maldição é também uma bênção; a noite é também sol; afastai-vos ou ficareis sabendo: um sábio é também um louco.

Dissestes alguma vez "sim" a uma alegria? Ó! meus amigos! Então dissestes também "sim" a todas as dores! Todas as coisas estão encadeadas, forçadas; se algum dia quisestes que uma vez se repetisse, se algum dia dissestes: "Agradas-me, felicidade!" Então quisestes que tudo tornasse.

Tudo de novo, tudo eternamente, tudo encadeado, forçado: assim amastes o mundo; vós outros, os eternos, amai-o eternamente e sempre, e dizeis também à dor: "Passa, mas torna! Porque toda a alegria quer eternidade!"

XI

Toda a alegria quer a eternidade de todas as coisas, quer mal, quer fazer, quer inebriante meia-noite e quer sepulturas, quer o consolo das lágrimas, das sepulturas, quer o dourado crepúsculo...

Que não há de querer a alegria! É mais sedenta, mais cordial, mais terrível, mais secreta que toda a dor; quer-se a si mesma, morde-se a si mesma, agita-se nela a vontade da anilha; quer amor, quer ódio, nada na abundância, dá, arroja para longe de si, suplica que a aceitem, agradece a quem a recebe, quereria ser odiada; é tão rica que tem sede de dor, de inferno, de ódio, de vergonha, do mundo, porque este mundo, ah, já o conheceis.

Homens superiores, por vós suspira a alegria, a desenfreada, a bem-aventurada; suspira pela vossa malograda dor. Toda a alegria eterna suspira pelas coisas malogradas.

Pois toda a alegria se estima a si mesma; por isso quer também o sofrimento! Ó felicidade! Ó dor! Desfibra-te coração! Aprendei-o, homens superiores: a alegria quer a eternidade!

A alegria quer a eternidade de todas as coisas.

XII

Aprendeste agora o meu canto? Adivinhastes o que quer dizer? Eia, pois, homens superiores entoai o meu canto!

Entoai agora vós o canto cujo título é "Outra vez" e cujo sentido é "por toda a eternidade". Entoai, homens superiores, entoai o canto de Zaratustra!

Homem, excita o cérebro!
Que diz a profunda meia-noite?
"Tenho dormido, tenho dormido!
De um profundo sono despertei:

O mundo é profundo, mais profundo do que o dia pensava.
Profunda é a sua dor e a alegria mais profunda que o sofrimento!
A dor diz: Passa!
Mas toda a alegria quer eternidade, quer profunda eternidade."

O sinal

Na manhã seguinte, Zaratustra saltou da sua jazida, apertou os rins e saiu da caverna, ardente e vigoroso, como o sol matutino que sai dos sombrios montes.

"Grande astro — disse como noutra ocasião —, olho profundo de felicidade, que seria desta se te faltassem aqueles a quem iluminas?

E se eles permanecessem em seus aposentos quando tu já estás desperto e vens dar e repartir, como se te feriria o pudor!

Pois bem! estes homens superiores dormem enquanto eu estou acordado, não são meus verdadeiros companheiros! Não é a eles que espero aqui nas minhas montanhas.

Quero principiar o meu labor, o meu dia, mas eles não compreendem quais os sinais da minha alvorada; os meus passos não são para eles uma voz despertadora.

Dormem ainda na minha caverna, ainda o seu sono saboreia os meus cantos de embriaguez. Aos seus membros falta ouvido que me escute, ouvido obediente."

Disse Zaratustra isto ao seu coração quando o sol nascia. Depois dirigiu para as alturas um olhar interrogador, porque ouvia por cima de si o chamado penetrante da sua águia. "Bem! — gritou para cima. — Assim me agrada e convém. Os meus animais estão acordados, porque eu estou acordado.

A minha águia acordou e saúda o sol como eu. Com as suas garras apanha a nova luz. Vós sois os meus verdadeiros animais; tendes a minha afeição.

Faltam-me, porém, os meus verdadeiros homens!"

Assim falava Zaratustra, quando de repente se sentiu rodeado por uma infinidade de aves que revoavam em torno dele: o ruído de tantas asas e o tropel que lhe rodeava a cabeça eram tais que cerrou os olhos. E na verdade sentiu cair sobre ele qualquer coisa assim como uma nuvem de setas disparadas sobre um novo inimigo! Mas não! Era uma nuvem de amor sobre um amigo novo.

Que sucederá?, perguntou a si mesmo assombrado, Zaratustra, e deixou-se cair vagarosamente na pedra grande que havia à entrada da sua caverna. Agitando, porém, as mãos em torno de si e por cima e por baixo de si, para se subtrair às carícias das aves, sucedeu-lhe uma coisa ainda mais singular, e foi que, sem dar por isso, pôs a mão sobre quentes e fartas guedelhas, e ao mesmo tempo se ouviu um rugido, um meigo e prolongado rugido de leão.

"Chega o sinal", disse Zaratustra, e o coração transmudou-se-lhe. E viu diante de si, estendido a seus pés um corpulento animal ruivo, que encostava a cabeça aos seus joelhos e se não queria afastar dele como um cão afetuoso que torna a encontrar o antigo dono. Mas as pombas não eram menos carinhosas que o leão, e de cada vez que alguma lhe passava pelo focinho, o leão sacudia a cabeça e punha-se a rir.

Vendo tudo isto, Zaratustra só disse uma coisa: "Estão perto os meus filhos." E depois emudeceu completamente; mas sentia o coração aliviado, e dos seus olhos corriam lágrimas que lhe banhavam as mãos. E ali permanecia imóvel, sem se preocupar com coisa alguma, sem sequer se defender dos animais. Entretanto, as pombas voavam de um lado para outro, pousavam-lhe nos ombros, acariciavam-lhe os brancos cabelos, e eram infatigáveis na sua ternura. E o leão lambia incessantemente as lágrimas que corriam pelas mãos de Zaratustra, rugindo e rosnando timidamente. Eis o que fizeram estes animais.

Tudo isto poderia durar muito ou pouco tempo: porque, falando propriamente, na terra não há tempo para coisas tais.

Entrementes tinham os homens superiores acordado na caverna, e dispunham-se a ir em procissão ao encontro de Zaratustra, para o saudar, porque, já haviam reparado na sua ausência. Quando chegaram, porém, à porta da caverna, o leão, ao ouvir-lhes os passos afastou-se rapidamente de Zaratustra e precipitou-se para a caverna rugindo furiosamente. Ouvindo-o rugir, os homens superiores, começaram a gritar como uma só boca, e retrocedendo, desapareceram num abrir e fechar de olhos.

Por seu lado, Zaratustra, aturdido e distraído, ergueu-se do seu assento, olhou em roda, assombrado, interrogou-se, refletiu e permaneceu sozinho. — "Mas que foi que ouvi? — disse, afinal, lentamente. — Que acaba de me suceder?" E, recuperada a memória, compreendeu o que sucedera entre a véspera e o dia em que se encontrava. "Aqui está a pedra onde ontem pela manhã me sentei — disse cofiando a barba — aqui se abeirou de mim o adivinho, e ouvi pela primeira vez o grito que acabo de ouvir, o grande grito de angústia.

Homens superiores, a vossa angústia foi o que ontem pela manhã me predisse o velho adivinho; quis atrair-me à vossa angústia para me tentar — "Ó! Zaratustra — disse-me ele —, venho aqui induzir-te ao último pecado."

"Ao meu último pecado? — exclamou Zaratustra rindo-se das suas próprias palavras. — Que será que ainda me está reservado como último pecado?"

E outra vez se concentrou em si mesmo, tornando a sentar-se na pedra para refletir. De repente ergueu-se:

"Compaixão! A compaixão pelo homem superior! — exclamou. E o semblante tornou-se-lhe de mármore. Ora!

Já lá vai esse tempo!

Que importam a minha paixão e a minha compaixão? Acaso aspiro à felicidade? Eu aspiro à minha obra!

Chegou o leão, os meus filhos não tardam; Zaratustra está sazonado; chegou a minha hora.

Esta é a minha alvorada; começa o meu dia: sobe, pois, sobe, Grande Meio-dia!"

Assim falava Zaratustra, e afastou-se da caverna, ardente e vigoroso, como o sol matinal que surge dos sombrios montes.

APÊNDICE I

Origem de *Assim falava Zaratustra*

Zaratustra é a obra pessoal do meu irmão, a história das suas experiências íntimas, das suas amizades, do seu ideal, dos seus arroubos, das suas desilusões e dos seus sofrimentos mais amargos. Porém delineia-se aqui, mormente esplendorosa, a imagem da sua mais alta esperança, do seu fim mais determinado. A figura de Zaratustra apareceu desde os jovens anos ao meu irmão que me escreveu, certa vez, tê-la já visto em sonho quando menino. A esta forma de sonho ele deu, segundo os tempos, nomes diferentes; "mas por fim — diz em anotação posterior — dei preferência a um persa. Primeiramente pensaram os persas na história de modo vasto e completo. Veio um séquito de evoluções, cada qual presidida por um profeta. Cada profeta tem o seu Bazar e o seu reino de mil anos".

Os conceitos gerais de *Zaratustra*, assim como a figura do anunciador, são de origem antiquíssima. Quem estudar atentamente a obra póstuma de 1869 a 1882 descortinará embriônico o ciclo de ideias de Zaratustra, como seja o ideal do super-homem que já se destaca em todos os escritos do autor nos anos de 1873 a 1875. Consultem-se os tomos

I e II desta edição, bastando-me citar por ora os seguintes tópicos de *Nós os filólogos*: "Como poder glorificar e louvar um povo todo! Existem solitários, mesmo entre os gregos."

"Sobremodo interessantes e importantíssimos são os gregos porque possuem multidão de grandes solitários. Como foi isso possível? Cumpre estudá-lo.

"Interessa-me unicamente a posição de um povo com relação à educação de cada qual singularmente; e a dos gregos por certo é muito favorável ao desenvolvimento do indivíduo, não pela bondade do povo, mas pela luta dos maus instintos.

"Mediante felizes invenções pode-se educar o grande indivíduo de modo totalmente diferente e mais elevado do que aquele em que foi educado até o momento através das contingências. Ainda existem esperanças; educação importante do homem." (Vol. II, Considerações não atuais.)

No pensamento da educação do super-homem surge a ideia juvenil de Nietzsche de que "o escopo da humanidade está nos seus mais altos exemplares" (ou como ele diz mais claramente em *Schopenhauer como educador*: "a humanidade tem que trabalhar continuamente para educar homens grandes, individualmente — este é o seu problema que não outro"). Porém os ideais apontados como maiores não são mais, agora, indicados como tipos mais altos da humanidade. Não, sobre este futuro ideal desta futura humanidade o super-homem, o poeta ainda estendeu o véu do futuro. Quem pode saber até que esplendor e que altura se elevará! Por isso o poeta em *Zaratustra* exclama apaixonado, após haver examinado o nosso maior conceito ideal, o do Redentor, segundo o novo valor da medida:

"Jamais existiu um super-homem. Eu os vi ambos, o homem maior e o homem menor: Ainda se parecem demais um com o outro. Na verdade, até o maior, achei-o — humano demais!"

"Educação do super-homem" esta expressão foi mais de uma vez subentendida. A palavra "educação" significa transformação através de novas e mais altas avaliações, que devem reinar sobre a humanidade quais condutores e orientadores do modo de agir e da concepção da vida.

O pensamento do super-homem deve mais ser entendido justamente só em conexão aos demais ensinamentos do autor de *Zaratustra*; o ordenamento hierárquico, a vontade de poder, e a inversão de todos os valores. Supõe ele que, pelo ressentimento de um cristianismo débil e falseado, tudo quanto era belo, forte, soberbo, poderoso — como as virtudes provenientes da força — tenha sido proscrito e banido e que por isso hajam diminuído muito as forças que promovem e levantam a vida. Mas agora uma nova tabela de valores deve ser imposta à humanidade, ou seja o homem forte, poderoso, magnífico até o seu ponto mais excelso, o super-homem que nos é agora apresentado com transtornante paixão como escopo da nossa vida, da nossa vontade e da nossa esperança.

E como o antigo modo de avaliar que apreciava como sumidades apenas os débeis, os sofredores, os caracteres moderados e sucumbentes, era necessariamente seguido de uma humanidade débil, sofredora, moderna; assim o novo modo oposto de avaliar (que se resume na existência: tudo quanto nasce da força é bom, o que nasce da debilidade é mau) deve apresentar um tipo robusto, sadio, vigoroso, contente de viver e uma apoteose da vida.

Não é porém esse tipo uma imagem, a esperança de um porvir nebuloso e indistinto, ainda distando milhares de anos, não é uma nova espécie darwinística da qual nada se pode saber e sobre a qual pesa quase uma futilidade mesquinha, mas deve ser uma possibilidade atingível pela humanidade presente com todas suas forças espirituais e corporais e atingida através das novas avaliações.

O autor de *Zaratustra* lembra aquele terrível exemplo da inversão de todos os valores: através do cristianismo pelo qual o inteiro mundo grego divinizado, a orientação grega do pensamento e a galharda romanidade, foram num tempo relativamente curto, quase destruídos ou transformados.

Não se poderia agora evocar esta medida renovada greco-romana dos valores, espécie de inversão, tornada mais sutil e profunda por uma escola bimilenária de ideias cristãs, e tornar a chamá-la em um tempo para nós mensurável, até que surja aquele magnífico tipo humano que deve ser a nossa nova fé, a nossa nova esperança, e que somos chamados a preparar através de Zaratustra?

Emprega o autor nas suas anotações particulares a palavra "super--homem" (geralmente no singular) como designação de "um tipo perfeito", em oposição ao "homem moderno"; mas indica principalmente o próprio Zaratustra como tipo do "super-homem". No *Ecce Homo* esfalfa-se por nos dar clara ideia do precursor e das condições necessárias a este tipo que nos domina, enquanto na *Gaia Ciência* diz: "Para compreender este tipo, antes do mais, se deve apresentar clara a sua pressuposição fisiológica: esta é a que chamo grande saúde. Não sei iluminar melhor nem mais pessoalmente este conceito do que o fiz já num dos parágrafos de encerramento (af. 382) do quinto livro de *Gaia Ciência*.

"Nós, gente nova, sem nome, malcompreensíveis — reza um texto —, nós, seres de um porvir ainda desconhecido, precisamos, para um novo escopo, também de um novo meio, isto é, de uma nova saúde, mais forte, sagaz, tenaz, ousada, mais afoita do que hajam sido as saúdes até agora.

Aquele cuja alma tem sede de experimentar o círculo inteiro dos valores e das maravilhas até hoje e de navegar ao redor de todas as costas deste ideal "mar interno", aquele que das aventuras da própria experiência quer saber qual a coragem de um conquistador e de um escultor do ideal, como de um artista, de um sábio, de um legislador, de um douto, e um piedoso, de um asceta de velho estilo; carece este, antes do mais, da grande saúde — tal qual não só se possui, mas que também continuamente se conquista e se deve conquistar, porque está sempre a dar e é a que deve dar.

E agora, após que nos distanciamos tanto, nós, argonautas do ideal, mais corajosos do que seja razoável e bastantes vezes náufragos e em condições más, perigosamente sadios, parece-nos que por prêmio, tenhamos uma outra terra inexplorada à nossa frente, uma terra cujos confins jamais alguém avistou, um além de todos os países e recantos do ideal tidos até hoje, um mundo tão exuberante de belo, de estranho, de coisas misteriosas, temíveis e divinas, que a nossa curiosidade e o nosso desejo de posse, são transportados para fora de si — ah! como doravante nada mais nos satisfaz!

"Como poderíamos nós, depois de tal olhar, com tal fome ardente no cérebro e na consciência, contentarmo-nos ainda com o homem atual? Bastante mal: porém é inevitável que lhe aguardemos as esperanças e as suas metas mais dignas com uma seriedade difícil de sustentar, embora até nem mesmo as guardemos.

Temos à nossa frente outro ideal, um ideal maravilhoso, tentador, cheio de perigos, ao qual não poderíamos persuadir ninguém, para que não outorguemos a alguém assim facilmente o direito: o ideal de um espírito que ingenuamente, isto é, involuntariamente e por exuberância e força impetuosa, se divirta com tudo quanto se chamou até hoje santo, bom, intangível, divino; pelo qual a coisa mais alta em que o povo acha a bom preço a medida do próprio valor ou seja perigo, decadência, humilhação, ou pelo menos alívio, cegueira, significariam esquecimento temporário de si; o ideal de bem-estar e bem-querer humanos e sobre-humanos, que muitas vezes parecerá não humano; por exemplo, quando se defrontarem a total seriedade terrena que se teve até o momento, as solenidades de atitudes, as palavras, o som, a moral, a tarefa como a sua paródia involuntária e visível — com a grande seriedade e esta se erigir, põe-se enfim o ponto de interrogação, evola-se o destino de uma alma, o bisturi se move, a tragédia começa..."

Embora a figura de Zaratustra e grande parte dos pensamentos principais dessa obra possam ser achados muito antes nos sonhos e nos escritos do autor, *Assim falava Zaratustra* nasceu, no entanto, em Sils-Maria em 1881, e o que induziu Nietzsche a exprimir em dizeres poéticos o novo ciclo de ideias foi o pensamento do eterno retorno.

No outono de 1888 meu irmão escreve exatamente nos seus esboços autobiográficos ditos *Ecce Homo* como isso lhe surgiu à mente: "A concepção fundamental da obra, do pensamento do eterno retorno, esta mais elevada forma de afirmação que possa ser atingida — pertence a agosto de 1881: é lançada sobre um papel com a menção: "6.000 pés além do homem e do tempo".

Fui aquele dia ao lago de Silvaplana entre os bosques e me detive junto a um robusto tronco piramidal. Ocorreu-me então este pensamento. Se me reporto a dois meses antes dessa data, acho, como indício, uma transformação improvisada e muito firme do meu gosto principalmente pela música.

Pode-se considerar, talvez, Zaratustra inteiro como obra musical; certamente foi um como renascimento artístico, uma premissa. Num pequeno lago alpino junto a Vicenza, onde passei a primavera de 1881, juntamente com meu mestre e amigo Peter Gast, também este um "ressuscitado", descobri que a fênix música nos voava à frente com penas velozes e esplendentes, como nunca no passado.

Entre começo e fim de 1881 surge a decisão de deixar anunciar pela boca de Zaratustra, com palavras de hino e ditirambo, a doutrina do eterno retorno. Achamos de fato, entre os seus papéis, uma folha escrita naqueles dias que nos põe claramente sob os olhos aquele primeiro esboço de *Assim falava Zaratustra.*

"Meio-dia e eternidade.
"Aceno de uma vida nova."

Abaixo vem escrito:

"Zaratustra, nascido junto ao lago Urmi, abandonou pelos trinta a sua pátria, esteve na província de Aria e compôs nos dez anos de sua solidão entre montanhas o *Zend-Avesta.*"

O sol do conhecimento está de novo no zênite; e em redor está a serpente da eternidade na sua luz — é a vossa hora, vós irmãos do zênite".

Aqui estão as seguintes notas:

"Para o projeto de um novo modo de viver.

Primeiro livro: No estilo da primeira frase da nona sinfonia. *Chaos sive natura: Do desumanamento da natureza.* Prometeu chega acorrentado ao Cáucaso. Escrito com a crueldade do "cratos", do poderio.

Segundo livro: Fugitivo, cético, mefistofélico. *Da incorporação das experiências.* Conhecimento-erro que se torna orgânico e organizante.

Terceiro livro: O mais íntimo e mais etéreo que jamais fosse escrito: *Da última felicidade do solitário* — o qual de pertencente a outros se tornou "patrão de si mesmo" no grau mais elevado: o perfeito ego; só este ego possui amor; nos primitivos degraus onde não chegou a solidão e o maior domínio de si, algo há que difere do amor.

Quarto livro: Ditirambo-maior: *Annulus Seternitatis.* Anseia por viver tudo mais uma vez e vezes eternas. A perene transformação: deves penetrar em breve espaço de tempo em muitos indivíduos. O meio é uma luta continua.

Sils-Maria, 26 de agosto de 1881.

Naquele verão de 1881, o meu irmão novamente se sentiu, após muitos anos, mais débil e pior que um convalescente, e na plena sensação de sua precedente e ótima saúde não só nasceu a *Gaia Ciência*, — que pela sua entoação deve ser considerada um *prenúncio de Zaratustra*, mas a própria obra de Zaratustra. Um destino cruel quis que, exatamente ao tempo da sua cura, lhe sobreviessem muitas dolorosas experiências pessoais.

Sofreu profundas desilusões na amizade que considerava tão alta e sagrada, e sentiu, pela primeira vez, em todo o horror, aquela solidão a que é condenado todo grande. É o abandono algo que difere por completo da solidão voluntária e beatificante. Como desejou então o perfeito amigo que o compreendia plenamente, ao qual podia dizer que julgava ter achado desde a primeira infância e nos diversos períodos da sua vida!

Mas agora que a sua trilha ia ficando cada vez mais íngreme e perigosa não achava mais ninguém que pudesse andar com ele; assim criou para si na figura ideal do filósofo real o amigo perfeito, e fez com que este anunciasse os intentos mais altos e mais sagrados.

Perguntar se, sem as experiências amargas do tempo de intervalo, ele teria levado a efeito o primeiro esboço de *Assim falava Zaratustra* no verão de 1881, e se neste haveriam dominado aquelas tonalidades de alegria que reconhecemos no esquema, é agora pergunta ociosa.

Porém, talvez possamos dizer com Meister Eckardt, mesmo com respeito ao Zaratustra: "O animal mais veloz que nos conduz à perfeição é a dor."

Escreve meu mano, quase ao despontar da primeira parte de *Zaratustra*: "No inverno de 1882-1883 vivi naquele remansoso golfo de Rapallo, não longe de Gênova, que se interna por Chiavari e as elevações de Portofino.

A minha saúde não era ótima; o inverno estava frio e excessivamente chuvoso; a hospedaria pequena dava diretamente para o mar, de modo que à noite se não podia dormir; e eu tinha quase que exatamente o oposto do que teria sido desejável. Apesar disso, e quase a demonstrar à minha frase que, toda coisa decisiva acontece "não obstante tudo", foi naquele inverno e naquelas condições desfavoráveis que nasceu o meu *Zaratustra*.

Pela manhã saí rumo ao Sul tomando a estrada magnífica que leva a Zoagli, ladeada de pinheiros e que o mar distante domina; à tarde, mal consentia a minha saúde, dava a volta do golfo de Santa Margarida até Portofino. Ainda mais queridas são para mim esta localidade e esta paisagem pelo amor que lhes teve o imperador Frederico III; no outono, por 1886, novamente estava eu naquela praia quando ele visitou pela última vez aquele pequeno esquecido reino da felicidade. Veio-me assim em mente por essas razões, todo o primeiro *Zaratustra*, sobretudo Zaratustra mesmo, como tipo; ou, antes, ele mesmo me empolgou..."

Foi escrita esta primeira parte de *Zaratustra* em dez dias apenas, do começo a meados de fevereiro de 1883. "A parte do remate foi justamente ultimada na hora sagrada em que morreu em Veneza R. Wagner."

Meu irmão designou aquele tempo, com exceção dos dez dias durante os quais escreveu *Zaratustra* como o pior para sua saúde; com isso não entende ele as suas condições precedentes de saúde, mas sim um forte resfriado que o atingiu em Santa Margarida e o oprimiu ainda por muitas semanas em Gênova.

Reportava-se mais ao estado da sua alma, àquele abandono indescritível para o qual achara palavras de dor tão lancinante em *Za-*

ratustra. Também a acolhida que teve a primeira parte de *Zaratustra* entre conhecidos e amigos foi muito deprimente, uma vez que se não sentiu entendido por aqueles a quem a oferecera. "Para muitas coisas que eu havia dito não achei ninguém amadurecido; *Zaratustra* é uma demonstração de que se pode falar com a maior clareza sem ser entendido por ninguém."

"Meu irmão ficou muito desalentado com aquela incompreensão; e visto como no mesmo tempo se desacostumara, com grande esforço de vontade, do cloral sonífero, que tinha usado no tempo do resfriado, a primavera seguinte (1883) que passou em Roma foi antes triste. Nesse particular escreveu: "Passei uma primavera triste em Roma — onde eu ia levando a vida — nada fácil. No fundo magoava-me aquele local indecoroso para o poeta de *Zaratustra*, que eu não havia escolhido entre os outros de minha dileção; queria ir a Aquila, antítese de Roma, fundada propositalmente por inimizade a Roma como um dia hei de fundar um lugar em recordação de um inimigo *comme il faut* da Igreja, parente meu achegado, o grande Hohenstaufen — imperador Frederico II.

Porém foi destino geral; precisei voltar.

Por fim parei na praça Barberini, após me ter cansado na procura afanosa de uma localidade anticristã. Receio ter perguntado certa vez, para evitar odores desagradáveis, se haveria um quarto sossegado para um filósofo no próprio palácio do Quirinal. Num alpendre, no alto, sobre esta praça de onde se vê a cidade e se ouve o murmúrio da fonte, foi composta aquela canção tão solitária como jamais dantes havia sido ideada, do canto noturno; naquele tempo sempre na fantasia me perpassava uma melodia de tristeza indizível cujo estribilho continuamente eu tornava a achar nas palavras: morto de imortalidade."

Naquela primavera demoramos um pouco demais em Roma; e sob o influxo do tempo cansativo a oprimir que então chegara, e do desalento a que aludi, meu irmão decidiu não escrever mais absolutamente, e por forma alguma continuar *Zaratustra*, embora eu me houvesse oferecido a livrá-lo de todo cansaço quanto à impressão e quanto ao editor.

Mas, quando a 17 de junho voltamos à Suíça e ele viveu novamente ao contato familiar do ar sadio dos montes, despertou-se toda a sua alegre vontade de criação, e escreveu-me acerca de um futuro manuscrito em preparação: "Aluguei aqui para três meses: na realidade sou o maior louco se me deixo desalentar por causa da temperatura italiana."

De quando em vez aponta-me a ideia: "o que vem depois?" O meu "porvir" é para mim a coisa mais obscura do mundo; como porém muitas coisas devo ainda executar, eu deveria pensar só nelas como no meu porvir e deixar o mais a ti e aos deuses.

Foi escrita a segunda parte de *Zaratustra* entre 26 de junho a 6 de julho em Sils-Maria: "Regressando, no verão, ao lugar sagrado onde me fulgiu à mente a primeira ideia de *Zaratustra*, achei a segunda parte da obra.

Bastaram dez dias; nem me fora necessário mais tempo em caso algum, tanto para a primeira, como para a terceira ou a última parte."

Muitas vezes falou do estado de arrebatamento em que escreveu *Zaratustra*, como se fora propriamente assaltado por uma plêiade de pensamentos durante os seus passeios despreocupados, e pudesse apenas tomar, às pressas, alguns apontamentos a lápis, no seu canhenho; apontamentos que, ao regressar, escrevia depois com tinta, até meia-noite.

Diz-me ele em carta:

"Não podes facilmente ter um conceito exato da veemência destas formações"; e descreve com entusiasmo apaixonado, no *Ecce Homo* (outono de 1883), o incomparável estado de alma em que foi escrito *Zaratustra*:

"Haverá alguém, no fim do século XIX, que tenha um conceito claro daquilo que os poetas do velho tempo chamavam inspiração? Caso não, quero descrevê-lo. Com uma nesga de superstição realmente apenas se poderia negar a ideia de existir somente encarnação instrumento, médium de forças prepotentes."

"O conceito de revelação no sentido de que inopinadamente, com indizível segurança e profundidade, algo se manifeste, se faça sentir, e agite e abale, até o mais profundo, simplesmente descreve a consistência do fato.

Sente-se — não se procura; toma-se — não se pede que dê; fulgura imperioso um pensamento sem dilação — jamais tive eu possibilidade de escolha."

"Um arrebatamento cuja tensão se resolve numa crise de lágrimas, e durante o qual o passo ora involuntariamente treme, ora se torna lento; uma perfeita extrinsecação com a mais distinta consciência de infinitos calafrios sutis e tremores até a ponta dos pés; uma profundidade de alegria na qual o que existe de mais doloroso e mais escuro não age como contraste, mas como uma tinta, exigida e necessária, em tamanha exuberância de luz; um instinto de condições rítmicas estendido sobre o grande espaço das formas (o comprimento, a necessidade de um ritmo mais amplo, é como a medida para a força da expressão, uma espécie de compensação pela sua pressão e sua tensão).

"Tudo acontece no ponto culminante, involuntariamente, mas como num furacão de sentimento de liberdade, de coisas incondicionadas, de poder, de divindade. A involuntariedade das imagens, das similitudes é o fato mais maravilhoso; não mais se tem conceito algum do que seja imagem, similitude, tudo se apresenta como a impressão mais vizinha, mais exata, mais simples. Realmente parece, para lembrar uma palavra de *Zaratustra*, que as próprias coisas sejam similitudes:

"Aqui todas as coisas chegam acariciantes à tua palavra e te engodam, pois querem cavalgar sobre teu dorso. Por esta similitude tu cavalgas essa verdade. Aqui se te revelam as palavras de todo o ser e os escrínios secretos das palavras: toda existência quer aqui transformar-se em palavra, todo porvir, quer aprender contigo a falar. Esta é a minha experiência da inspiração; não duvido que se deva remontar séculos para achar alguém que me possa dizer: é todavia a minha.

No outono de 1883 meu irmão largou Engadina e veio por algumas semanas à Alemanha; no inverno seguinte, 1883-1884, após umas estadas em Stresa, Gênova e Spezia parou em Niza onde tão bem se deu com o clima, que escreveu a terceira parte de *Zaratustra*: "Durante o inverno, sob o céu alciôneo de Niza que pela primeira vez em vida eu contemplava, concebi o terceiro *Zaratustra* — e o terminei.

Um ano apenas, calculado para o trabalho inteiro. Muitos recantos e muitos outeiros desconhecidos de Niza foram consagrados por mim em momentos inolvidáveis; aquela parte decisiva que traz o título de "Das tábuas velhas e das novas", foi pensada durante a cansativa saída da estação para os maravilhosos ninhos rochosos mouriscos de Elz.

A agilidade dos músculos era sempre maior em mim quando mais rica fluía a força criadora. O corpo é entusiasta, deixemos ficar a alma... Podia-se ver-me frequentemente a dançar; então podia eu passear nos montes durante sete, oito horas sem qualquer sinal de cansaço, dormia bem, ria muito — gozava de paciência e vigor perfeitos."

Cada uma das três partes de *Zaratustra* nasceu assim depois de uma preparação mais ou menos longa conforme já disse, em dez dias aproximadamente. Somente a última parte foi composta com algumas interrupções. Os primeiros apontamentos foram escritos durante uma estada costumeira em Zurich em setembro de 1884; logo continuei uma primeira elaboração em Mentone, em novembro de 1884, e, após uma pausa mais longa, foi o manuscrito terminado entre fins de janeiro e meados de fevereiro de 1885, em Niza.

Intitulou-o então o meu mano "quarta e última partes"; mas já antes da publicação privada, e pouco tempo após, escrevia-me que desejava compor uma quinta e uma sexta parte, sobre o que todavia existem dispositivos.

Nesta quarta parte (em cujo manuscrito pronto para o prelo existe a nota: "Para os meus amigos somente, não para a publicidade") ele a considerava como algo de inteiramente pessoal, e impunha aos poucos a quem presenteou com um exemplar, o mais estrito sigilo.

Muitas vezes pensou se seria oportuno publicar também esta quarta parte, mas julgou não o poder fazer sem mudar com antecedência alguns tópicos. Em todo caso, destinou os quarenta exemplares da quarta parte, impressos, do manuscrito inteiro, como presente para "aqueles que para tanto lhe fossem beneméritos". Com esse critério só teve azo para dar de presente sete exemplares — tanto era então solitário e incompreendido.

Já no princípio da origem desta história adotei as razões que impeliram meu irmão a incorporar em um persa a figura ideal do seu real filósofo; mas porque deva ser exatamente Zaratustra aquele em cuja boca as suas novas doutrinas, ele mesmo no-lo diz nas seguintes palavras:

"Não se me perguntou e dever-se-ia ter-me perguntado, o que é que, exatamente no meu falar, no falar do primeiro imoralista, o que significaria o nome de Zaratustra: uma vez que o que estabelece a espantosa unicidade daquele persa na história é exatamente o contrário. Zaratustra viu por primeiro a verdadeira roda do mecanismo das coisas, na luta do bem e do mal — a tradução da moral na metafísica como força, causa, escopo em si, é obra dele. Porém, fundamentalmente, esta pergunta em si já seria a resposta. Zaratustra criou este erro fatalíssimo, a moral.

Deve ser, por conseguinte, também o primeiro a reconhecê-lo, não só que tenha aqui uma experiência mais longa e maior do que jamais teve pensador algum — a história inteira é a confutação experimental da frase da assim chamada "orientação moral do mundo" —, porém o mais importante é ser Zaratustra mais verdadeiro do que todos os pensadores.

A sua doutrina, e esta somente, tem como virtude mais alta a veracidade — se opõe à vileza do "idealista" —, que foge ante a realidade; Zaratustra tem mais valor, quanto à consistência, do que todos os pensadores juntos. Dizer a verdade, e arremessar bem as flechas é esta a virtude persa. Compreendam-me... O triunfo sobre a moral por causa da verdade, o triunfo sobre o moralista nas suas antíteses — em mim — isso na minha boca significa Zaratustra."

Arquivo Nietzsche — Weimar, julho de 1910.

Elisabeth Förster-Nietzsche[6]

---

[6] Era irmã do filósofo Friedrich Nietzsche e a criadora do Arquivo Nietzsche em 1894.

APÊNDICE II

História da origem de *Assim falava Zaratustra*

A primeira parte de *Zaratustra* foi escrita no começo de fevereiro de 1883 em Rapallo e impressa em fins de abril, por B.G. Teubner em Ligz. Apareceu em maio de 1883 com E. Schmeitzner em Chemnitz sob o título de *Assim falava Zaratustra. Um livro para todos e para ninguém.*

A segunda, escrita em Sils-Maria, entre fins de junho e princípio de julho de 1883, impresso por C.G. Naumann entre fins de julho e fins de agosto de 1883, apareceu igualmente com Schemeitzner em Chemnitz em setembro de 1883.

A terceira parte foi escrita em Niza no fim de janeiro de 1884, e impressa em março por Naumann. As partes segunda e terceira trazem, debaixo do título, os números 2 e 3. Também a terceira parte apareceu com Schmeitzner na primavera de 1884.

As três primeiras partes foram compostas e escritas, conforme repete insistindo o autor, em aproximadamente dez dias, antes dos quais, muitos haviam sido de íntima preparação. Somente a última parte foi composta e escrita com algumas interrupções: em Zurich e em Mentone, em outubro de 1884, e mais tarde terminada em fins de janeiro e começo de fevereiro de 1885, em Niza. A quarta parte foi impressa entre março e abril, por Naumann, custeada pelo autor que não achou mais, ou não mais quis achar, outro editor. Manteve sob sigilo esta última parte e lastimou não ter mandado imprimir também as três precedentes por sua conta.

A quarta parte veio a público somente no outono de 1892 — três anos após adoecer meu irmão e sete depois da impressão da edição privada — quando o médico deu por falha qualquer possibilidade de cura.

Embora tenha chamado última a esta quarta parte da obra, meu irmão asseverou entretanto, por vezes várias, que tencionava escrever ainda uma quinta e uma sexta parte, e disso ficaram disposições. De fato encontramos em 1884 quando ainda não fora escrita a quarta parte, esboços para uma continuação de *Zaratustra* em três partes, e, mesmo mais tarde, não faltam sinais desta sua intenção de prosseguir a obra, como depreendemos dos escritos póstumos de Nietzsche, e do volume biográfico que encerra esta coletânea (*Ecce Homo* etc.).

Nesta edição de *Assim falava Zaratustra* ainda acrescentei muitas anotações coligidas dos escritos supracitados, os quais poderão auxiliar a esclarecer o pensamento principal desta obra e dar-lhe melhor compreensão. Parece que teve o autor, cá e acolá, a ideia incerta de escrever uma espécie de glossário a *Zaratustra*; muitos dos pensamentos anexos, pode suceder, foram escritos com essa finalidade. Mas na compilação são anotações mediante as quais ele mesmo procura precisar melhor o conteúdo de *Zaratustra*, e na verdade um tanto antes de as haver escrito de modo definitivo, e por isso muitas coisas foram depois mudadas durante a execução do trabalho.

Arquivo Nietzsche — Weimar, julho de 1919.

Elisabeth Förster-Nietzsche

SOBRE O AUTOR

Nascido em 1844 no seio de uma família protestante, Friedrich Wilhelm Nietzsche teve sua educação muito influenciada por essa doutrina. Desde pequeno já era conhecido como "o pequeno pastor", apelido que refletia o aluno exemplar e obediente que foi.

Na adolescência, no entanto, Nietzsche entra em contato com os escritos de Schiller, Hölderlin e Byron, leituras que o afastaram do cristianismo, além dos clássicos Platão e Ésquilo, também decisivos na formação filosófica do jovem e no distanciamento da teologia.

Pouco antes de se tornar professor de filologia na Universidade da Basileia, aos 24 anos, Nietzsche lê *Do mundo como vontade e representação* (1818), de Schopenhauer, e conhece o compositor alemão Wagner, cuja obra provoca grande efeito no filósofo. A partir daí, a música e a tragédia grega passam a ser temas recorrentes da produção intelectual de Nietzsche, culminando na sua primeira publicação, *O nascimento da tragédia* (1872).

Como parte de sua vida errante, em 1870, Nietzsche foi enfermeiro voluntário na Guerra Franco-Prussiana (1870-1871), experiência dolorosa, que — com os problemas de saúde que o deixariam sem voz nove anos depois — serve de matéria-prima para *Assim falava Zaratustra* (1883), *Ecce Homo* (1888) e *O anticristo* (1888).

Em 1890, Nietzsche tem um surto de loucura de origem incerta, que o acompanhou até sua morte, em 25 de agosto de 1900, na cidade alemã de Weimar.

Direção geral
Antônio Araújo

Direção editorial
Daniele Cajueiro

Editora responsável
Ana Carla Sousa

Produção editorial
Adriana Torres
Zaira Mahmud

Revisão
Mônica Surrage

Projeto gráfico e diagramação
Futura

Capa
Maquinaria Studio

Imagem da capa
Ullstein Bild - GettyImages

Este livro foi impresso em 2019, para a Nova Fronteira.

N

E

Z

H